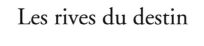

Les rives du destin

AGOP J. HACIKYAN

Les rives du destin

Libre Expression

Données de catalogage avant publication (Canada)

Hacikyan, A. J. (Agop Jack)

Les rives du destin

Suite de : Un été sans aube

ISBN : 2-7648-0008-8

1. Arméniens, Massacres des, 1915-1923 – Romans, nouvelles, etc. I. Titre.

PS8565.A2R58 2002   C843'.54   C2002-941709-0
PS9565.A2R58 2002
PQ3919.2.H32R58 2002

Maquette de la couverture
FRANCE LAFOND
Infographie et mise en pages
SYLVAIN BOUCHER

Libre Expression remercie le gouvernement canadien
(Programme d'aide au développement de l'industrie de l'édition),
le Conseil des Arts du Canada et la Société de développement
des entreprises culturelles du soutien accordé à
ses activités d'édition dans le cadre de leurs programmes
de subventions globales aux éditeurs.

Éditions Libre Expression
7, chemin Bates
Outremont (Québec) H2V 4V7

Dépôt légal :
4e trimestre 2002

ISBN 2-7648-0008-8

1

«Nour, il faut que je te voie. Je prends l'avion cet après-midi pour Istanbul. Ne pose pas de questions, je préfère t'en parler de vive voix», avait lâché Altan d'un trait, aussi essoufflé que s'il avait grimpé à pied les sept étages jusqu'au bureau de son frère.

Pour tromper son attente, Nour observait les piétons et les véhicules qui encombraient l'avenue jonchée de débris depuis les violentes émeutes de la veille.

Voilà des semaines que l'on sentait monter la tension à Istanbul. On racontait que des Grecs de Salonique avaient incendié la maison qui avait vu naître Mustafa Kemal, le père de la république turque. Et soudain, ce 6 septembre 1955, en fin d'après-midi, un grondement sauvage avait empli les ruelles de la ville basse. Le peuple réclamait vengeance.

Il y a peu de temps, le gouvernement avait brutalement décidé de taxer les propriétés des Grecs, des Juifs et des Arméniens. Ces minorités, lourdement imposées, avaient adopté un profil bas de peur d'être expédiées dans un camp de travail au fin fond de l'Anatolie. La colère couvait. Puis, la conscription avait frappé les non-musulmans et affligé les hommes qui supportaient mal l'injustice d'être arrachés à leur famille. La rudesse des interventions policières semblait avoir réduit au silence les esprits frondeurs. Depuis lors, une sorte de léthargie trompeuse s'était emparée de chacun. Et là, au fond des venelles obscures, la bête révolutionnaire s'était réveillée et avait jeté son dévolu sur la population.

La foule s'était constituée sans que personne n'y ait pris garde. Les petites gens s'étaient regroupés dans les cours des maisons, puis ils avaient gagné la rue prenant au passage un outil, un bâton, une pierre. Ils s'étaient retrouvés sur les places publiques, étonnés d'être aussi nombreux : alors ils avaient levé le poing. Les agitateurs avaient accompli leur travail. Chaque individu s'était fondu dans le flot qui se déversait en rugissant des imprécations contre tout, contre tous ceux qui se tenaient à l'écart de la marée humaine, contre les autres. Un homme affamé avait brisé les volets d'une échoppe et dérobé un pain, la foule avait brandi des bâtons et commencé à piller. Un adolescent avait jeté une pierre sur un chien, la foule avait lapidé des commerçants juifs, des négociants grecs et des marchands arméniens. Comme le soir tombait, on avait allumé des torches, un hystérique avait mis le feu à un marché grec, la foule avait incendié et réduit en cendres des églises. Plus tard, la horde sauvage s'était disloquée : comme une fourmilière, les fanatiques avaient dévasté la Grande-Rue de Péra et s'étaient attaqués aux consulats. Le soir venu, les émeutiers avaient saccagé toute la ville.

La bête n'était pas morte, le passé revenait. Comme pour les tueries de 1896… comme en 1915, avec la déportation et le massacre des Arméniens – un génocide, dira-t-on plus tard, tant les morts étaient nombreux… –, comme en 1922, quand Smyrne était en feu… comme pour le carnage infligé aux Grecs… aux Kurdes…

Nour était agacé par ces troubles politiques et il désapprouvait les orientations de son gouvernement par conviction personnelle mais aussi en tant qu'obstacles à la bonne marche des affaires. S'ajoutait à cela la maladie de son père qui laissait présager bien des problèmes familiaux.

Il essaya de chasser ses mauvais pressentiments en faisant le point calmement. Il avait peu de raisons de s'alarmer, son avenir était tracé : il avait à peine dépassé la trentaine, obtenu un diplôme d'avocat à Harvard, et son père, Riza Bey, lui avait confié la direction générale de l'empire familial des Kardam. Cette décision avait suscité la jalousie des autres frères et particulièrement choqué l'aîné, Ramazan, qui considérait que ce poste lui revenait de plein droit. L'autorité du patriarche sur le clan Kardam était telle qu'aucun des enfants ne s'était permis le moindre commentaire. Et ce n'était pas l'envie qui leur manquait.

Seule Leyla, l'épouse bien-aimée, avait osé une question : «Pourquoi lui?» Riza lui avait répondu assez sèchement : «Parce que Nour est le seul de mes fils capable de me succéder et parce que j'en ai décidé ainsi.»

Chaque enfant savait qu'entre tous leur père affichait une nette préférence pour son jeune fils, dont il tolérait patiemment le tempérament rebelle. Ce favoritisme soulevait d'incessantes crises de jalousie entre frères et sœurs.

Plus par ses qualités propres que par son éducation, Nour se différenciait beaucoup de ses demi-frères. Il était spontané et volontaire. Pourtant, physiquement, il était le portrait de Riza : grand et musclé, le teint hâlé, avec de grands yeux verts.

* * *

Nour avait le front collé à la vitre, les yeux dans le vague. Au-dessous de lui, Istanbul… les tramways se frayaient avec peine une ouverture dans la foule qui encombrait la rue malgré le tintement frénétique de la cloche agitée par le wattman… Le pont de Galata, comme à l'accoutumée, engorgé par le flot des véhicules, des vélos et des piétons… au loin, la mer de Marmara griffée par le sillage des navires de commerce… Nour crut entendre la sirène du ferry qui tonitruait pour disperser un essaim de barques… entre ses rivages, européen et asiatique, le Bosphore était aussi chargé par la circulation que l'avenue, au pied de l'immeuble.

Plongé dans ses pensées, Nour n'avait pas entendu son secrétaire frapper à la porte. Altan qui ne s'embarrassait jamais de protocole fit irruption dans le bureau de son frère et lança :

— Ça va mal. Viens ici, assieds-toi, écoute-moi.

— C'est si grave que ça?

— Le père vient d'avoir une attaque. Le docteur Bulent est à son chevet, et…

— Mais il avait fini sa cure et semblait en pleine forme!

— Laisse-moi parler!

Nour était inquiet, car il n'avait jamais vu son frère dans un tel état d'énervement. Altan avait une bonne dizaine d'années de plus et adorait par-dessus tout jouer au grand frère protecteur. Un physique hors du commun renforçait l'impression de puissance qui s'en dégageait. Quand il était plus jeune, ses cheveux coupés ras, ses oreilles décollées et son nez épaté lui donnaient déjà une allure de lutteur. Sans trop d'intérêt pour les études, il fuyait, dès qu'il le pouvait, la demeure familiale et parcourait à cheval les plantations de leur domaine avec l'intendant. Il ne passait pas une journée sans mesurer ses muscles à ceux des autres adolescents qu'il rencontrait dans ses escapades. Quand le serviteur de son père le ramenait de force au bercail, on découvrait un Altan marqué de plaies et de bosses qui riait aux éclats en contant ses aventures. Sa mère ameutait servantes et nourrices, qu'il toisait d'un air de défi, avant de s'en aller seul aux bains nettoyer ses blessures.

Altan souhaitait avant tout plaire à son père et se voir confier la direction des ouvriers et paysans du domaine. Le travail de la terre le passionnait et il se plaisait au contact de ces hommes rudes qui s'y consacraient.

Lorsque Riza avait annoncé à ses fils qu'il confiait la direction de la Société Kardam à Nour, Altan s'était senti rassuré. Il n'avait guère envie de se frotter aux banquiers ou aux politiciens de la capitale. Il était l'homme de la terre et se sentait beaucoup plus efficace au milieu des terres, chevauchant d'une plantation à l'autre, rossant les flemmards, et veillant au bon ordre des cultures et des hommes.

Altan avait pris son jeune frère sous sa protection. Il trouvait pitoyable la jalousie des aînés devant la prestance et le savoir de leur cadet. Lui n'enviait ni les études de Nour ni sa situation à la tête de l'entreprise familiale et encore moins le pouvoir qu'elle lui conférait. Au contraire, il lui inspirait du respect. Toutefois, il se demandait comment son frère avait pu passer autant d'années aux États-Unis pendant que lui se régalait de plaisir sur ses terres, le nez au vent brûlant du désert.

— Là, c'est sérieux, papa est atteint. Cette fois, il risque d'en garder des traces. Je veux dire, qu'il en sorte très affaibli.

— Qui d'autre est au courant?

— Personne à part Leyla et le docteur. Mais tu connais la famille, ça ne va pas durer. Le docteur Bulent a été clair : s'il passe cette crise, le grand Riza Bey ne sera plus qu'un vieillard amoindri. Et pas sûr qu'il garde toute sa tête.

— Que dit Leyla?

Depuis qu'il était revenu des États-Unis, Nour avait pris assez souvent l'habitude d'appeler sa mère par son prénom. Comme s'il avait voulu qu'elle ne fût pas sa mère, mais une parente ou une amie intime.

— Elle donne des ordres et veut prendre en mains le destin de toute la maisonnée. Elle aurait voulu être chef de la tribu, mais ce n'est qu'une femme.

Nour ne voulait pas relever les propos de son frère. Les prises de position rétrogrades d'Altan au sujet des femmes avaient déjà fait l'objet de disputes mémorables entre eux. Depuis sa circoncision, Altan se considérait supérieur à toutes les femmes, et personne n'avait pu le faire changer d'avis. Pas même l'adoption du nouveau Code civil en 1928 qui attribuait des droits à la femme turque. «En principe, en principe! criait Altan quand on évoquait la question devant lui, en principe, mais pas chez moi!»

Il n'avait jamais compris pourquoi la polygamie avait été interdite, de même que la répudiation décrétée par le mari. Les aventures galantes d'Altan, si tant est que l'on puisse qualifier de galant le fait de culbuter les filles de ferme dans les plantations de tabac, révélaient une nature plus que virile qui suscitait l'admiration des mâles mais quelque réprobation de la part des femmes de la maison. On perdait son temps à lui expliquer que Mustafa Kemal Atatürk, le président de la Turquie, avait accordé aux femmes des droits politiques et, pour tenter de gommer l'inégalité des sexes, leur avait permis de se soustraire à une tradition surannée en les invitant à abandonner le voile et à quitter le harem. À ceux ou celles qui regrettaient le modernisme du président, Altan répliquait: «À la bonne heure! Tout rentre dans l'ordre: les femmes retournent au harem qu'elles n'auraient jamais dû quitter.»

Nour était tracassé que Leyla soit la première informée de l'éventuelle invalidité de son mari:

— Leyla n'a pas fini de nous créer des problèmes à tout vouloir régler à sa manière, sans prendre l'avis de quiconque.

— Oui, dit Altan, elle va ameuter la famille et qui sait ce qu'elle va inventer et leur raconter pour se donner de l'importance. Mais il y a plus grave. Père a dû modifier son testament, je crois.

12

— Comment le sais-tu?

— J'ai beaucoup de fidèles parmi les vieux serviteurs, j'ai été prévenu que l'avocat Nourettine Borahan et père avaient passé plusieurs heures ensemble, et, comme il parlait depuis longtemps de mettre ses affaires en ordre… je pense qu'il l'a fait.

— Ça, on verra le moment venu, il est encore bien vivant pour l'instant.

Altan s'était levé, visiblement embarrassé. Comme Nour tout à l'heure, il était planté devant la fenêtre, les mains derrière son dos. Nour savait que son frère ne livrait pas facilement ses pensées intimes et qu'il fallait lui laisser le temps. Quand on l'accablait de questions, ou bien Altan prenait un air absent, ou bien il envoyait une bourrade à son interlocuteur et quittait les lieux en éclatant de rire.

— Je ne t'ai même pas demandé si tu voulais boire quelque chose, dit Nour.

Altan se retourna d'un coup et regarda son jeune frère dans les yeux :

— Bon, tu sais que tu es à la tête de la Société par la seule volonté de notre père. Maintenant qu'il est au plus mal, ça commence à conspirer dans les couloirs. Touran et Ramazan, nos deux chers frères aînés, sentent venir le moment de leur revanche. De prendre ta place. La place qu'ils auraient dû avoir.

— Attends…

— Laisse-moi continuer. Je ne sais pas ce qu'il y a dans ce testament, mais une chose est certaine, les ennuis vont commencer. Si la Société est partagée entre les femmes et les enfants, on aura une jolie pagaille. Toi, en tant qu'avocat, tu sais comment ça fonctionne. Chacun aura son mot à dire et la décision sera mise aux voix ou quelque chose du genre. Et tu devines que tu n'as pas l'appui de la majorité de la famille.

13

Nour savait cela aussi bien que son frère. Un long silence suivit la déclaration d'Altan. Dès la mort de son père, Ramazan prendrait la tête de la famille et ferait main basse sur le patrimoine avec l'aide de Touran, son âme damnée. Nour n'avait, à proprement parler, jamais eu de relations avec ses frères aînés, plus âgés que lui d'une vingtaine d'années. À sa naissance, ils étaient encore dans un collège militaire en Allemagne. Plus tard, les contacts se limitaient aux repas de famille donnés à l'occasion des grandes fêtes religieuses. Pas plus. De son côté, Altan ne les tenait pas en grande estime : «Des femmelettes malgré leurs galons et leurs airs supérieurs. Ils ne se sont jamais battus, ils sont restés embusqués jusqu'à la fin sans jamais tirer un coup de fusil et sans même entrevoir un ennemi. Quand la dernière guerre a été finie, on les a vus réapparaître pour aller se planquer dans un ministère. Foutus soldats!»

* * *

Altan, non plus, n'avait pas fait la guerre, il n'avait que dix-huit ans quand la Turquie vaincue avait signé un armistice avec les Alliés. L'Empire avait alors perdu toutes ses possessions européennes et arabes. Pire encore, les forces ennemies de l'Entente stationnaient sur le territoire turc et contrôlaient police et gendarmerie. Le sultan paraissait accepter les conditions des Alliés et sacrifier l'indépendance du pays. Malgré son jeune âge, Altan s'était senti humilié.

Puis, avec une volonté et un courage exceptionnels, il avait participé, à l'insu de son père, à la résistance populaire qui avait pris naissance dans les montagnes d'Anatolie. La liberté de mouvement qu'Altan s'était attribuée depuis le départ de son père pour Ankara lui avait permis d'apporter une aide appréciable aux combattants de l'ombre. Fort de son autorité naturelle, il exhortait les paysans du domaine paternel à se battre pour défendre la patrie contre les Grecs et les Alliés. À peine sorti de l'adolescence, il s'affirmait déjà comme un meneur d'hommes.

— Je suis avec toi, Nour. Après-demain, je partirai à Aïntab[1] voir papa. Je m'en veux de ne pas être avec lui.

— Tu n'as rien à te reprocher. Pour une fois que tu passes quelques jours à Yeniköy, profites-en pour te reposer. L'air de la mer te fera le plus grand bien.

— Non, je dois gérer les plantations de Bafra. Je suis obligé de prendre l'avion pour Samsun. Je te tiendrai au courant.

Nour se demanda s'il ne devrait pas partir pour Aïntab. Il voulait à la fois se trouver aux côtés de son père et ne pas quitter Istanbul. Il relança la conversation pour retenir son frère encore quelques minutes près de lui :

— Tu as entendu parler des émeutes lancées contre les minorités?

Le visage d'Altan s'affaissa.

— Encore cette saloperie d'histoire! Ça recommence! On n'apprendra donc rien du passé!

Nour secoua la tête d'un air triste.

— Dommage que la presse étrangère n'ait pas manifesté plus d'intérêt. Ils disent que les événements auraient été planifiés par les Services de renseignements turcs…

Altan ne répondit pas, il avait filé.

* * *

Après son départ, Nour, rangea sans conviction quelques documents. Il se dit qu'il ne ferait plus rien de bien ce soir-là et qu'il valait mieux pour lui retrouver le calme de la maison.

Le ciel s'était couvert. L'obscurité était tombée plus tôt que de coutume. Les lueurs pourpres du crépuscule zébraient

---

1. Cette ville a pris le nom de Gaziantep après la proclamation de la République.

15

l'horizon qui s'auréola de tons azur, puis lavande, pour finir en une apothéose de violet intense.

En chemin, Nour essayait de dissiper le malaise causé par son entretien avec Altan. La maladie de leur père allait sûrement compliquer les relations familiales, mais leurs affaires prospéraient : le pays connaissait quelques soubresauts, cependant l'Empire Kardam se portait à merveille, comme s'il puisait de nouvelles ressources dans les difficultés de la nation.

La Société Kardam et Fils International, fondée par Riza Bey, était florissante. En 1918, la défaite de l'Allemagne et de son allié turc avait tempéré les ambitions politiques de Riza qui s'était alors consacré à ses affaires.

La vieille garde et les membres du parti des Jeunes-Turcs, dégoûtés par la tournure des événements, avaient démissionné ou s'étaient imposé l'exil. Plusieurs ministres de l'Empire ottoman, accusés de crimes de guerre perpétrés contre des centaines de milliers d'Arméniens, s'étaient fait assassiner en Europe. Pendant ce temps, les plus avisés, comme le gouverneur Riza, avaient réussi à survivre en conservant leur fortune et leur rang, en dépit du rôle notoirement peu glorieux qu'ils avaient joué durant la guerre.

Nour se surprit à penser à haute voix :

– Un jour, il faudra que j'en aie le cœur net.

Il essayait de rassembler ses souvenirs. Sa mère Leyla lui avait bien raconté des bribes du passé de son père, mais il s'agissait surtout de quelques anecdotes plaisantes dans lesquelles Riza avait le beau rôle. Rien qui puisse assouvir sa curiosité.

* * *

Fort de sa position de gouverneur de la province, Riza avait abandonné les allées du pouvoir et s'était consacré à la gestion de son immense domaine. Aux champs de coton du sud-est de l'Anatolie, il avait ajouté des terres proches de la mer Noire, plus propices à la culture du tabac, et cette nouvelle activité avait fait la fortune de la famille Kardam. Quand il était adolescent, Riza quittait la demeure de son père lorsque le vent du désert était tombé et que l'air donnait une impression de fraîcheur. Il prenait un sentier qui traversait les grandes oliveraies, puis coupait par la plantation de pistachiers. La famille cultivait ces arbres depuis toujours et approvisionnait tous les marchés d'Asie Mineure avec ses pistaches.

Sur la crête de la colline, un pin tordu s'appuyait à la roche. Sous ce parasol de verdure, le rocher déchiqueté par les vents de sable avait pris la forme d'un fauteuil géant. Riza en avait fait son coin secret. Il s'asseyait sur le trône de pierre et contemplait le paysage bleu par les rayons de la lune. Il se disait que, bientôt, tout cela lui appartiendrait et qu'il se battrait pour étendre son domaine aussi loin que sa vue portait. Riza avait tenu parole, il était devenu l'un des plus grands propriétaires fonciers du pays.

Il prévoyait que la Turquie devrait transformer ses structures économiques archaïques, développer son agriculture, se doter d'un excellent réseau de communications et jeter les bases d'une industrie jusqu'à présent inexistante.

Grâce à ses amitiés dans les milieux gouvernementaux, Riza avait profité de placements heureux dans les entreprises qui œuvraient à l'amélioration des moyens de transport tout en favorisant l'acheminement de ses propres productions vers les régions côtières.

Sous l'impulsion de Mustafa Kemal, le pays, très jaloux de son indépendance, s'imposait une autarcie financière afin de sauvegarder son autonomie. Le refus d'introduire des capitaux étrangers faisait le jeu de Riza Bey, la fortune des

Kardam s'était mise au service de la Turquie... pour leur plus grand profit.

Mais les ambitions de Riza s'étaient heurtées à un obstacle majeur : s'il disposait de capitaux, il manquait cruellement de techniciens et de cadres. Il le répétait sans cesse : «Les Turcs sont un peuple de paysans, de soldats et de fonctionnaires. Ce ne sont pas des capitaines d'industrie.» Il avait fait de ses deux aînés des militaires, haut gradés, certes, mais sans envergure et sans talent particulier pour les affaires. Commerces, banques, industries étaient aux mains des minorités grecques ou arméniennes. Et lui, Riza Bey, avait usé quelques années de sa vie à pourchasser les Arméniens au nom du panturquisme qui régnait à l'époque.

Depuis des années, le gouvernement avait eu la volonté d'assurer «l'unité ethnique» de la Turquie et de construire une nation homogène. Les populations allogènes, considérées comme des éléments troubles, avaient été contraintes à l'exil. Une violente hémorragie de cadres avait déstabilisé l'économie du pays. La politique d'indépendance à tout prix défendue par le gouvernement lui interdisait de se dédire en faisant appel aux puissances étrangères.

Riza Bey avait envoyé son jeune fils faire des études à l'étranger, toutes les études dont celui-ci avait besoin pour lui succéder dignement sur le trône de pierre.

Depuis maintenant deux ans, Nour dirigeait l'Empire Kardam, mais ne régnait pas pour autant. Le père conservait son autorité – dictatoriale disait Altan à voix basse – sur ses affaires, ses trois femmes et sa descendance. L'idée même de lui contester une parcelle de pouvoir était inconcevable.

* * *

La soirée était fraîche. Une petite brise revigorante aida Nour à remettre de l'ordre dans ses pensées. Il se sentit mieux. Il avait une véritable adoration pour la mer. La résidence de la famille Kardam, en bordure du Bosphore, avait appartenu au grand vizir Kibrisli Mehmet Pacha au milieu des années 1840. Avant la déclaration de la Grande Guerre, les héritiers du Pacha décidèrent de vendre la *yali*, la villa au bord du Bosphore, à Riza Bey, alors gouverneur de la province d'Aïntab.

Au fil des années, l'amélioration des communications et des transports avait réduit les distances entre Yeniköy et la métropole. Un grand nombre de riverains qui ne résidaient là-bas que durant les mois d'été y vivaient maintenant toute l'année. Nour préférait de beaucoup la *yali* à son appartement d'Istanbul. Il avait toujours éprouvé un attachement nostalgique pour cet endroit qui lui servait de refuge. Il y avait passé tous ses étés jusqu'à son départ pour les États-Unis. Chaque pièce, chaque objet, chaque meuble, même le son des ferry-boats oscillant entre les côtes européenne et asiatique, lui rappelait d'heureux souvenirs.

La nuit qui tombait était douce et paisible. De la baie vitrée qui donnait sur la voie navigable, il aperçut au loin le miroitement des lumières de l'usine de verre de Pachabahçé, sur la côte asiatique. Dans un parfait synchronisme, elles scintillaient en alternance avec la balise lumineuse qui flottait entre les rivages.

Nour était assis dans la bibliothèque qui ouvrait sur le parc. Il terminait le whisky qu'il s'était accordé pour chasser ses idées noires, avant de se consacrer à ses amis invités à passer ici la soirée et le week-end.

— Tout est en ordre, Bey Effendi. Le vent est tombé, je propose de servir les rafraîchissements sur la terrasse.

Kérim, revêtu de sa livrée noire habituelle, s'inclina devant son maître, comme il le faisait devant tous les adultes de la famille. Le vieux majordome était entré au service des Kardam lorsque Nour avait quatre ans. Originaire d'Antalaya, Kérim avait connu dès son jeune âge la rudesse des travaux de la mer. De cette Méditerranée, il avait tiré les moyens de subsistance pour sa famille et appris les mystères de la navigation, des courants, des vents et des tempêtes. Pendant que sa femme Aïcha servait à la cuisine, Kérim enseignait à Nour les secrets de la pêche, la dextérité du matelotage, et le faisait trembler d'effroi en lui contant des légendes où les monstres marins soulèvent des raz-de-marée et entraînent les navires des marins intrépides au fond de l'océan.

— Je vais aller m'habiller, je ne serai pas long, Kérim Agha. S'il te plaît, combien de fois dois-je te le rappeler, ne t'incline pas devant moi chaque fois que tu veux me parler.

— Certainement, Bey Effendi. Je n'oublierai pas.

Cela dit, le vieux serviteur se retira en faisant de nouveau une courbette.

— *Ilâhi*, très cher, Kérim, murmura Nour en esquissant un sourire.

Celui-ci ne se montrait pas aussi pointilleux que son père sur les questions de protocole, et Kérim n'aurait jamais osé s'y soustraire, malgré son âge respectable et ses articulations raides. Lorsque les enfants s'adressaient à leurs parents, ils observaient les formules de politesse d'usage. Quant aux servantes, elles faisaient encore le *temenna* de la main droite en effleurant tour à tour le cœur, les lèvres et les sourcils. Ces petits gestes d'estime et d'appartenance rappelaient le glorieux passé de la famille, mais pour Nour, cela n'était que coutumes démodées. Il reprochait à son père d'attacher trop d'importance à des conventions sociales périmées, alors que l'Empire ottoman avait cessé d'exister depuis des décennies. Nour prenait beaucoup de libertés avec le protocole et, à vrai dire, il prenait un malin plaisir à bousculer les convenances.

Il ne se souciait pas plus des obligations que lui imposait son rang social et professionnel. Souvent, il essayait délibérément de choquer son entourage, en s'affichant avec des personnes peu appréciées de la haute société. Il cultivait son esprit frondeur, cela le distrayait.

Avant de regagner ses appartements, il se dirigea vers le grand salon et se servit un autre verre de whisky. « Rien de mieux pour me calmer et rompre avec la tradition », se dit-il.

Un vague sourire flottait sur ses lèvres, il avait hâte de voir arriver ses invités. Mais surtout l'une de ses invitées. Un bref pincement au cœur lui rappela que la jeune femme en question le troublait chaque fois qu'il la voyait.

En ville, Nour vivait au rythme fou d'une jeunesse riche et extravagante, fréquentant les soirées mondaines, les salles de concert, les cinémas et les boîtes de nuit. Il adorait ces sorties, surtout en agréable compagnie. Il n'était pas dupe des intentions de ces ravissantes créatures, qui le considéraient comme un excellent parti, à la mesure de leurs ambitions matrimoniales. Bien entendu, le jeune avocat se rendait compte de leurs jeux et ne prêtait plus trop d'attention à toutes ces femmes qui cherchaient à le séduire. Jusqu'à sa rencontre avec Ésine.

Il avait rencontré Ésine Ozan au cours d'une réception organisée par sa cousine Rani, dont la réputation d'entremetteuse était célèbre dans les cercles de la haute société d'Istanbul. Ses amis l'avaient surnommée la « Cupidon aptère de Turquie ». Elle avait la manie de se mêler des histoires de cœur de Nour, ce qui avait le don de le rendre furieux, mais cette fois-là, il n'avait pas regretté de se retrouver auprès de la jeune femme, qui travaillait comme interne à l'hôpital américain Admiral Bristol d'Istanbul.

Nour et Ésine s'étaient revus ensuite au salon de thé Marquise, puis une troisième fois, au Yekta, un bistro à la mode.

L'image de la jeune femme lui revint à l'esprit : son visage ovale, ses grands yeux noirs, sa bouche généreuse et son joli petit nez. À leur dernière rencontre, elle portait une robe en lainage bleu, toute simple. Pour seul bijou, un collier de perles dont la blancheur opalescente rehaussait sa chevelure de jais et son teint hâlé. Le sens de l'humour et la conversation sans prétention de sa compagne l'avaient vite séduit. En pleine force de la trentaine, Nour était sensible à certains arguments féminins bien éloignés de considérations purement intellectuelles… les robes si simples d'Ésine révélaient un physique qui le mettait en émoi.

Nour s'adressa à son reflet dans le miroir :

— Tu n'avais pas besoin d'inviter autant de monde, ce soir. Tout ça parce que tu n'as pas osé organiser un premier tête-à-tête avec elle. Tu es un imbécile amoureux!

Kérim frappa à la porte et ouvrit en annonçant :

— Les premiers invités sont là, Bey Effendi.

2

Le sous-officier de garde exécuta un salut impeccable et annonça :

— Messieurs Sabri et Özkoul Haydar souhaiteraient être reçus de toute urgence, mon colonel. Ils ne figurent pas sur la liste de vos audiences du jour, mais ils insistent pour vous rencontrer.

— Allez les chercher. Vous nous servirez un café. Ensuite, je ne veux être dérangé sous aucun prétexte, ordonna Ramazan.

Le colonel Ramazan détailla son subordonné de la tête aux pieds à la recherche d'un défaut dans sa tenue. Il était particulièrement pointilleux sur tout ce qui concernait l'uniforme de ses soldats. Et il n'était jamais autant satisfait que lorsqu'il pouvait aboyer sa réprobation et infliger une punition au fautif.

Ramazan avait fait ses études en Allemagne, dans un collège de Bavière dont la réputation devait plus à la fermeté de sa discipline qu'à l'excellence de ses professeurs. L'établissement recevait comme pensionnaires des fils de nobliaux bavarois et quelques jeunes étrangers issus de familles qui appréciaient la rigueur de l'enseignement militaire germanique.

En 1914, la Turquie venait de se ranger aux côtés de l'Allemagne, et Riza Bey souhaitait afficher un certain attachement au nouvel allié en lui confiant ses deux fils aînés. Les bruits de bottes n'étaient pas encore perceptibles dans la ville d'Aïntab, assez éloignée des frontières, mais Riza, parfaitement introduit dans les allées du pouvoir, savait l'imminence du conflit. Il était convaincu que le gouvernement des Jeunes-Turcs s'était engagé dans une mauvaise voie, mais l'ambition politique le poussait à satisfaire aux exigences des maîtres politiques, et même au-delà, aussi expédia-t-il ses rejetons en Allemagne.

* * *

Quand il était jeune, Ramazan était un gros garçon empoté, coléreux et sournois. Riza Bey regrettait que son fils aîné ne soit ni apte aux études ni capable de reprendre la gestion du patrimoine familial. En ces temps de guerre, il valait mieux en faire un bon militaire tout en l'éloignant, dans l'immédiat, des champs de bataille.

C'est ainsi que Ramazan s'était retrouvé au collège militaire dans un pays dont il ne comprenait ni la langue ni les coutumes. En qualité de premier-né, il s'était vu confier la charge de veiller sur son cadet Touran, destiné aux mêmes études. Les deux adolescents quittaient un mode de vie réglé par les femmes, mère, nourrices ou servantes, dans un milieu où ils étaient, grâce à leur naissance, reconnus comme les futurs maîtres.

Ramazan n'avait jamais réussi à attirer la bienveillance de son père grand amateur de pur-sang arabes. Mauvais cavalier, geignant à la moindre chute, il exécrait la compagnie des chevaux et se vengeait en tourmentant les petits domestiques chargés de l'écurie. Il était l'aîné et pensait que c'était un motif suffisant pour exercer son autorité sur ses frères et sur l'ensemble des domestiques. En tant que garçon, il était supérieur à toutes les femmes de la maison – mère, sœurs ou servantes.

Fils du maître, il était le futur maître et tenait à le faire savoir.

L'arrivée de Ramazan et de Touran au collège ne passa pas inaperçue. La conception de la tenue vestimentaire «à l'européenne» n'était pas la même dans le sud-est de l'Anatolie qu'en Bavière, et ils essuyèrent les quolibets de leurs condisciples. Ramazan ne comprenait pas les mots, mais il percevait la moquerie qui s'en dégageait. Pour la première fois, il se trouva humilié par d'autres enfants, il avait envie de les frapper, mais ils étaient trop nombreux; il voulait les injurier, mais la rage lui serrait la gorge. Il se vengerait, il les écraserait, tous. Le montant de la pension, acquitté avec largesse par Riza Bey, leur donnait le privilège d'une chambre privée à deux lits. La porte fermée, Ramazan se mit à cogner sur son frère pour libérer sa colère.

Les quatre années passées au collège furent un véritable tourment quotidien pour Ramazan. Tout juste moyen dans les cours magistraux, il se classait bon dernier dans tous les exercices physiques. Il détestait Touran, parce qu'il trouvait humiliant qu'il prenne sa défense dans les rixes entre élèves. Il le détestait, mais il avait besoin de lui, sans cesse.

Pourquoi prouver quoi que ce soit à ces chiens alors que lui, Ramazan, était le fils du maître d'Aïntab, une ville dont ces chiens ignoraient jusqu'à l'existence. *Der Mensch fängt an beim Baron*, avait-il lu dans Goethe, «l'humanité commence au rang de baron». Et lui, il était fils de gouverneur, bien plus qu'un baron. Cette maxime justifia pour toute sa vie un immense mépris envers tous les subalternes et les étrangers à l'Empire ottoman.

La fin de ses études fut couronnée de succès : il obtint son diplôme, reçut un parchemin qui attestait d'un grade honorifique d'officier allemand, se vit remettre un sabre d'apparat, et suscita la jalousie de ses compagnons quand il monta dans la plus grosse voiture automobile, la porte ouverte par un chauffeur en livrée.

Les frères Haydar furent introduits dans le bureau de Ramazan par un planton qui referma prestement la porte capitonnée à deux battants.

De stature imposante, Sabri Haydar mesurait près de deux mètres et pesait au moins cent trente-cinq kilos. Il avait un torse puissant et des cheveux coupés ras. À l'inverse, son frère Özkoul, totalement chauve, était plus petit que la moyenne, frêle. Il portait de petites lunettes cerclées de métal et louchait.

Ramazan les dévisagea avec colère. Il ne supportait pas d'avoir été mis dans l'obligation de les recevoir à son bureau du quartier général des armées. Il sortit une cigarette de son étui et l'alluma, s'efforçant de rester calme.

Sabri, le géant rougeaud, le fixa un moment et se tourna vers son frère. C'était toujours Özkoul qui pensait pour eux deux et qui prenait la parole :

— Nous ne gâcherons pas votre temps très longtemps, colonel Kardam, dit Özkoul.

Il chercha le regard approbateur de son frère et ajouta :

— Nous avons offert deux cents dollars de plus au contremaître pour bricoler les ballots de tabac de l'Américain. Je lui ai dit qu'il n'avait qu'à se débrouiller avec ses ouvriers, qu'il n'aurait pas un billet de plus! Il m'a alors demandé si c'était notre offre finale.

Özkoul, hargneux, s'arrêta de parler. Les deux frères ne quittaient pas Ramazan des yeux.

Le peu de précautions prises par les frères Haydar pour traiter leurs affaires effrayait Ramazan. Özkoul poursuivit :

— Je lui ai répondu que nous pouvions augmenter votre offre jusqu'à deux cent cinquante, déclara Özkoul. Voyant que ce foutu Ömer Bédir paraissait toujours hésitant, j'ai renchéri : « Trois cents, pas un sou de plus! »

Özkoul se tut.

Silencieux, Ramazan attendait la suite du récit, voulant connaître la décision de son contremaître. Il aurait voulu que son frère Touran assiste à cette conversation. Pour le moment, il était incapable de prendre une décision. Touran, lui, avait toujours su quoi faire, il aurait dû être là.

Les deux frères Haydar avaient la mine déconfite. Ramazan aurait voulu prolonger le silence, mais il finit par lancer :

— Et?

Özkoul rassembla son courage et répondit dans un souffle :

— Il nous a menacés d'aller tout raconter à la police si on ne lui donnait pas cinq cents dollars.

Ramazan fut submergé par une rage qu'il put à peine maîtriser.

— Vous êtes des crétins! Si cela doit tourner mal, je vous ferai éliminer tous les deux. Sortez! Votre vie ne tient plus qu'à un fil.

Özkoul, les mâchoires paralysées par la peur, tenta une explication :

— Je pensais qu'aucun homme au monde ne pouvait refuser trois cents dollars. Ici, dans les bas quartiers, on fait exécuter quelqu'un pour moins de cinquante dollars!

— Comme ça je ne me ruinerai pas pour avoir votre peau! explosa Ramazan. Filez d'ici!

Furieux, il se leva en leur indiquant la porte. Il ne savait plus très bien quelle conduite adopter. La maladresse des frères Haydar allait compromettre tout l'échafaudage de malversations et de combines qu'il avait eu tant de mal à mettre au point. Il fallait qu'il en parle à Touran. Chaque fois qu'il rencontrait une difficulté, il devait consulter son frère, et cette dépendance l'exaspérait au plus haut point. En tant qu'aîné, il aurait dû prendre les décisions, diriger, dominer. Cependant, le cerveau de leur duo, c'était Touran, toujours Touran. Il aurait voulu le frapper comme autrefois quand ils étaient enfants. Mais la présence de son frère était une nécessité.

— Établissez-moi une communication avec le colonel Touran, de suite! ordonna Ramazan au soldat qui lui servait de secrétaire.

Puis il ouvrit un coffret de bois précieux qui abritait un service à liqueur en cristal. La nuque crispée, il ingurgita coup sur coup deux grandes rasades de son excellent cognac français.

3

Contrairement à la plupart des *yalis*, le palais des Kardam ne se trouvait pas directement sur le rivage. Légèrement en recul, en face d'un petit quai étroit, il était entouré de terrains soigneusement entretenus et de jardins intérieurs. Fontaines, étangs, fleurs bigarrées et feuillage dense donnaient au parc une allure princière. Des bougainvilliers flamboyants, des cyprès feuillus, des saules élancés et des chênes robustes inclinaient leurs larges branches sur de petites allées sinueuses, procurant un abri précieux au soleil torride de l'été. Souvent, à l'occasion de fêtes nocturnes sous la pleine lune, des tortues trottinaient sur les plates-bandes. Leurs carapaces surmontées d'une petite lanterne fixée à la cire ajoutaient au pittoresque du spectacle.

Lorsque le gouverneur Riza s'installa à Yeniköy, il réaménagea l'intérieur du bâtiment principal, mariant avec goût les styles oriental et occidental. La maison de vingt-huit pièces se composait d'élégantes chambres à coucher, de boudoirs, de plusieurs salles à manger aux murs tapissés, de salles de réception ainsi que d'une vaste bibliothèque en acajou.

Chaque année, la famille Kardam venait y passer des étés idylliques loin de la chaleur étouffante d'Aïntab. Au menu : baignades dans les eaux fraîches du Bosphore, siestes de l'après-midi et repos sous la brise qui s'infiltrait par les grandes baies vitrées. Le soir, la famille se réunissait sur la terrasse pour admirer les couchers de soleil sur la côte asia-tique. Le crépuscule baignait le détroit d'une telle sérénité que l'on pouvait parfois entendre le chant d'un coq ou l'aboiement d'un chien sur le rivage opposé.

Sur les collines du littoral européen, entre Yeniköy et Büyük Deré, les ambassades occupaient de somptueuses propriétés durant les mois d'été. Les missions étrangères et les autorités ottomanes y organisaient de mémorables banquets auxquels la famille Kardam était souvent invitée.

À son tour, le gouverneur Riza donnait de grandes récep-tions et des *mehtaps*, concerts nautiques au clair de lune. Les soirées se terminaient invariablement par de magnifiques feux d'artifice sous un superbe ciel étoilé. Le même clair de lune que Nour admirait lorsque le téléphone le dérangea.

— C'est toi, Altan?

Nour secoua l'appareil, comme si ce geste inutile pouvait stopper le grésillement de la ligne.

— Oui. J'ai essayé de te joindre cet après-midi. Je t'ai appelé au bureau et à ton domicile, mais la téléphoniste n'a pas réussi à établir la communication.

— Qu'est-ce qui se passe?

La réponse se fit attendre. Le grésillement de la ligne s'amplifiait.

— Allô, Altan? Tu es encore là?

Une voix caverneuse lui répondit :

— Oui. Nour… C'est papa… Il vient d'avoir une crise cardiaque.

Nour n'osa pas poser la question qui lui venait à l'esprit. Il attendit les détails.

— Quand on l'a transporté à l'hôpital, c'était déjà trop tard. Je suis désolé, petit frère. Quand…

Sous l'emprise de l'émotion, sa voix s'éteignit.

Écrasé par la nouvelle, Nour eut à peine la force de souffler :

— C'est impossible…

Les autres mots se bloquèrent dans sa gorge.

— Je n'arrive pas à le croire, Altan! C'est terrible. Je lui ai parlé au téléphone il y a deux jours. Nous pensions toujours qu'il avait une santé de fer, qu'il était indestructible.

— Il s'était bien remis de sa dernière crise. Pour lui, la maladie n'existait pas. Il s'activait comme s'il n'avait jamais rien eu, alors il a exagéré…

Nour ravala son émotion avec peine et se mordit les lèvres.

— Je lui avais même annoncé que j'irais le voir la semaine prochaine. Il m'avait dit que ça ne pressait pas, que tout allait bien.

— Je sais, il nous avait prévenus. Il t'attendait avec impatience. Il se réjouissait d'avance, comme un enfant.

— Comment est-ce arrivé?

— Il était dans la chambre de Leyla.

Les deux frères restèrent silencieux un long moment.

— Et puis?

La voix d'Altan trembla un instant.

— Tout à coup, tante Leyla a dévalé les escaliers. Elle tremblait de tous ses membres, pleurait et hurlait que son mari était mort. Elle bredouillait des mots incompréhensibles, elle disait qu'elle l'avait tué.

— Mon Dieu, je n'arrive pas à le croire. Pourquoi dire cela? Qu'a-t-elle encore inventé? Et Safiyé, comment a-t-elle réagi?

— Comme ta mère. Elle pleure et gémit sans arrêt. Elle me donne l'impression d'avoir perdu la raison.

— Je suis désolé pour tante Safiyé, Altan. Heureusement que tu étais là.

— Je pense que oui, mais je ne sais plus comment les aider.

Tout à coup, Nour fut pris d'une terrible angoisse. Il aurait voulu raccrocher et s'abandonner au vide qui s'emparait de lui. Il se ressaisit.

— Altan, passe-moi ma mère, j'aimerais lui parler.

— Elle est dans sa chambre. Elle ne veut parler à personne.

Une foule de questions se bousculaient dans la tête de Nour :

— Altan, je t'en prie, va lui dire que je veux absolument lui parler.

Jamais Nour n'avait imaginé la disparition de Riza Bey, son père devait rester éternellement à ses côtés. Il l'aimait moins qu'il ne le vénérait, n'avait jamais ressenti une vraie tendresse à son égard, mais il lui vouait une admiration sans borne. L'espace d'un instant, il se remémora la mort subite de sa tante Makbulé, la seconde épouse de son père, qui fut suivie de longues semaines de deuil, il y avait maintenant huit ans. Depuis lors, aucun décès n'avait affecté le clan Kardam, et il avait semblé à Nour que la famille serait épargnée encore longtemps.

— Allô! *djidjim*, mon chéri.

La faible voix brisée de sa mère le fit tressaillir et le ramena à la réalité.

— Maman! Je suis effondré. Comment vous sentez-vous? C'est si brusque, si inattendu, si...

Ses propres paroles avaient déclenché un flot d'émotions, il ne put retenir un sanglot. Il ne pouvait plus dire un mot.

— Nour, mon ange, mon pauvre chéri, souviens-toi de ce que ton père avait l'habitude de dire : «Il faut se soumettre à la volonté d'Allah.»

La voix de sa mère se fit haletante...

— Nous l'aimions tellement... tu étais son préféré, tu sais.

Nour s'éclaircit la voix et attendit un moment avant de lui répondre.

— Je sais que c'est la volonté d'Allah, maman, mais sa mort me brise le cœur. Je serai là demain. Je vous aime tendrement, maman, et je pense beaucoup à vous.

— Je t'aime aussi, mon chéri. Ne t'inquiète pas pour moi, tout ira bien.

Il aurait voulu lui parler plus longtemps, mais aucun mot d'apaisement ne lui venait à l'esprit. À quoi bon poursuivre la conversation, sa souffrance était trop grande, sa peine trop profonde. Il était incapable de la réconforter.

Il retourna dans le grand salon. Les larmes ne venaient pas. Il s'assit devant la baie vitrée qui s'ouvrait sur le Bosphore. Nour n'avait que récemment songé à percer les secrets entourant la vie de son père. Ou, du moins, le croyait-il. Depuis la fin de son adolescence, les silences concernant le passé l'avaient toujours dérangé, bien plus que les quelques rumeurs qui surgissaient çà et là. À présent, le temps était venu de savoir. Savoir ce que pouvait masquer la légende de l'immense fortune de Riza Bey et de ses activités politiques d'antan.

* * *

Riza Bey était né avant le siècle. La vérité que Nour cherchait serait difficile à découvrir. À cette époque, personne ne laissait de traces écrites, et il lui faudrait beaucoup de patience pour interroger la mémoire de ceux qui avaient connu son père et qui accepteraient de dévoiler certains de ses secrets.

Dans sa jeunesse, Riza avait vu s'évanouir peu à peu l'opulence du passé et, avec elle, l'Empire ottoman, le sultanat et le califat. Puis la Grande Guerre était venue dévaster le monde. Les Turcs avaient perdu leur Empire. Quand Mustafa Kemal avait pris la tête de la Turquie, il avait su lui rendre la liberté et l'indépendance. La vieille garde et les membres du parti des Jeunes-Turcs avaient été contraints de démissionner, et certains, effrayés par la tournure des événements, avaient préféré s'exiler. Plusieurs ministres de l'Empire ottoman, accusés de crimes de guerre contre

33

d'innombrables déportés, s'étaient déjà fait éliminer par des justiciers arméniens en Europe.

Certains autres, comme le gouverneur Riza Kardam, réussirent à survivre tout en conservant leur fortune et leur rang, en dépit de leur rôle notoire durant la guerre.

Riza Bey était un politicien rusé, intelligent et doté d'un indéniable charisme. Ses amis admiraient ses qualités de tribun, ses opposants craignaient sa langue acérée. Pendant la Grande Guerre, il avait su devenir la plus importante personnalité de la province, en se hissant au grade de commandant en chef des forces armées de la région.

Outre ses responsabilités politiques et militaires, il s'était transformé en une sorte de seigneur féodal régnant sur des centaines de milliers d'acres de plantations de pistachiers, de dattiers, de coton et de tabac. Il employait un grand nombre d'arméniens dans son domaine et il répugnait à leur imposer les ordres venus de la capitale. Exterminer les chrétiens était une erreur; l'islam commandait de les convertir à la vraie foi et non de les éliminer. D'autant que les plantations avaient besoin des services de tous.

Cependant, Riza Kardam s'était vu confier la responsabilité des convois de déportés arméniens que l'on expédiait à la mort dans le désert syrien. Il avait su assumer cette contradiction, car il était passé maître dans l'art de la manœuvre, même dans les situations les plus délicates. Un homme de main achetait à vil prix les possessions des déportés, quand il ne profitait pas de leur absence pour s'en emparer.

Le savoir-faire de Riza fut récompensé par l'attribution du poste de gouverneur de la province. Il avait atteint son but : il était le seigneur de la région. Il amassa une fortune considérable jusqu'au jour où la Grande Assemblée décida d'abolir le califat et de voter l'expulsion immédiate du sultan.

Cette grave décision provoqua la démission inattendue du gouverneur et son brusque départ vers Genève.

Personne ne se posa de question sur sa disparition. Les Turcs étaient trop affairés à construire une nouvelle nation et à sauver la réputation de leur pays.

Pendant ses quatre années en Suisse, Riza Kardam, homme d'affaires brillant, sut s'entourer de personnalités influentes. Il se lia d'amitié avec plusieurs magnats en rupture de ban et avec quelques membres de la communauté des Russes blancs, grâce à sa parfaite connaissance du français, à son sens du raffinement et à sa soif de réussite. Séparé de ses femmes et de ses enfants, il ne goûta pas moins aux plaisirs de l'exil, jusqu'à ce que l'agitation politique turque arrive enfin à se stabiliser. Riza Bey, sorti indemne de cette guerre, avait entre-temps triplé sa fortune sur les marchés européens.

Un jour de printemps de 1926, l'ancien gouverneur débarqua de l'Orient-Express à la gare de Sirkeci à Constantinople. Il se fraya avec peine un chemin dans la foule pour se rendre au débarcadère. Il loua un caïque et se fit transporter sur la côte asiatique, à la gare Haydar Pacha. Le caïque serpenta dans le dense trafic maritime, envahi par les navires de commerce, les navettes, les ferry-boats et les barques de pêcheur.

La soirée même, Riza Bey prenait le train pour Aïntab.

* * *

Pour le chef de la famille Kardam, rien n'avait changé. Il retrouvait devant lui, en rangs serrés, ses respectables épouses, ses enfants obéissants et ses loyaux serviteurs. Ses possibilités d'avenir dans un pays nouvellement indépendant étaient devenues illimitées.

Malgré sa fortune considérable et son train de vie somptueux, un vide qu'il ne s'expliquait pas troublait chaque jour son existence. Seule Safiyé, sa première épouse, avait tenté d'y faire allusion, mais il préférait ignorer le sujet. Elle avait évoqué à maintes reprises l'histoire d'amour passionnée de son mari avec Maro, une réfugiée arménienne d'une grande beauté, sans susciter la moindre réaction de sa part. Vaincue par son mutisme, elle abandonna le sujet. À l'évidence, il avait décidé d'oublier.

L'ancien gouverneur laissait derrière lui bon nombre de questions sans réponse. Amis et ennemis d'autrefois avaient peu à peu disparu, et la mémoire des survivants s'estompait.

Partagée entre la crainte et la dévotion, la famille de Riza n'avait jamais prêté l'oreille aux propos malveillants. Le clan Kardam, tenu à l'écart des affaires du maître, n'avait voulu retenir de Riza que l'image d'un patriarche débonnaire.

Riza Farouk Kardam pouvait partir en paix.

4

C'était une chaude journée de fin d'été. Le DC-3 de Turkish Airlines amorça sa descente vers l'aéroport de Gaziantep. Nour Kardam fut le premier à quitter le bimoteur. Il était vêtu d'un complet beige en lin, d'une chemise bleue et coiffé d'un panama. Il aperçut son frère Altan, qui l'attendait à la barrière.

Ils se jetèrent dans les bras l'un de l'autre en se donnant des tapes dans le dos, s'étreignant avec force comme pour se débarrasser de leur peine.

Altan était un grand gaillard, dans la quarantaine, sa chevelure noire grisonnait à peine sur les tempes. Aujourd'hui, pourtant, il paraissait plus vieux que son âge.

— Personne n'arrive encore à y croire, dit-il à Nour faiblement.

— Je n'ai pas arrêté de penser à lui.

Le désarroi de Nour était si intense qu'Altan préféra changer de sujet.

— Tu aurais dû voir le sourire de mon fils quand il a su que tu allais venir.

— Pauvre Ilhan! Il adorait son grand-père.

Nour se tut un moment. Il s'était habitué au mélange de beauté et de laideur de Gaziantep. La ville était pourtant une oasis coincée entre deux montagnes aux pics souvent couronnés de nuages et qui marquaient la frontière avec la Syrie toute proche. La voiture traversait le quartier des affaires, le plus laid de la ville. Des blocs de pierre effrités et noircis par la pollution bordaient les rues pavées. Le faste du Moyen-Orient avait cédé la place aux immeubles sans âme nés de l'architecture occidentale dans sa manifestation la plus vulgaire. Perchés sur le haut de leur colline, les remparts de la forteresse romaine à l'abandon rappelaient aux visiteurs le glorieux passé militaire d'Antep.

Quittant ses pensées, Nour reprit le fil de la conversation :

— Comment ça s'est passé, Altan?

— C'était après le déjeuner. Tout le monde faisait la sieste. Je prenais un café dans le jardin quand j'ai entendu les hurlements de tante Leyla. Elle disait : «Mon mari est mort! Mon mari est mort dans mes bras!»

— Il a souffert?

— Non, pas à ma connaissance. Il était trop fier pour avouer une quelconque faiblesse, alors dire qu'il souffrait… La veille, nous avions déjeuné ensemble. Il se réjouissait de te revoir bientôt. Tu sais combien il t'aimait.

Nour crut déceler une pointe d'amertume dans la voix émue de son frère. Il savait qu'il était le fils préféré. Non, il devait se tromper. Pas Altan. Jamais il n'avait été jaloux de lui. Un peu amer, peut-être. En fait, l'attitude ambiguë de son père avait été une bonne excuse pour les frères aînés de rejeter leur benjamin.

Ils avaient atteint la vallée, parsemée d'une multitude de ruines assyriennes, perses, romaines et *seljukes*, la dynastie turque qui régna du Xe au XIIIe siècle. La route serpentait dans les oliveraies et les pistachiers bordant les interminables champs de coton et les pâturages. Altan brisa le silence qui s'était instauré depuis qu'ils avaient quitté la ville :

— Le moment est mal choisi, mais je dois te parler travail. J'ai de sérieux problèmes dans les plantations de tabac à Bafra. Il s'y passe des choses louches.

— Quoi? demanda Nour, surpris.

— Des ballots de tabac apparaissent et se volatilisent sans que personne ne sache pourquoi ni comment. Les ouvriers baissent les yeux quand je les croise, ce n'est pas normal.

— On nous volerait?

— J'ai peur que ce ne soit pire. Nous en reparlerons, on arrive.

Ils étaient déjà devant la porte de l'élégante demeure paternelle, une imposante construction de pierre d'inspiration mauresque.

— Ta mère t'attend impatiemment, dit Altan en descendant de voiture. Le médecin lui a prescrit des calmants. Elle se sent mieux, mais elle est encore sous le choc.

Ému, Nour entra et grimpa les escaliers quatre à quatre.

— C'est moi, *annedjiim*, ma chère maman, dit-il en frappant à la porte de Leyla.

* * *

Leyla se tenait devant lui, le regard absent. Elle retira d'un geste lourd le grand voile noir finement brodé qui lui recouvrait la tête. Une mèche de cheveux grisonnants, trahissant sa soixantaine, lui tomba sur le front. Elle essaya de sourire, mais elle éclata en sanglots en se serrant contre son fils. Nour embrassa sa mère avec effusion, délaissant le baisemain traditionnel.

— Maman, racontez-moi comment ça s'est passé. J'aurais tellement voulu le revoir avant sa mort.

— Je ne veux pas en parler, je refuse même de m'en souvenir, murmura Leyla en cachant son visage dans les mains.

— Maman...

— J'ai tué ton père!

— C'est insensé, reprenez-vous!

– Je suis responsable de sa mort. Il s'est éteint sereinement dans mes bras. Ton père avait vingt ans de plus que moi mais lorsqu'il venait me rejoindre, il se comportait comme un jeune homme. Il était comme aux tout premiers jours de notre rencontre. Comment aurais-je pu lui refuser mon corps pour la simple raison que son cœur était fatigué? Il était nu, il suffoquait… Si, par pudeur, je n'avais pas perdu du temps à m'habiller, il aurait sans doute survécu.

–Vous avez fait ce que vous deviez. Il a eu la plus belle des fins en mourant dans vos bras. En avez-vous parlé à d'autres que moi?

– Bien sûr que non, je leur ai dit qu'il était mort dans son sommeil.

– Ce sera notre secret. Et si nous descendions, je n'ai pas encore vu mes frères et sœurs.

– Donne-moi quelques minutes, répondit-elle en se dirigeant vers sa chambre.

Nour sortit sur le balcon. Une légère brise lui apporta un doux parfum de camélias et de citronniers. Son regard erra dans le lointain, puis se fixa sur la haute silhouette d'un vieux caravansérail planté au milieu des champs. Ces murs à moitié détruits lui rappelaient ses peurs d'enfant lorsqu'ils se dressaient devant lui en une longue ligne effroyablement sombre. Il se détourna de ces souvenirs en retournant dans le boudoir aux murs tendus de riches tapis de soie. Leyla, vêtue de noir, dissimulait sa mine défaite derrière son *yachmak*.

– Pourquoi ce voile?

– Les mauvaises langues s'en donneraient à cœur joie si je ne respectais pas la coutume.

– Quel gâchis de vous cacher derrière cet horrible voile!

– Viens, il ne faut pas les faire attendre.

Les funérailles devaient se dérouler avant les prières de midi. C'était encore une de ces journées torrides où la chaleur écrasait hommes et animaux. Une lumière aveuglante gommait les couleurs. Tous les êtres vivants avaient cherché refuge dans un recoin d'ombre. Un vent brûlant levait des colonnes de poussière ocre, ultime manifestation des esprits du désert.

Une multitude de phaétons, de calèches, de voitures, de chevaux et de chameaux encombraient l'allée bordée d'arbres qui menait à la mosquée de la famille, proche de la maison de Riza Bey. Représentants du gouvernement, notables de la région, collègues d'affaires et connaissances s'y dirigeaient. Plusieurs employés de la Société Kardam avaient quitté tôt leurs plantations pour arriver avant midi. Il avait fallu à ces paysans au moins deux bonnes heures de marche sous le soleil brûlant du sud de l'Anatolie.

De nombreux *kâhyas*, gardiens, étaient chargés de surveiller les voitures, les calèches, les chameaux et les chevaux.

Les amies des épouses de Riza Bey s'étaient jointes au cortège. Toutes portaient le *tcharchaf*, le châle classique en soie, dans les tons violet et noir qui leur couvrait la tête et les épaules. Chacune s'embrassa à la hâte avant le début des prières.

Safiyé, la première épouse de Riza Bey, décida que le service se déroulerait à l'extérieur, dans le quadrilatère de la mosquée. La chaleur suffocante empêchait de faire le *namaz*, leur prière, à l'intérieur, comme le veut la coutume. Personne n'y fit objection. Il s'agissait des funérailles d'un homme puissant. La foule envahit bientôt la mosquée et se déversa dans les rues.

Un lourd silence s'abattit sur l'assemblée. Tous les visages se tournèrent vers le cercueil que les fils du défunt portaient

41

avec lenteur pour le déposer dans la cour de la mosquée. La chaleur torride les avait contraints d'attendre l'arrivée de la foule avant de sortir. Après avoir déposé le cercueil sur la *musalla*, la dalle funéraire, les fils se rassemblèrent sur le côté. Les petites fontaines aux ablutions faisaient entendre le frais clapotis de leurs filets d'eau dans le bassin de marbre au milieu de la cour.

L'imam, à l'épaisse barbe noire, la tête entourée d'un large turban turc, commença à chanter la première prière en arabe. Son ton était mélodieux, comme le voulait la tradition de l'enseignement du Coran. Il portait un caftan de soie brodé. L'assistance, les yeux rivés au sol, murmurait les prières à l'unisson et commençait à faire ses *namaz* sur le tapis de prières à leur intention.

Malgré son rang et son âge, Safiyé préféra rester à côté de Leyla plutôt que de prendre place devant ses filles. Proche des soixante-quinze ans, Safiyé était en habit de deuil; seuls ses yeux apparaissaient à travers la fente de son voile noir. Safiyé s'était toujours montrée généreuse envers Leyla en dépit d'une pointe de jalousie pour la jeunesse et la beauté de la deuxième épouse de Riza. Toutes deux regardaient avec une égale tristesse le cercueil dans lequel reposait la dépouille de leur mari. Leyla semblait reconnaissante à Safiyé qu'elle ait choisi de se tenir à ses côtés.

— Merci, Safiyé, murmura-t-elle avec émotion sans détourner la tête.

Il lui arrivait parfois d'avoir des crises de jalousie lorsque son époux se glissait dans le lit de sa première épouse au lieu du sien, et pourtant, Leyla aimait Safiyé comme une sœur aînée.

De la section réservée aux femmes, elles suivaient le déroulement des prières, totalement indifférentes à la foule qui les entourait.

Leyla se sentait seule, en proie à l'incertitude et à l'insécurité. L'avenir lui faisait peur. Elle, si fragile et si complaisante envers elle-même, enviait la solidité de Safiyé.

Touran et Ramazan, les fils aînés, avaient adopté une allure martiale, sanglés dans leur uniforme militaire. Nour était mal à l'aise, car il s'efforçait d'éviter le moindre faux pas susceptible de trahir sa connaissance limitée en matière de rites religieux. Petit garçon, il n'avait jamais été intéressé par l'école coranique qu'on lui avait imposée. À la dérobée, les regards se fixaient sur lui. Lui, le prince dirigeant de l'Empire Kardam, mais qui se tenait à l'écart du groupe familial, comme relégué à une place secondaire.

La chaleur était devenue intenable. À tel point que l'imam prit la liberté d'abréger les prières. Comme une buée tenace embuait ses lunettes, il devait sans cesse les retirer, les essuyer et les remettre, ce qui n'allait pas sans nuire à sa dignité. De sa voix de baryton, il se mit à interroger la foule :

— Le défunt était-il une personne honnête ?

— Oui, il l'était, répondirent en chœur les fidèles.

— Le défunt était-il une personne pieuse ?

— Oui, il l'était.

— Le défunt était-il une personne charitable ?

— Oui, il l'était, répondit la foule.

Satisfait des réponses, l'imam ne prit pas la peine de s'assurer que le défunt avait fait preuve de bonté, d'affection, de sobriété, et qu'il avait travaillé dur durant sa vie. Il préféra poursuivre ses prières. Safiyé et Leyla ne purent s'empêcher d'éprouver un certain orgueil devant les réponses unanimes de l'assistance, bien que celles-ci soient parfaitement convenues.

Le caveau de famille avait été placé derrière la mosquée. La tombe était déjà creusée entre deux cyprès. Le turban de marbre rituel était sculpté au sommet d'une colonne.

Les femmes en pleurs gémissaient derrière leur voile, alors qu'elles s'en revenaient à la maison du gouverneur pour préparer la suite des funérailles.

Les hommes baissèrent la tête lorsque Riza Bey fut descendu dans sa dernière demeure.

Sans un mot, Safiyé et Leyla, serrées l'une contre l'autre, avaient regagné leurs appartements. Maintenant qu'elles avaient enterré leur époux, elles étaient seules malgré leur amitié mutuelle. Aucune des deux n'osa avouer à l'autre qu'une troisième femme occupait sa pensée depuis la mort de Riza. Le fantôme de Maro les hantait jusque dans leur chagrin.

* * *

Au début de la Grande Guerre, l'épuration ethnique commandée par le gouvernement turc avait chassé – on disait alors «déplacé» – les Arméniens des villes et des campagnes, sous prétexte qu'il fallait éloigner de la zone des combats, bien entendu pour les protéger, ces populations devenues indésirables. Les membres de la communauté arménienne, pudiquement désignés comme «réfugiés», furent poussés sans ménagement sur les routes du désert syrien vers une destination inconnue.

En 1915, au cours d'une inspection de routine dans un camp de déportés arméniens, Riza Bey avait enlevé Maro Balian. Quelques jours avant d'être jetée sur les routes de l'exode, la jeune femme avait été séparée de son mari, Vartan Balian, arrêté par la police ottomane peu auparavant.

Les déportés traînaient leurs souffrances sur les routes du désert syrien, houspillés par des mercenaires et des militaires. La brutalité de ces gardes avait fait périr les plus faibles. Des brigands kurdes avaient enlevé les jeunes femmes et capturé ceux qui pourraient être utilisés comme domestiques ou vendus comme esclaves. Les malades, les jeunes enfants et les vieillards avaient été massacrés. La famine et les privations avaient laissé bien peu de ces misérables parvenir au terme de leur odyssée : des centaines de milliers avaient trouvé la mort en chemin.

Maro était dans un état pitoyable quand elle croisa pour la première fois le regard de son futur ravisseur.

Les soldats, surexcités à la vue de sa nudité à peine voilée par une robe en lambeaux, s'apprêtaient à la violer sous les yeux de son fils Tomas, alors âgé de sept ans.

Riza parvint à les faire maîtriser par sa garde personnelle. La beauté de Maro et la cruauté du sort auquel elle semblait vouée avaient enflammé ses sens. Quand il observa la scène, ses yeux d'un vert profond ne purent cacher l'ardeur de son désir.

Délivrée de ses tourmenteurs et malgré sa détresse, Maro lui conta brièvement sa misérable aventure. Il comprit qu'il se trouvait en présence d'une jeune femme vraisemblablement issue de la haute société arménienne et dotée d'une parfaite éducation occidentale. Il parvint à la persuader de rester sous sa protection et de l'accompagner jusqu'à Aïntab avec son fils Tomas. Maro dut admettre, malgré elle, que la précarité de sa situation ne lui permettait pas de refuser l'offre de ce protecteur et elle se dit qu'une fois là-bas elle pourrait se rendre dans un port pour s'embarquer sur un navire de guerre français et rejoindre sa famille dans la capitale, Constantinople.

Sans autre alternative, elle se résigna à suivre le nouveau maître de la région jusqu'à sa résidence d'Aïntab.

Riza avait adressé un télégramme à sa mère, la *Büyük Hanim*, la Grande Dame, qui annonçait, en même temps que son retour, sa nomination au poste de gouverneur de la province. Tant qu'elle était en vie, la mère gardait le titre de *Büyük Hanim* et ce n'est qu'à sa mort que Safiyé, la première épouse, prendrait à son tour ce titre tant convoité.

Lorsque l'arrivée de Riza Bey fut annoncée, toute la maisonnée se rassembla au bas de l'escalier qui dominait la cour, pavoisée pour l'occasion. La *Büyük Hanim* s'installa au premier rang, suivie par les trois épouses et leurs six enfants, sous la houlette de la vieille nourrice Eminé. Se tenant respectueusement à l'écart du groupe familial, plus de vingt domestiques s'alignaient de part et d'autre de l'allée principale.

La Grande Dame avait convoqué le petit photographe juif pour immortaliser l'événement. L'islam interdisait la représentation de l'image humaine, mais l'occasion était trop belle pour déroger à la règle. Compte tenu de la notoriété de la famille Kardam, personne ne s'aventurerait à lui en faire grief.

La calèche de Riza Bey fut précédée par les vivats des ouvriers et de leurs proches massés devant la grille d'entrée. Il descendit de l'*araba*, sourit aux membres de sa famille et ouvrit la portière. Il avait fière allure dans son costume blanc, et sa prévenance pour aider la passagère à descendre de voiture laissa l'assistance bouche bée.

Riza Bey conduisit Maro au pied de l'escalier.

— Voici notre invitée, Maro et son fils Tomas, dit-il en fixant sa mère dans les yeux pour lui intimer l'ordre de ne laisser fuser aucun commentaire.

Büyük Hanim salua l'intruse d'un bref hochement de tête, et les trois épouses de Riza peinèrent à prononcer quelques paroles de bienvenue.

Satisfait, il se tourna vers la cour et donna l'ordre d'abattre des moutons et de distribuer du *raki*, eau-de-vie parfumée à l'anis, afin que ses gens puissent faire la fête. Il demanda que l'on prépare sur-le-champ un appartement pour Maro à l'étage réservé aux femmes, dans ce harem où nul étranger ne pouvait pénétrer. Puis il la plaça avec son fils Tomas au milieu des siens et pria le photographe d'immortaliser le souverain de sa famille réunie au grand complet.

* * *

Riza Bey feignait de ne pas remarquer l'indifférence affectée de sa mère et la froideur de ses épouses envers la nouvelle arrivée. Au fil des jours, il se rendait compte que Maro lui était devenue indispensable et qu'il était follement amoureux d'elle.

Un mélange de sentiments hantait l'esprit de Riza. Il était à la fois fou de désir devant la beauté sensuelle de sa prisonnière et intimidé par sa classe indéniable. Il se prenait à rêver au harem du Grand Sérail dont les odalisques étaient achetées sur le marché des esclaves. Toutes étaient d'une beauté intemporelle, et aucune n'était musulmane. Riza pensait posséder ce joyau en la personne de cette chrétienne arménienne, son odalisque d'un autre monde.

Maro resta femme du harem pendant quatre ans. Au début de son séjour, la force de ses souvenirs et la présence de son fils Tomas soulageaient la rigueur de son enfermement. Puis elle s'abandonna malgré elle aux vents âpres du désert et à la monotonie de la vie sur les terres de son ravisseur. Elle s'accoutumait aux visites quotidiennes de son maître, tour à tour charmeur et pressant et, sans qu'elle y prît garde, elle céda à son propre désir. Un beau matin, elle dut se rendre à l'évidence : elle avait pris plaisir à cette union charnelle.

Ses demandes pressantes de se rendre à Constantinople pour y retrouver sa famille se firent plus rares. Quelquefois, elle se rebiffait en interrogeant Riza sur les raisons des horribles sévices que le gouvernement avait infligés aux Arméniens.

– Nous avons encore beaucoup d'amis arméniens, Maro ; les deux communautés ont coexisté paisiblement pendant des siècles.

– Vous dites toujours la même chose, l'interrompait-elle chaque fois.

– Tu sais très bien que ces atrocités sont le fait des tribus kurdes qui revendiquent les mêmes terres que les paysans arméniens…

– Vous me l'avez assez répété, concluait-elle en lui tournant le dos.

Elle savait qu'elle faisait souffrir Riza en lui montrant qu'il pouvait la posséder physiquement, mais qu'il n'était pas encore parvenu à conquérir son cœur.

* * *

Vartan, l'époux de Maro, parvint à s'emparer de Riza Bey avec l'aide de révolutionnaires arméniens. Il négocia la libération de sa femme contre celle de Riza Bey pour qui cette capitulation fut l'humiliation suprême. À compter de ce jour, le nom de Maro devint tabou dans la maison de ce dernier. Cette femme l'avait subjugué par sa beauté et sa personnalité hors du commun et il l'avait aimée d'un amour passionné. Même après toutes ces années, son image le poursuivait toujours.

Cette époque lui rappelait aussi une face de son existence peu honorable : l'imprudence de sa collaboration avec des personnages officiels dont le but unique avait été de détruire le peuple arménien. Il souffrait en solitaire de cette culpabilité, trop honteux pour s'en ouvrir à quiconque. Malgré le secret absolu dont il voulait couvrir son passé, des rumeurs circulaient sur ses agissements.

Après le départ de Maro, Riza Bey déversa son trop-plein d'affection sur son jeune fils et chercha refuge auprès de sa femme, Leyla. Celle-ci lui avait demandé de devenir la mère adoptive de Nour. Elle était la plus jeune et la plus séduisante de ses épouses, débordait de vitalité et de passion. Avec son nez légèrement retroussé, ses pommettes saillantes et son petit menton pointu, elle n'avait aucun trait commun avec Nour. Pourtant, avec le temps, tout le monde en était arrivé à dire qu'il lui ressemblait et rien ne pouvait faire plus plaisir à Leyla. Elle adora Nour comme l'enfant mâle qu'elle n'avait jamais eu.

Puis le décès de la *Büyük Hanim* et celui de Makbulé, la deuxième épouse de Riza, plongèrent la famille dans la peine des deuils. Le souvenir de Maro s'estompait, bientôt elle disparut de la mémoire de chacun.

5

La pluie orageuse de la nuit précédente avait dégagé le ciel, mais une brume de chaleur commençait à monter des terres humides, annonçant une journée torride. En attendant l'arrivée de maître Nourettine Borahan, qui devait leur lire le testament de leur père, les enfants de Riza avaient décidé de se réunir dans la bibliothèque.

Cette grande pièce occupait le rez-de-chaussée. Malgré le lourd treillis disposé autour des fenêtres, la vue s'étendait sur les jardins et le chemin pavé de mosaïques qui menait au portail d'entrée. Un immense tapis Kashan recouvrait la quasi-totalité du sol. Le mobilier assez disparate reflétait les goûts éclectiques de Riza Bey. Le bureau était muni de deux rangées de tiroirs, que l'on supposait verrouillés à double tour, et qui avaient toujours été une source de mystère pour les fils de Riza. Chez les domestiques, la rumeur courait que le père y cachait ses revolvers. Les jeunes enfants préféraient croire qu'il y enfermait des cartes volées aux pirates menant vers de fabuleux trésors. Quoi qu'il en soit, le mystère avait persisté toute leur enfance.

Nour était arrivé le premier. Dans la demi-obscurité de la bibliothèque, il se revoyait jouant avec ses jeunes frères, tous cachés sous le grand bureau, le cœur battant d'y être surpris par leur père. Il respira profondément, perdu dans ses souvenirs. Même éloigné de la demeure familiale, il n'avait jamais oublié l'odeur de cèdre qui se dégageait des boiseries. Nour fut tiré de sa mélancolie par l'arrivée bruyante de ses frères et sœurs. Il s'adossa au fond de la pièce et les regarda entrer.

Les enfants Kardam avaient tous des tempéraments très différents. Kénan, le fils de Makbulé, était un garçon insignifiant, dénué de caractère, au regard toujours absent. Célibataire, il ne s'intéressait qu'à lui-même et ne se distinguait que par son appétit vorace pour les bijoux et les pierres précieuses. En dépit de ses recherches, Makbulé n'avait pas réussi à lui trouver une épouse convenable. Son fils n'avait d'ailleurs jamais montré le moindre intérêt envers les prétendantes qu'elle lui présentait. Aussi quelques mauvaises langues le disaient homosexuel. Sitôt entré, Kénan se plongea dans l'examen des livres rangés sur les étagères. Il était plus intéressé par la richesse de leur reliure en maroquin doré à l'or fin que par leur contenu.

Ramazan, l'aîné, prit place derrière le bureau. Lorsqu'il portait des vêtements civils, comme c'était le cas pour la circonstance, il choisissait toujours des complets de coupe impeccable. Par cette journée de chaleur intense, il s'était permis de poser sa veste sur le dossier du fauteuil et de rouler avec soin ses manches de chemise. Il regardait d'un air maussade les photos de sa progéniture exposées devant lui dans de jolis cadres en argent. Son visage trahissait une éternelle mauvaise humeur et, comme toujours, personne ne pouvait y lire la véritable trame de ses pensées. Doté d'une intelligence perfide, il incitait ses frères, surtout Touran, à commettre les mauvaises plaisanteries et se réjouissait ensuite des corrections infligées au fautif.

Altan et Érol avaient neuf ans de différence et, même s'ils n'étaient que demi-frères, leur ressemblance physique était indéniable. Ils étaient tous deux de forte corpulence, avec un visage aux traits fins qu'illuminaient des yeux brun foncé pétillants de vitalité. Par contre, leurs caractères étaient totalement opposés. Altan obtenait ce qu'il voulait par sa seule force de persuasion et n'avait jamais besoin de faire acte d'autorité pour être obéi. Ses subalternes lui vouaient une totale admiration tant il savait se montrer compatissant et généreux. Érol, quant à lui, était intransigeant et ignorait avec superbe les malheurs d'autrui. Les deux frères entrèrent ensemble dans la pièce. Après avoir échangé leurs *merhabas*, leurs salutations d'usage, ils prirent place sur le canapé Chesterfield, face au bureau.

Touran était l'homme de l'ombre, le plus ambigu de tous les frères. Comme Ramazan, il était colonel à l'état-major, mais il ne portait l'uniforme que dans les cérémonies officielles. On murmurait qu'il appartenait aux services secrets. Depuis l'enfance, il ressentait toute l'injustice d'être le pantin de Ramazan qu'il considérait comme un être étroit d'esprit et tyrannique qui tirait les ficelles.

Les deux sœurs Émel et Zehra étaient autorisées à assister à la réunion en compagnie de leur mari. Zehra, la cadette, trahissait un ennui permanent en jouant la coquette et la femme faussement soumise. Elle abandonnait ses deux fils aux nourrices et s'affairait à ruiner son mari en dévalisant les magasins de mode. Émel, la seconde, était une âme simple. Elle se plongeait toute la journée dans la lecture d'histoires d'amour et rêvait de terres lointaines où son mari ne l'emmènerait jamais.

Chahané, l'aînée des sœurs, avait le même âge que l'aîné des fils de Riza. Bien qu'elle ait été élevée par des femmes, elle avait refusé très tôt les entraves imposées à son sexe. Célibataire par conviction, elle fumait, par provocation, cigarette sur cigarette et aimait être considérée comme la rebelle du clan Kardam.

L'absence de Riza causait un malaise indéfinissable. Pour la première fois, les enfants se retrouvaient face à eux-mêmes, libérés de l'autorité paternelle et condamnés à une auto-nomie qu'ils n'avaient pas souhaitée.

Dans les grandes familles ottomanes, la tradition plusieurs fois centenaire voulait que le fils aîné devienne le chef de famille après le décès du père. Seul le détenteur du droit d'aînesse avait le pouvoir de conférer cette autorité. Dans l'esprit de Ramazan, cette réunion avait pour seul but de le confirmer dans ses nouvelles prérogatives.

De plus en plus impatient, ce dernier rappela tout le monde à l'ordre.

— Je vous remercie tous, en priorité ma mère et ma tante, mes chers frères et sœurs, d'être ici présents cet après-midi, malgré notre immense tristesse et la douleur éprouvée au cours des obsèques de notre père bien-aimé, déclara Ramazan aussi pompeux que s'il s'adressait à ses troupes.

Il fit une courte pause et fixa Nour, guettant sa réaction. Ce dernier, nullement surpris par la déclaration de son aîné, ne broncha pas.

— Comme vous le savez tous, le moment est venu de confier à l'un d'entre nous les responsabilités de chef de famille. Et, comme nous le savons tous, c'est au fils aîné qu'échoient cette charge et cet honneur.

Nour fronça les sourcils. La fatuité du discours de son frère l'exaspérait au plus haut point et il devait se contenir pour ne pas le montrer.

— Je suis militaire de carrière, poursuivit Ramazan et, en tant que colonel à l'état-major, je pars souvent en mission, y compris à l'étranger. Très prochainement, je vais être promu au grade de général et, à ce titre, je serai attaché à notre ambassade de Bonn en tant que conseiller militaire. Vous comprendrez que, dans les tragiques circonstances de ces derniers jours, je n'aie pas eu l'occasion d'en parler à quiconque, excepté à ma mère.

— Félicitations, *aghabey*! frère aîné. Nous sommes fiers de toi, s'exclama Érol.

— Félicitations! Tu l'as bien mérité, renchérit Touran, imperturbable. Voilà quelques mois qu'il faisait jouer ses relations au ministère pour accélérer la promotion de son frère et sa nomination à l'étranger. Ainsi, Ramazan était écarté pour quelque temps, ce qui lui laissait les coudées franches pour s'approprier la gestion du patrimoine familial.

— Un jour viendra ton tour, Touran, tu le mérites bien, se moqua Chahané.

Touran ne devait pas apprécier l'intervention, mais il resta de marbre.

Ramazan prit une grande inspiration et se haussa sur la pointe des pieds pour mieux dominer l'assistance et poursuivre son discours :

— Merci à tous, mais laissez-moi terminer ce que j'ai à dire. Dans ces circonstances, et après mûre réflexion, j'ai décidé de déléguer, le temps de mon absence, ma nouvelle responsabilité de chef de famille.

Chacun se dévisagea à tour de rôle, intrigué et s'interrogeant sur le motif de cette décision inattendue.

— Nous sommes heureux d'apprendre la bonne nouvelle, *aghabey*, mais déçus de te perdre en tant que chef de la famille Kardam, interrompit Kénan. Je pense que tout le monde sera d'accord pour désigner Touran *aghabey*, celui qui, en âge, vient immédiatement après toi.

Il fit une pause pour chercher l'approbation des autres.

Devant le silence de Touran, Ramazan prit la parole :

— Bien entendu, la décision te revient, Touran. Personnellement, je trouve la suggestion de Kénan très pertinente.

Il jeta un regard de connivence à Kénan.

Altan comprit que le coup était monté de longue date entre les trois frères et il jeta un œil en direction de Nour, qui soufflait son exaspération. Leurs regards se croisèrent une seconde. Altan fronça les sourcils pour lui indiquer qu'il valait mieux ne pas intervenir pour l'instant.

Chahané, présidente du Groupe de défense des droits de la femme musulmane, et qui n'avait pas la langue dans sa poche, mourait d'envie de dire son mot. Sa mimique ne put échapper à Nour.

— Tu as quelque chose à ajouter, Chahané?

L'interruption de Nour irrita Ramazan.

Après avoir écrasé sa cigarette, Chahané lança d'une voix rauque :

— J'aimerais savoir si nous, les femmes, pouvons être prises en considération et reconnues dignes de jouer le rôle de chef de famille puisque que notre frère aîné l'a refusé. Je rappelle que je suis plus âgée que Touran, à peine de quelques semaines, c'est vrai, mais je reste son aînée.

Satisfaite de son intervention, elle toisa Touran.

Touran, tendu à l'extrême, répondit aussitôt.

— Ma chère petite sœur, tu sais très bien que ma mère, Safiyé, la plus ancienne épouse de notre père, est la *Büyük Hanim* de la maison. Comment peux-tu revendiquer un titre qui appartient déjà à quelqu'un d'autre?

Ramazan se leva de son fauteuil et se dirigea vers l'interrupteur pour mettre en marche le grand ventilateur central. Sa démarche cachait mal sa colère.

Incapable de se taire plus longtemps, Nour rompit le silence :

— Si quelqu'un nous entendait, il nous prendrait pour des rois féodaux, venus du fond du Moyen Âge, en train d'argumenter sur le droit d'aînesse, l'élimination des femmes, et d'empêcher de désigner la personne la plus compétente…

Le visage de Touran se vida de son sang. Indigné, il lança à son frère :

– Comme c'est gentil de ta part, mon petit demi-frère, de te mêler à la conversation en nous racontant tes inepties.

Chacun avait remarqué qu'il avait lourdement appuyé sur le mot «demi». Le ton de sa voix s'élevait crescendo :

– Voudrais-tu dire que je ne suis pas le plus compétent pour devenir le chef de famille? Tu aimerais peut-être qu'on te laisse accaparer le pouvoir? Pour une raison connue de lui seul, père t'a donné le poste de directeur général, alors qu'il revenait de plein droit à Ramazan. En son absence, je suis tout désigné pour assumer ces responsabilités. Il n'y a rien à dire de plus.

– Nour a épargné bien des problèmes à la famille et, jusqu'à présent, il n'y a pas à se plaindre de sa gestion, Touran *aghabey*. Pourquoi le traites-tu aussi injustement? gronda Chahané.

– Mêle-toi de tes affaires. Occupe-toi de tes amies les-biennes. Laisse les hommes prendre les décisions, comme nous l'avons toujours fait.

Chahané se leva de son fauteuil hors d'elle et fit face à Touran en lui crachant son mépris :

– Toi, tu n'es qu'un pauvre imbécile... une sale tête de cochon! Ton intransigeance t'étouffe depuis le moment où tu as mis les pieds à l'école militaire. Ta place est bien à la tête d'officiers aussi bornés que stupides, mais certainement pas comme chef de notre famille.

Son visage devint livide, et ses sœurs crurent un instant qu'elle allait avoir une attaque. Elle regarda Nour et Altan d'un air navré. Mille mots lui brûlaient les lèvres. Elle les ravala avec peine, en laissant échapper quelques-uns au passage :

– Je sens que vous ne méritez plus ma présence parmi vous, dit-elle en quittant la pièce.

Les autres sœurs auraient bien voulu la suivre, mais leurs époux respectifs leur intimèrent l'ordre de ne pas bouger.

L'incident avait touché un nerf sensible. Nour se leva d'un bond. Avec un sourire forcé, il sortit une cigarette de son étui en argent et, avant même de l'allumer, prit la parole :

— Si vous vous imaginez que je pensais à moi, vous vous trompez totalement. Rien n'est plus faux, poursuivit-il en haussant la voix. J'ai vraiment honte. Le corps de notre père n'a pas encore eu le temps de refroidir que nous nous insultons et nous querellons comme des hyènes autour d'une dépouille.

Son cœur battait à tout rompre, mais, aux yeux de tous, il restait très maître de lui. Il se tourna vers Altan, qui tapait nerveusement ses doigts sur le canapé, et enchaîna :

— Personnellement, je me demande si, à ce stade, il serait sage qu'une seule personne assume l'entière responsabilité d'un patrimoine d'une telle envergure. Mais, puisque vous tenez à avoir un chef unique, j'aimerais proposer la candidature de notre frère Altan. Il a toujours fait preuve de générosité et s'est employé sans compter à défendre les intérêts familiaux. Personne ne pourra nier qu'il sache mener les hommes.

Nour se félicita d'avoir pu garder son sang-froid jusqu'à la fin de sa phrase.

Un lourd silence s'abattit. « Dieu merci, nous avons quelqu'un de sensé parmi nous », pensèrent les deux sœurs.

Altan restait muet de surprise. Il interrogeait Nour du regard. Alors qu'il s'apprêtait à prendre la parole, il fut devancé par Ramazan :

— Occupe-toi de tes propres magouilles, Nour, interrompit soudain Ramazan. De toute façon…

Sa voix se fit cassante.

— De toute façon…

Il s'arrêta de nouveau.

– De toute façon, de toute façon… De toute façon, quoi?… Crache ce que tu as à me dire, général, avant de t'étouffer!

Nour frappa violemment son poing sur le bureau.

Un silence de mort s'ensuivit.

Soudain, il éprouva de nouveau cet affreux sentiment de rejet qui l'oppressait depuis son enfance. Chaque fois qu'il intervenait dans une affaire de famille, ses deux frères ne manquaient jamais de le remettre à sa place. Ils étaient jaloux de lui, incapables de cacher leur ressentiment envers lui. Nour ne supportait plus cette situation. «Après tout, peut-être vaudrait-il mieux que je ne me mêle pas de leurs histoires minables et que je m'occupe de mes affaires!» se dit-il. Pourquoi donc ses frères ne rataient-ils jamais l'occasion de le traiter comme s'il ne faisait pas partie du clan Kardam? Il se ressaisit et continua :

– J'en ai par-dessus la tête de tes insultes, Touran. Ferme-la et écoute-moi.

Hors de lui, Altan s'interposa :

– Foutez la paix à Nour! Autrement, je vais quitter la pièce, comme Chahané.

Ramazan se redressa et, sans doute pour la première fois de sa vie, prit une décision. Décision peu glorieuse pour un futur général, car il céda :

– Oui, je pense qu'Altan est le meilleur choix. Il n'a pas étudié en Amérique, mais il en sait plus long que quiconque en matière de commandement. Et je sais de quoi je parle!

Touran, médusé, s'empourprant sous le choc, réussit à articuler :

– Tu n'as pas le droit de décider sans notre accord, Ramazan!

– Je suis toujours le plus âgé de tous. C'est mon droit, et je le fais valoir!

Touran ravala péniblement son orgueil et réprima sa rage. Il n'en revenait pas de la volte-face de Ramazan qui, une fois de plus, l'avait rabaissé. Pour se donner une contenance, l'aîné consulta sa montre et déclara :

— J'ai encore plusieurs choses à régler avant la lecture du testament.

En quittant la pièce, il détourna la tête, fuyant le regard de Nour.

Nour n'était pas d'un naturel rancunier mais, cette fois, il n'était pas prêt d'oublier les insultes de ses deux frères aînés. Il n'avait jamais été remercié pour ses efforts à mener les affaires de la famille, d'ailleurs il n'en demandait pas tant. Mais il aurait souhaité un semblant de considération, ne serait-ce qu'un témoignage d'affection.

Après que tous eurent quitté la pièce, Altan s'approcha de Nour.

— Merci de m'avoir fait confiance. Tu ne seras pas déçu, dit-il d'une voix émue.

— Pour te dire la vérité, j'envisageais cette solution depuis la crise cardiaque du père. Je serai toujours ton allié, grand frère.

Nour hésita un moment et demanda tout à coup :

— Altan, tu ne trouves pas lassant que mes frères s'énervent chaque fois que je donne mon opinion sur les questions de famille? Ils me font toujours sentir que je suis à part. Pourquoi?

La remarque de Nour consterna Altan.

— Touran et Ramazan ne changeront jamais. Ils veulent tout contrôler quand il s'agit de la fortune familiale. Tu n'es pas en cause.

L'explication de son frère n'arriva pas à le convaincre. À vrai dire, sa question ne concernait pas uniquement les deux aînés. Il préféra ne pas insister. D'un ton las qui dénotait toute sa tristesse, il ajouta :

— Je me demande pourquoi ils agissent ainsi avec moi, quoi que je fasse.

Altan savait que son frère avait raison. Les deux aînés avaient toujours manifesté de l'aversion pour Nour. Altan se contenta de marmonner tristement : «Pauvres crétins!»

Lorsque les deux frères se retrouvèrent sur le perron, la chaleur était toujours étouffante. Le soleil avait élu domicile à l'aplomb de la maison du gouverneur.

* * *

Malgré la température, Touran avait entraîné Ramazan à l'écart dans le jardin. Ils s'affrontèrent du regard.

— Qu'est-ce qui t'a pris de donner *ma* place à ce lourdaud d'Altan? siffla Touran.

— Ce n'est pas *ta* place, c'est la mienne. C'est mon droit d'aînesse. Papa est mort, c'est moi le chef de famille, mets-toi ça dans le crâne, cracha Ramazan à la face de son frère.

Touran ne trouvait plus ses mots, abasourdi par la réaction de son frère. Il réussit à bredouiller :

— Toi et tes magouilles… tu…

— Tu en profites aussi! Tu te contentes d'encaisser, moi je pense et j'agis! cria Ramazan en toisant son frère.

Le ton était monté sans qu'ils y prennent garde. Inquiets, ils jetèrent un coup d'œil alentour pour s'assurer qu'ils étaient bien seuls, et ils se séparèrent sur un regard haineux.

* * *

Il était près de cinq heures de l'après-midi lorsque l'avocat Nourettine Borahan gara sa Peugeot au bout de l'allée. La sueur perlait sur ses tempes, car la chaleur accablante persistait depuis midi. Il saisit son épaisse serviette en cuir et se hâta vers la maison.

Tous les membres de la famille s'étaient de nouveau réunis et attendaient dans le grand salon, dit le salon bleu, de la couleur des faïences de Kütahya qui recouvraient le sol.

L'avocat se dirigea vers Safiyé.

— Comment vous sentez-vous, *Büyük Hanim*? Je suis vraiment désolé d'avoir à réaliser une aussi triste tâche.

— Je me sens beaucoup mieux, merci, répondit-elle, comblée d'aise de s'entendre décerner, face à la famille au grand complet, le titre tant convoité de première dame de la maison.

Aussi, elle se retint sans peine d'énumérer la litanie de douleurs et de malaises chroniques dont elle abreuvait inlassablement ses interlocuteurs.

Nourettine Borahan présenta ses respects à Leyla qui conservait toute sa grâce et sa prestance, et l'avocat ne sembla pas insensible au physique troublant de la jeune veuve.

Ramazan et Touran, sans se regarder, faisaient les cent pas dans le salon. Le visage en sueur de Ramazan portait le masque des mauvais jours. Il égrainait son bracelet d'ambre tout en fixant Leyla et l'avocat.

— Peut-être pourrait-on commencer, Nourettine Bey? dit Ramazan avec une pointe d'impatience.

— Certainement, tout de suite.

Tout comme Leyla, Safiyé et les filles du défunt portaient des vêtements à l'européenne, une écharpe en soie leur recouvrait la tête et une partie du visage.

— Il vaut mieux nous asseoir là, suggéra Safiyé.

Elles optèrent pour un canapé inconfortable mais proche de l'avocat.

Nourettine Borahan sortit un épais dossier de sa serviette et brandit d'un geste théâtral une grande enveloppe scellée à la cire rouge et la présenta à l'assistance.

Un silence pesant régnait dans la pièce où chacun tentait de maîtriser son inquiétude. Riza Bey s'était toujours montré fertile en surprises, bonnes ou mauvaises, et tous appréhendaient quelque peu l'expression de ses dernières volontés. Nour se demandait quelles joies et quelles frustrations son père avait bien pu leur réserver.

Nourettine Bey ouvrit la séance :

– Je vais procéder à la lecture du dernier testament de Riza Kardam, commença-t-il d'un ton monocorde.

Je, soussigné, Riza Kardam, de la ville d'Aïntab et du comté de Karkamis, ci-après résidant et domicilié dans mon domaine et dans ma propriété, sain de corps et d'esprit, disposant de toutes mes facultés de mémoire et d'entendement, fais et déclare par le présent écrit que ceci est mon dernier testament.

L'avocat accéléra la lecture des sept premiers articles qui précisaient l'état civil respectif des épouses et des enfants désignés comme légataires.

Comme s'il en était besoin, il réclama la plus grande attention de l'auditoire avant d'énoncer les décisions ultimes de Riza Bey.

Je fais ci-après les legs particuliers suivants : je lègue à mes épouses Safiyé, Makbulé et Leyla, en parts égales, le capital de mon assurance-vie, ainsi que mes deux propriétés familiales de Gaziantep et de Yeniköy. Étant donné que ma seconde épouse Makbulé est décédée, sa part doit être divisée en portions égales entre ses enfants, dans la mesure où ils ne disposent pas des deux dites propriétés avant l'an 2025.

Les deux épouses oublièrent un moment leur ancienne rivalité de maîtresses du même homme et se dévisagèrent en faisant un signe d'approbation.

Je répartis mes titres, avoirs et liquidités en Turquie ainsi que mes œuvres d'art et objets précieux en parts égales entre mes deux épouses survivantes, Safiyé et Leyla, mes six fils, Ramazan, Touran, Altan, Kénan, Érol et Nour et mes trois filles, Chahané, Émel et Zehra.

Nourettine Bey scruta l'assistance. Chacun semblait satisfait de l'équité de la distribution qui fut saluée par des murmures d'approbation.

Personne n'émettant d'objection, l'avocat poursuivit sa lecture :

Les entreprises commerciales, les plantations et l'usine de conditionnement de tabac viennent d'être regroupées par mes soins en une compagnie unique dont les actions seront distribuées entre mes enfants en parts égales.

La raison sociale de cette nouvelle compagnie est désormais «Kardam et Fils International» dont mon fils Nour assurera la présidence du conseil d'administration. Son expertise en gestion aussi bien qu'en droit international n'est plus à démontrer et le désigne donc tout naturellement pour assumer cette fonction.

Toutefois, je laisse à mes héritiers le soin de modifier, si besoin est, et au mieux de leurs intérêts communs, la structure de la nouvelle société.

Des grommellements houleux avaient couvert les derniers mots de l'avocat.

— Je vous demanderais de bien vouloir garder le silence, dit froidement Nourettine Borahan.

À la dérobée, chacun interrogeait son voisin du regard. Celui de Nour croisa celui de Leyla. Leur inquiétude était réciproque, car ils appréhendaient les implications des dispositions prises par le disparu. Leyla était fière de la haute estime dont Riza Bey avait fait preuve envers son fils en le nommant président du conseil d'administration, mais elle savait aussi que les hostilités entre frères ne faisaient que commencer. Pour sa part, Nour comprenait que cette décision n'avait fait que jeter de l'huile sur le feu. Il devenait la cible désignée pour le duo Ramazan et Touran.

Nourettine Bey ajouta que le défunt léguait quelques modestes dons à ses serviteurs, au personnel fidèle, à ses parents dans le besoin et à des œuvres de charité. Il fit de nouveau une pause.

— Maintenant je vais vous lire la dernière clause du testament de votre très cher époux et père, Riza Bey.

J'estime avoir été juste et équitable dans la disposition des biens matériels attribués tant à mes femmes qu'à leurs enfants. Parvenu au terme de ma vie, je souhaite faire un dernier legs à une personne si chère à mon cœur que je n'ai jamais pu l'effacer de ma mémoire. En conséquence, je lègue la totalité de mon compte de la Société de banque suisse à Genève, à Maro Balian, domiciliée dans la ville de New York, aux États-Unis. Ce don particulier est destiné à une personne hors du commun, une femme qui m'a fait comprendre le sens de la vie en me faisant don de ce qu'elle avait de plus précieux. Je demande à mon fils, Nour, d'entrer en contact avec le cabinet d'avocats Goldwater et Associés, de New York, pour procéder au transfert des fonds destinés à Maro Balian, et ce, dans les plus brefs délais. Au cas où Maro Balian serait décédée, les fonds devront être versés à la faculté de médecine de l'Université d'Istanbul pour la recherche en cardiologie.

Je tiens à souligner que ce testament est l'expression de ma volonté et qu'à ce titre il est irrévocable. Toute contestation, quelle qu'en soit la nature, serait une offense à ma mémoire. Je nomme mon fils, Nour Kardam, mon exécuteur testamentaire.

Une chape de plomb tomba sur femmes et enfants. Sidérés, ils fixaient sans le voir Nourettine Borahan qui rangeait déjà ses dossiers.

Nour était interloqué. D'où sortait cette Maro Balian? Quelle histoire insensée! Son père avait-il perdu la raison?

Riza Bey avait frappé fort. Après toutes ces années, au moment de faire le bilan de son existence, il avait enfin osé révéler le pourquoi de sa solitude et de sa nostalgie. Finalement, Nour posa la question qui était sur toutes les lèvres :

— Cher maître, combien y a-t-il d'argent dans ce compte?

L'avocat hésita un moment et répondit d'une voix à peine audible :

— Un million deux cent mille dollars américains.

Le fait que Nourettine Bey ait prononcé le chiffre avec une extrême lenteur avait rendu la somme encore plus prodigieuse.

La réponse de l'avocat déclencha un flot d'exclamations et de protestations.

Nour fixa Leyla, dans une interrogation muette. Sa mère détourna les yeux et il sentit qu'elle était mal à l'aise. Un haussement d'épaules d'Altan lui fit comprendre qu'il ne comprenait pas.

Jusqu'à ce jour, jamais Leyla n'aurait pu imaginer une seconde que le nom de Maro puisse être de nouveau prononcé sous le toit de Riza. La seule mention du nom de sa rivale la heurta de plein fouet. La jalousie lui vrilla la poitrine et elle rugit :

— J'ai toujours dit que c'était une putain de luxe.

Toutes les têtes se tournèrent vers elle. Nour était sidéré par la violence du ton et la vulgarité inhabituelle de sa mère.

Elle regarda Safiyé comme pour solliciter son aide et, toute raide, se dirigea vers la porte. En passant devant Nour, elle cacha son visage derrière son voile pour ne pas lui montrer la haine et l'angoisse qu'elle ressentait.

La porte à peine fermée derrière elle, Leyla vit ressurgir le passé. Elle n'avait que vingt ans lorsqu'elle avait regardé Maro descendre de la calèche de Riza Bey. Elle était la plus jeune et la plus jolie des trois épouses et, jusqu'alors, cette certitude avait suffi à son bonheur. L'irruption de Maro avait déstabilisé Leyla : cette femme qui débarquait sans crier gare était plus vieille et pourtant plus resplendissante. Leyla, la petite paysanne, s'était aussi sentie écrasée par la personnalité de l'intruse, elle était vaincue, elle ne serait plus jamais la préférée de Riza. Dans l'esprit simple de Leyla, la peur avait fait place à la haine.

Dès que Leyla entra dans sa chambre, elle s'effondra et pleura à gros sanglots. Du plus profond de sa mémoire surgissait un mélange de voix familières, comme si elle entendait encore son époux s'adresser à Maro. Elle se sentait trahie, humiliée. Pour la première fois de sa vie, elle s'emporta contre son mari. Les fantaisies romantiques de Riza Bey avaient conduit la famille dans un véritable bourbier.

Nour se dirigea vers Chahané et la questionna à voix basse.

— Sais-tu qui est cette femme?

— Non. Ta mère doit le savoir, tu as vu sa réaction? Safiyé aussi, même si elle fait mine de rien.

Nourettine Bey, qui avait terminé la lecture du testament, ne savait plus comment prendre congé de ses hôtes. L'avocat s'inclina, puis quitta le salon bleu aussi vite que sa dignité le lui permettait.

Safiyé se leva à son tour.

— *Ilâhi*, ineffable, Riza Bey, soupira-t-elle. C'était une véritable boîte à malices de son vivant; une fois mort, il reste égal à lui-même. Qu'Allah bénisse son âme!

— Papa devait avoir perdu la tête pour laisser de l'argent à une salope pareille, s'emporta Touran.

— C'est une ignominie, hurla Ramazan. Je ne me souvenais même plus de cette chienne!

— Moi je me souviens bien de son bâtard, *giaour*[2]! ajouta Touran en fixant Nour dans les yeux. Je la ferai tuer plutôt que de laisser notre fortune à cette femme. D'un geste rageur, il écrasa sa cigarette dans le cendrier.

Les imprécations de Touran et Ramazan firent comprendre à Nour qu'ils connaissaient cette Maro Balian. Il ferma les yeux pour ne pas voir leurs regards qui le fixaient... La colère l'étouffait lorsqu'il sortit du salon bleu.

Il entendit distinctement la voix d'Altan :

— C'est le souhait de notre père, bande de vipères. Ça suffit!

Les vociférations fusaient de toutes parts, si exaltées et bruyantes que personne ne remarqua que Nour s'était esquivé discrètement.

* * *

L'avocat disparu, Safiyé crut s'évanouir. Elle réussit pourtant à se ménager une sortie des plus solennelles au bras de Kénan. Elle était stupéfiée. Son visage trahissait le choc qu'elle venait de subir.

À cette époque-là, Safiyé occupait une place à part dans les sentiments de Riza. Elle avait le privilège d'être la première épouse, mais plus encore d'être la confidente et, parfois, la conseillère discrète de son mari. Son éducation de fille l'avait préparée à la polygamie, aussi elle n'avait ressenti aucune jalousie lorsque son époux s'était entiché de jeunes et jolies filles et les avait prises pour femmes. L'irruption de

---

2. Infidèle (terme de mépris appliqué au non-musulman).

Maro ne suscita aucune animosité chez elle. Contrairement à Makbulé et à Leyla, elle n'avait pas considéré la «nouvelle» comme une rivale, mais avait plutôt été séduite par le charme de l'Arménienne, qui apportait un souffle de liberté inconnu dans le harem. Bien plus qu'une étrangère, cette femme représentait l'inconnu et elle était issue d'un monde dont Safiyé soupçonnait à peine l'existence mais qui l'intriguait. Maro avait étudié en Europe et Safiyé s'émerveillait de son savoir. Ensemble, elles avaient feuilleté les livres de la bibliothèque de Riza Bey, ce qui ne manquait pas de soulever la plus vive réprobation de la *Büyük Hanim* et les sarcasmes des autres épouses. Safiyé, qui avait caressé l'espoir de devenir un jour l'amie de Maro, avait été très affectée par sa brusque disparition. En s'appliquant à consoler Riza de la perte de sa maîtresse, elle avait tenté de soulager sa propre peine.

* * *

Nour frappait lourdement à la porte de la chambre de sa mère sans obtenir de réponse. Il força la porte et trouva Leyla en pleurs sur son divan. Ses gémissements redoublèrent lorsqu'elle le vit.

— Ça suffit comme ça, maman! Arrêtez votre cinéma! Qui est cette femme?

L'attaque de Nour prit Leyla au dépourvu. Il y a longtemps, elle avait pensé lui dévoiler la vérité, petit à petit, avec délicatesse. Et puis elle n'avait jamais osé. À mesure que le temps passait, il lui était de plus en plus pénible d'aborder le sujet et elle remettait toujours sa confession à plus tard. Avec les années, elle s'était convaincue elle-même que Nour était son fils et que personne n'oserait braver l'*omerta* imposée par Riza Bey. Et voilà que Riza Bey en personne avait transgressé ses propres instructions! Elle s'effondra.

— Je voulais te le dire, mais ton père avait ordonné que ce soit un secret absolu.

— Arrêtez ces histoires! Qui est Maro Balian?

— Une ancienne maîtresse de ton père... tu ne peux comprendre. C'est trop vieux. Tu n'étais pas né.

— Mon père n'aurait pas légué une fortune à une quelconque maîtresse. Dites-moi ce qu'elle était vraiment. Répondez!

Leyla mendiait un petit signe d'affection, mais la rancœur de Nour était trop profonde pour répondre à l'attente de sa mère. Totalement désespérée, elle éclata en sanglots.

— Je ne sais pas, hoqueta-t-elle. Laisse-moi!

Ils échangèrent un regard lourd de déception et d'hostilité. Nour se rendit compte que ses questions ne faisaient qu'ajouter au désarroi de sa mère, mais il insista :

— Vous ne pouvez pas continuer vos cachotteries. Plus maintenant. Je vous en prie, parlez!

Effondrée, Leyla tentait de raisonner son fils :

— Arrête de me tourmenter, va-t'en!

— Puisque vous le prenez ainsi, je vais interroger quelqu'un qui me répondra.

— Personne ne sait rien, lui cria-t-elle.

— C'est ce qu'on verra!

Nour quitta brusquement sa mère. Il savait ce qui lui restait à faire.

6

Dans le jardin, les rayons rubis du soleil couchant caressaient la surface de l'eau qui frémissait dans la fontaine en marbre. Personne ne porta la moindre attention à la douceur et à la sérénité de ce début de soirée.

Inquiet, Altan courut à la recherche de Nour qui restait introuvable. Il eut beau interroger chacun, personne ne l'avait vu quitter la maison. Il se précipita vers la chambre de sa tante Leyla et frappa plusieurs fois à sa porte sans obtenir de réponse. Toutes sortes de mauvais pressentiments lui vinrent à l'esprit. Nour était le seul frère pour lequel Altan éprouvait de l'affection, de l'admiration... sans parler des liens de sang qui les unissaient. Il descendit dans la cour. La Mercedes familiale avait disparu. Il rentra précipitamment.

— Nour est parti! cria-t-il, mais personne ne fit écho à son appel.

— Oui, Bey Effendi, répondit la petite *evlâtlik*[3], en faisant automatiquement une révérence. Il est parti juste après le vieil effendi, qui était là cet après-midi.

— Merci, dit Altan. Peux-tu m'apporter une tasse de café sans sucre?

— Tout de suite, Bey Effendi.

Altan alla s'asseoir dans la salle à manger, se demandant pourquoi son père avait été d'une extrême générosité à

---

3. Fillette placée dans une famille jusqu'à son mariage.

l'égard de cette inconnue. Ses frères et sœurs commentaient la dernière clause du testament avec une telle violence que leurs vociférations traversaient les murs.

* * *

Nour roulait lentement sur la route qui longeait les champs de coton. Il s'attardait çà et là, comme s'il faisait l'une de ses tournées d'inspection du vaste domaine de son père, tout en s'efforçant de faire le vide dans sa tête. Il n'arrivait pas à effacer de sa mémoire Nourettine Bey en train de lire le testament. Ses paroles résonnaient encore à ses oreilles : «Je lègue la totalité de mon compte en banque…» Ses idées se brouillaient sans qu'il parvienne à se concentrer sur l'une d'elles.

Soudain une image lui revint à l'esprit. La photo! Une vieille photo sépia et deux visages, celui d'une belle jeune femme et celui d'un petit garçon aux traits amaigris. L'expression de l'enfant était si affligeante que Nour s'était senti projeté dans un monde inconnu. Un monde dans lequel les enfants connaissent la faim, la peur, le désespoir.

Cette photo se trouvait dans l'album de sa grand-mère. Elle l'avait intéressé, puis il l'avait oubliée. Lorsqu'il était enfant, on lui avait expliqué que c'étaient des invités, ni plus ni moins. Par la suite, cette image avait été enfouie au milieu de dizaines d'autres, et il n'en avait plus jamais été question. Nour se souvenait que la jeune femme avait des yeux magnifiques, par malheur son *yachmak* dissimulait en partie son visage! «Et si c'était elle, l'héritière?» se demanda-t-il.

* * *

Sans qu'il eut conscience d'avoir conduit, la voiture arriva à l'embranchement de l'autoroute. Avant de tourner à droite, Nour jeta un dernier coup d'œil sur les champs frissonnants, sans vraiment les voir. Perdu dans ses pensées, il laissa presque la voiture s'arrêter. Brusquement revenu à la réalité, il changea de vitesse et fila en direction nord.

Il était plus de sept heures du soir lorsque la Mercedes s'engagea sur l'autoroute 85 en direction de Maras, l'ancienne capitale du royaume hittite de Gurgum. La vaste steppe s'étendait au loin dans toute son immensité. Une nappe de chardons vert tendre ondoyait sous l'horizon, ravivant le paysage aride environnant. L'autoroute 85, malgré son nom, n'était en fait qu'une modeste route de campagne tout juste pavée. Elle serpentait dans un paysage parsemé de ruines, de grottes et de ruches en briques de boue. Çà et là, quelques troupeaux de chèvres ou de vaches animaient un décor figé de toute éternité.

Nour roulait déjà depuis une quarantaine de minutes. Il lui en restait encore autant avant d'atteindre le village de Pazarcik. Le bruissement de la steppe lui parvenait par la vitre entrouverte. Il se sentait las et inquiet. Bien qu'habituellement les émotions n'aient guère de prise sur lui, les derniers événements qui avaient tourné au conflit ouvert avaient été trop intenses, et les traits de son visage portaient les marques de la fatigue, du chagrin et de l'amertume.

«Mais qu'est-ce que mon père avait donc à se faire pardonner pour léguer plus d'un million de dollars à cette femme?» se dit-il à haute voix comme pour se persuader qu'il n'avait pas rêvé la scène de la lecture du testament.

Nour s'était mis en route pour rencontrer Deniz *abla*, grande sœur, l'ancienne femme de chambre de sa mère. Il se souvenait d'elle comme la plus gentille des servantes de Leyla. Depuis qu'il était enfant, Deniz était sa confidente. Elle avait joué le rôle de grande sœur, toujours prête à le réconforter. Il se rappelait sa franchise et sa manière bien à elle de le regarder toujours droit dans les yeux lorsqu'elle

73

lui parlait. À cette époque, Deniz était une fille mince, aux grands yeux couleur de jais, tout comme sa chevelure. Il y a une quinzaine d'années, elle avait décidé de quitter le service de Leyla pour aller vivre à Pazarcik, après avoir épousé un maréchal-ferrant de la région, veuf et sans enfant.

Nour voulut accélérer, mais le soleil avait inondé la steppe d'une brume couleur feu qui brouillait la vision, rendant la conduite délicate. La route défilait devant lui, accompagnée par le bruissement du vent dans les chardons.

Une lumière aveuglante balaya le pare-brise. Nour redoubla d'attention sur cette portion de route, car il savait que les troupeaux de bétail y broutaient en toute liberté. Encore quelques kilomètres et il se trouverait à l'orée du village. Le visage de l'inconnue sur la photographie délavée continuait de le poursuivre. Au crépuscule, la route sinueuse baignait dans une lueur pourpre qui lui semblait immuable. Pourquoi donc sa mère et ses tantes avaient-elles toujours évité de parler de cette photo? Deniz, sa nounou préférée, lui avait expliqué que c'était une simple invitée dont elle avait d'ailleurs oublié le nom.

Il était maintenant près de huit heures quand Nour passa devant la terrasse du café sur l'unique place du village. Elle était presque déserte, à l'exception d'un vendeur de yogourt sur son âne, deux urnes en cuivre ballottant de chaque côté de la selle. Nour l'accosta.

– *Hemcherim*, mon compatriote, où se trouve la maison de Deniz *abla*?

L'homme barbu s'approcha de la voiture, toucha sa casquette décolorée de sa main droite en signe de salut et se mit à examiner la Mercedes. La voiture moderne et l'animal ancestral illustraient parfaitement l'anachronisme qui régnait alors en Turquie. L'âne éprouvant soudain le besoin de frotter sa tête contre la carrosserie, son maître s'empressa de resserrer les rênes.

— Qui vous êtes, vous?

— Un ami, répondit Nour avec une pointe d'irritation dans la voix.

— Vous n'êtes pas un ami. Vous avez une voiture.

— Je suis l'ami de Deniz. Elle s'est occupée de moi quand j'étais petit.

— Oh, c'est ça que vous êtes alors!

— Pouvez-vous me dire où elle habite?

— Oui, je vais vous dire. Vous voyez le gros châtaignier là-bas? Tournez juste là et arrêtez la voiture. C'est la première maison.

— Merci, *hemcherim*.

Nour conduisit avec prudence pour éviter de soulever l'épaisse poussière qui recouvrait le chemin de terre. Parvenu non loin de la maison, il coupa le moteur, intrigué de ne voir personne apparaître sur le seuil. Il s'approcha jusqu'à la porte de Deniz, s'éclaircit la gorge et appela :

— Ouvre-moi la porte, s'il te plaît, Deniz *abla*. C'est moi, Nour Kardam. J'aimerais te parler un moment.

Deniz ouvrit la porte, suivie de son mari, Mürtaza, en maillot de corps et pantalon de pyjama rayé. Ils le dévisagèrent avec stupeur.

— Entrez, je vous en prie, entrez. Que se passe-t-il? Mais que faites-vous ici? Que me vaut l'honneur de votre venue? demanda Deniz, très embarrassée devant ce visiteur inattendu.

Nour pénétra dans la maison où le couple le fit asseoir. À peine installé, il interrogea sa nourrice :

— J'aimerais te demander plusieurs choses, Deniz *abla*.

— *Hayir ola*, tout va bien, j'espère?

Il hésita, ne sachant par où commencer.

— Nous avons perdu notre père, il y a trois jours. Depuis, rien ne tourne plus rond à la maison.

— Je suis désolée de cette triste nouvelle! Comment est-ce arrivé? La dernière fois que j'ai entendu parler de Riza Bey, il allait très bien, il nous surprenait toujours par sa vitalité.

— C'est l'âge, Deniz. Son cœur a lâché.

— Oh! nous n'avons rien su, sinon nous serions allés à l'enterrement. Pardonne-moi, Nour, nous ne savions pas.

— Mais nous irons sans faute au *mevlûd*, la prière du souvenir, ajouta le mari.

Tous les trois se réfugièrent dans un profond silence, leurs yeux rivés sur le parquet de bois, sans plus oser se regarder.

Deniz s'essuya les yeux et le nez avec le voile de mousseline blanc qui lui recouvrait la tête.

«Je devine pourquoi il est venu», pensait Deniz.

De son côté, Nour s'interrogeait : «Comment vais-je lui poser la question et la convaincre de me dire toute la vérité?»

Quant à Mürtaza, il se demandait simplement s'il devait briser le silence pour demander à sa femme de servir un café à leur hôte.

— J'ai fait un rêve étrange la nuit dernière, expliqua Deniz, je savais que j'allais recevoir de mauvaises nouvelles. J'ai rêvé que je tombais dans un fossé rempli de pierres noires et pointues et je me cassais les dents. Perdre ses dents dans un rêve est un mauvais présage, cela veut dire que l'on va perdre un être proche. Attendez-moi un instant, je vais vous préparer un café.

— Oui, *abla*, merci.

— Vous n'allez certainement pas retourner ce soir, Bey Effendi. La route est dangereuse. Deniz va vous préparer un lit. Vous pouvez rester dormir chez nous… si vous ne voyez pas d'objection à séjourner dans notre modeste logis. Vous êtes le bienvenu, insista Mürtaza.

— J'accepte votre invitation et je vous remercie pour votre hospitalité, répondit Nour.

Il se sentait réconforté par leur accueil et, soudain, moins pressé par le temps. Il se mit alors à leur raconter en détail toutes les funérailles.

— Allah, Allah!... Allah, Allah! s'exclamaient en cœur mari et femme après chaque phrase.

— C'est le mauvais œil, mon pauvre Bey Effendi. J'ai toujours conseillé à Leyla *Hanim* de glisser une amulette dans la poche de son mari pour conjurer le mauvais œil.

— Ça doit être ça, concéda son mari peu enclin aux superstitions.

Nour ne put différer davantage la vraie raison de sa visite impromptue. Il était certain que mari et femme n'attendaient que ce moment.

— Dis-moi, *abla*, as-tu déjà entendu parler d'une femme qui s'appelle Maro Balian?

Le cœur de Deniz se serra de douleur en entendant ce nom, elle ferma les yeux quelques secondes, puis sembla retrouver ses esprits.

— Qui ça, dites-vous?

Deniz restait silencieuse.

— Était-ce la jeune femme aux beaux yeux que je t'avais montrée sur une des photos de grand-mère, tu sais, la photo sur laquelle vous étiez tous réunis au bas de l'escalier, au retour de mon père? continua Nour.

— Je ne sais pas, c'était une invitée. Je vous l'ai déjà dit cent fois.

— Et quoi encore?

— Juste une invitée, rien de plus.

Deniz renifla, au bord des larmes.

— Je vous en supplie, ne me posez pas d'autres questions. Je ne suis au courant de rien.

Nour se leva brusquement du *sedir*, le divan, sur lequel il était assis. Il s'approcha de Deniz, la prit tendrement par les épaules et l'implora du regard.

77

— Tu n'as rien à craindre, *abla*. J'aimerais juste que, toi, tu me racontes l'histoire. Je veux savoir qui elle est, tu ne dois plus me le cacher.

— S'il te plaît, Deniz, ma douce *hanim*, raconte au Bey Effendi ce que tu m'as dit, implora son mari, touché par la requête de Nour.

Elle hésitait, elle semblait tellement désarmée. Elle regarda Nour comme pour le supplier de ne plus insister.

— S'il te plaît, Deniz. Je te répète que tu n'as absolument rien à craindre.

Son regard cherchait tour à tour celui de son mari et celui de Nour. Elle rassembla finalement son courage.

— Je suis désolée de te l'avoir caché pendant si longtemps.

Ses pleurs rendaient ses paroles inaudibles. Nour avait du mal à l'entendre…

— Je suis désolée… désolée, mon très cher Nour, mon très cher maître…

— Arrête, *abla*, arrête. Je comprends.

— J'ai rencontré Maro *hanim* quand je suis entrée comme *evlâtlik*, au service de la maison de Riza Bey. J'avais treize ans et…

— Je connais déjà l'histoire, Bey Effendi, déclara soudain le maréchal-ferrant. Je vais faire un petit tour dehors. Comme ça ma femme se sentira plus à l'aise pour vous raconter ce qu'elle sait.

Sur ces mots, il se coiffa de sa casquette et disparut dans la nuit. Deniz se décida à parler :

— Riza Bey m'avait achetée à un marchand qui cherchait à faire fortune en vendant les jeunes réfugiées arméniennes à la cour. Après avoir vu les gendarmes égorger mes parents, mes frères et mes sœurs, j'étais follement heureuse de me retrouver à l'abri dans une maison confortable. J'étais une des rares rescapées.

Nour n'avait jamais prêté attention aux bruits qui couraient dans sa famille, comme quoi Deniz était une réfugiée arménienne. Il se souciait peu de ce genre de choses.

Pourtant, au récit de sa nourrice, il ressentit une pointe de tristesse.

— Je m'appelle Vartouhi, ce qui veut dire « rose », en arménien. Au début, Riza Bey m'a appelée Ayla et, après un certain temps, il l'a remplacé par Deniz. « Je t'appellerai Deniz parce que tes yeux ont la profondeur de la mer, la *deniz* », m'avait-il dit. Un jour, continua-t-elle à voix basse, votre père est revenu accompagné d'une femme très belle. C'était aussi une jeune déportée arménienne, comme moi. Elle avait une grande éducation. C'est elle qui m'a appris à lire et à écrire en cachette. Tu sais, à l'époque, ça n'était pas correct que les servantes sachent lire. Pour ce qui est d'écrire... Son petit garçon, Tomas, avait six ou sept ans. Il avait l'habitude de jouer avec Kénan qui avait le même âge.

Nour avait du mal à imaginer son frère Kénan en train de partager ses jouets et encore moins avec un misérable petit réfugié.

— Et ensuite?

— Quelques années plus tard, elle est partie.

— Je t'en prie, *abla*, pas si vite. Où est-elle allée?

— Elle est retournée à Istanbul. Riza Bey les a laissés partir mais...

— Mais quoi, Deniz *abla*? S'il te plaît, continue. Dis-moi tout.

Deniz posa sa main sur la tête de Nour en soupirant :

— Dieu vous bénisse mille fois. J'ai beaucoup d'affection pour vous, Bey Effendi.

Les mots Bey Effendi l'agaçaient, mais ce n'était pas le moment de lui en faire la remarque.

– Votre père avait été forcé de les laisser partir. Mais vous savez comment cela se passe dans une grande famille comme la vôtre, les langues des serviteurs se délient facilement.

Deniz s'arrêta un instant en attendant qu'il l'approuve, mais Nour restait suspendu à ses lèvres.

– Pendant environ deux ans, Maro *hanim* n'avait pas eu le droit de quitter la maison seule. Elle ne sortait qu'en compagnie des autres épouses pour se rendre aux bains. Votre père la gardait contre son gré. Il était très amoureux d'elle, à en perdre la tête. Je n'ai jamais rencontré d'homme aussi amoureux d'une femme. Il la vénérait. Je ne peux pas trouver d'autre mot. Il voulait qu'elle l'épouse, mais elle refusait obstinément à chacune de ses demandes.

– Pourquoi?

– Oh, elle avait l'habitude de se confier à moi, car j'étais arménienne comme elle. Elle ne faisait confiance à personne d'autre. Elle m'avait raconté qu'elle avait un mari à Istanbul, j'ai oublié son nom. Il la recherchait, j'en suis certaine. N'importe quel homme aurait parcouru la planète entière pour retrouver une femme comme elle. Un jour, elle m'a dit qu'elle ne pouvait supporter l'idée qu'un homme puisse avoir plusieurs femmes. Cela se passait avant Mustafa Kemal, quand les musulmans pouvaient encore avoir quatre épouses. En plus, elle était chrétienne et ne voulait surtout pas épouser un musulman.

– Deniz *abla*, est-ce qu'elle aimait aussi mon père?

– Elle vous aurait répondu non si vous lui aviez posé la question aussi brutalement. Mais, un jour, elle m'a dit : «Vartouhi – elle m'appelait toujours par mon prénom arménien –, crois-tu qu'une femme peut partager son cœur entre deux hommes?»

Deniz s'arrêta brusquement en lisant le trouble dans le regard de Nour. Puis elle reprit.

– Un jour, Maro et son fils Tomas ont subitement disparu, je dirais… pendant environ six mois. D'après ce que laissaient entendre les maîtres, elle était allée voir ses parents à Sivas, mais les domestiques savaient bien que c'était faux. Elle était partie accoucher en secret d'un joli petit garçon.

Le visage de Nour se détendit. Il avait entendu avec soulagement chacun des mots qui lui dévoilaient enfin la vérité. Toutes les pièces du gigantesque puzzle avaient pris leur place. Il pouvait imaginer le scandale à l'époque : le gouverneur de la province avait eu un fils illégitime d'une réfugiée chrétienne!

– Votre père était au septième ciel et absolument fou de son fils!

– Et le bébé, c'était moi?

– Oui, c'était vous.

Nour réfléchit un moment et ajouta d'une voix amère :

– Pourquoi ne m'a-t-elle pas emmené avec elle?

– Parce que votre père ne l'a pas voulu. Malgré les pleurs et les supplications de Maro, rien n'y fit. J'entends encore ses hurlements de désespoir dans le hall, le jour de son départ. Votre père avait décidé de confisquer sa plus précieuse possession. Il avait perdu une femme, il n'avait pas voulu perdre un fils!

– Et son autre fils?

Oh, Tomas! Le pauvre petit! Un après-midi, alors qu'il montait son cheval et galopait dans la forêt, il a disparu. Il n'est jamais revenu. On a raconté qu'il avait été kidnappé par des bandits kurdes, mais personne n'en était certain. Les recherches ont duré plusieurs mois, mais Tomas n'est jamais réapparu.

Nour resta muet devant une telle accumulation de malheurs. Confus, il était partagé entre le soulagement d'entendre Deniz lui révéler sa véritable identité et la colère de constater que son père et Leyla avaient fait l'impossible pour lui cacher, pendant des années, la vérité sur ses origines.

Il se rendait compte des souffrances endurées par cette femme… sa vraie mère! Quels chocs avaient dû être pour elle la séparation d'avec son mari, les conditions inhumaines infligées aux réfugiés durant les semaines de l'exil, puis la perte d'un fils et enfin une liberté retrouvée au moment même où son deuxième fils lui était arraché! Le cœur de Nour se serra.

Il comprenait mieux les réticences de Deniz à lui révéler son passé, et il lui était très reconnaissant de l'avoir fait. Enfin! Mais son esprit était tourmenté par les aveux de sa nourrice. Quelle était donc la personnalité de ce père qui savait aussi bien sauver une Deniz de l'esclavage que séquestrer une maîtresse chrétienne, pour la relâcher ensuite tout en la privant de son fils? Pour écrire un tel testament, il avait fallu que Riza aime avec passion la belle Arménienne. Bien des années plus tard, alors que tous avaient oublié Maro, elle réapparaissait, avec un legs qui se chiffrait en centaines de milliers de dollars! Nour ne parvenait pas à se faire une opinion sur ce père qui avait agi d'une façon aussi déconcertante, voire ambiguë, tout au long de sa vie.

Deniz poursuivit en lui racontant que le secret de la grossesse de Maro avait été difficile à garder! Sous la protection de la douce Eminé, la vieille nourrice de Riza, on avait installé Maro dans un petit appartement au-dessus des étables pendant quelques mois, avant et après la naissance de Nour. Des racontars avaient bien couru quelque temps chez les domestiques, mais ils furent vite étouffés. Jusqu'à ce jour, personne n'avait parlé, mais Safiyé avait eu raison lorsqu'elle avait rappelé à Riza Bey qu'un secret de cette nature ne pourrait rester éternellement caché.

Après le départ de Maro, Riza Bey avait demandé à sa troisième femme, Leyla, de devenir bien plus qu'une mère adoptive mais la vraie mère de Nour. Elle était au comble de la joie. Sa fille unique était morte en bas âge et elle ne pouvait plus porter d'enfant. Elle ne pouvait pas avoir une meilleure preuve de l'amour et de la confiance que lui témoignait son époux. Son bonheur était aussi grand que si elle avait, elle-même, enfanté Nour.

— Votre mère m'a enseigné beaucoup de choses. J'adorais écouter ses histoires, même si elles étaient toutes tristes, comme seuls les Arméniens savent en raconter. Quand elle est partie, Riza Bey a changé votre nom en Nour. Votre mère vous avait donné le prénom arménien de Nourhan, comme celui de votre grand-père maternel. Un jour, elle m'a demandé si je voulais devenir votre marraine. Je ne comprenais pas ce qu'elle voulait dire. Elle a insisté : «Tu connais ma situation, je ne peux pas faire baptiser mon fils par un prêtre. Mais, dans ce cas, l'Église m'autorise à le baptiser moi-même.» Je vous ai tenu dans mes bras, votre mère vous a trempé et immergé trois fois dans une bassine d'eau tiède, au nom du Père, du Fils et du Saint-Esprit. Ensuite, nous avons prié en arménien. J'ai honte d'avoir oublié ma langue maternelle. Mais je peux encore réciter mes prières. Je me les dis, même quand je vais à la mosquée.

— Tu es ma marraine alors?

Il trouvait ça étrange, sans vraiment comprendre le sens du mot marraine. Pourtant, il se sentait heureux d'être lié à une personne aussi généreuse.

— Oui, je suis votre marraine, répéta Deniz en souriant avec fierté.

Elle éprouva subitement l'envie de serrer son filleul dans ses bras, mais elle n'osa pas.

— Quand votre mère est partie, j'ai pleuré pendant des mois. J'avais perdu une sœur aînée, une *abla*. J'ai su qu'elle m'avait écrit, mais je n'ai jamais reçu ses lettres. Votre père avait engagé des gardes de sécurité pour empêcher que l'on vous kidnappe. Il a bien fait, car il y a eu deux tentatives d'enlèvement pendant que vous jouiez devant la cour. Finalement, on a attrapé les ravisseurs et on les a emprisonnés. Riza Bey a laissé Leyla *hanim* vous élever comme son propre fils. Elle vous aimait tellement que tout le monde la prenait pour votre vraie mère. Je me consolais en vous voyant heureux, mais je pensais souvent à Maro qui devait tant souffrir de vous avoir perdu. Je me demandais souvent si elle recevait mes lettres, car elles restaient toujours sans réponse. Le regard de Deniz se fit plus vague :

— J'aimerais tellement la revoir, elle doit avoir dans les soixante ans maintenant. Est-ce qu'elle vit toujours à Istanbul?

— On m'a dit qu'elle vivait en Amérique.

Pour Deniz, l'Amérique était le bout du monde. Sa déception se lut sur son visage.

— Merci, Deniz *abla*, merci de tout mon cœur. Ou plutôt : merci, marraine! Tu as toujours été tellement bonne pour moi.

Cela dit, un large sourire éclaira le visage de Nour, le premier depuis bien longtemps. Il l'embrassa sur les deux joues.

Son mari apparut soudain sur le pas de la porte. Il regarda sa femme :

— Tu lui as dit?

Deniz lui sourit, soulagée de s'être libérée d'un secret enfoui depuis plus de trente ans.

Il se tourna ensuite vers Nour en disant :

— Sois gentille, Deniz, prépare à manger pour ton filleul.

Mari et femme se sentaient honorés que Nour ait accepté d'être leur invité. Ils restèrent éveillés pendant de longues heures, bavardant jusqu'à l'aube. Quand vint le moment de se coucher, Nour demanda humblement à Deniz de ne pas déranger son quotidien :

– Je dois partir bientôt. Je peux dormir là, sur le *sedir*.

Dès que Nour se fut allongé, mille émotions s'emparèrent de lui, mais, par-dessus tout, il se sentait soulagé de connaître enfin la vérité, grâce à la longue confession de Deniz. Pourtant, il savait désormais que des membres de sa famille l'avaient berné, et il ne leur pardonnerait pas de sitôt. Tous ceux qui l'avaient aimé tendrement au fil de ces années l'avaient privé du droit inaliénable de connaître sa vraie mère. Quelle déception d'apprendre que Leyla, qu'il adorait, n'était plus sa véritable mère! Et que dire de l'autoritarisme de ce père qui avait agi comme un dieu tout-puissant – en imposant la rigueur de sa loi à toute la famille? Rien que d'y penser, il fulminait de rage. Mais il comprenait pourquoi son père l'avait privé de sa vraie identité : un métis, un chrétien baptisé, le rejeton d'une violente passion… inacceptable pour Riza Bey!

Nour ne ferma pas l'œil de la nuit. Le *sedir* était trop étroit pour un homme de sa taille. Ses pensées défilaient trop vite. La mémoire lui faisait défaut, il ne parvenait pas à se souvenir du temps écoulé depuis son enfance jusqu'à la mort de son père. Pendant son adolescence, les sarcasmes de ses frères l'avaient bien touché, mais pas au point d'en être affecté. Puis ses études l'avaient éloigné de la famille, ce qui lui avait épargné de se poser trop de questions. Il était Nour, fils de Riza et de Leyla, et il était un garçon heureux. Le soleil torride du sud de l'Anatolie avait altéré son nom, sa religion, l'identité de sa mère, jusqu'au teint de sa peau et son sang à moitié arménien. Comme Leyla le lui répétait souvent, personne ne pouvait revenir en arrière.

Le jour s'était déjà levé lorsqu'il tira les rideaux de sa fenêtre. Le soleil apparaissait derrière la mince couche de nuages. Il se leva avec précaution et sortit, de crainte de réveiller ses hôtes dont le ronflement retentissait dans la petite hutte. Il alluma une cigarette. Les restes du modeste repas de la veille se trouvaient encore sur la table : poivrons verts farcis, tomates et agneau salé.

Deniz avait joliment arrangé sa maison. Il y avait deux pièces, une chambre séparée par deux rideaux de coton imprimé et un coin salon-cuisine, avec un foyer à ciel ouvert. Une lanterne se balançait à la poutre du plafond. L'étable se trouvait à l'extrémité de la cuisine. Une odeur tiède et humide de bouse fraîche, de paille et de branches coupées s'infiltrait sous la porte. À part une table de bois, quelques tabourets, une commode et le *sedir*, il n'y avait aucun autre meuble. Il remarqua la photo d'une jeune femme trônant sur la commode. Nour s'approcha pour la regarder.

— C'est ma mère, dit soudain Deniz.

Il ne l'avait pas entendue se glisser entre les plis des rideaux. Elle portait une longue robe de chambre en coton mauve et orange. Il fixa attentivement la photo d'une jeune femme en costume arménien, assise sur un banc sculpté, un violon à la main.

— Tu lui ressembles.

— Tout le monde me dit ça. C'est la seule chose qu'il me reste de ma famille, répondit tristement Deniz en se passant la main dans les cheveux.

Ce fut au tour de son mari d'apparaître en pyjama.

— Vous avez bien dormi?

— Comme une souche!

Le couple savait que c'était un pieux mensonge.

Les villageois menaient leur bétail au pâturage. Nour était attendri par la scène champêtre qui se déroulait sous ses yeux.

Dans ce village, la vie semblait douce et paisible. Mürtaza allait ouvrir son échoppe plus tard que d'habitude. En général, les paysans arrivaient dès cinq heures du matin pour faire ferrer les sabots de leurs chevaux. Deniz se levait très tôt pour faire le lavage, traire les deux vaches, réchauffer le lait pour le yogourt et, si elle en avait le temps, battre le beurre. C'était une femme heureuse, doublement ce matin-là. Elle avait rompu trente-deux ans de silence.

— Ma famille doit être très inquiète, dit Nour.

Il enlaça affectueusement Deniz et serra la main de son mari. Il se rappela soudain qu'il ne leur avait pas encore annoncé la bonne nouvelle :

— Mon père vous a légué de quoi vivre une retraite paisible. Je veillerai à ce que cet héritage vous parvienne rapidement.

Mari et femme n'en revenaient pas. Riza Bey s'était souvenu d'eux!

7

Samedi en soirée, Nour dînait avec Ésine chez *Façio*, un restaurant de poisson donnant sur le détroit, à une vingtaine de minutes de sa résidence de Yeniköy. Toute la bourgeoisie et la jeunesse dorée d'Istanbul s'y étaient donné rendez-vous.

En ce début de septembre, le temps était si doux qu'on aurait pu se croire en plein été. De la terrasse, ils apercevaient les lumières de la côte asiatique du Bosphore. L'air se chargeait d'effluves de grillades au charbon de bois et du fumet irrésistible des *mézés*, cet assortiment de hors-d'œuvre que l'on dégustait avec quelques bons verres de *raki*.

Nour et Ésine avaient choisi un espadon grillé en brochette, avec un accompagnement de tomates, poivrons verts et feuilles de laurier fraîches.

Après avoir échangé quelques banalités sur la gastronomie locale, ils firent silence un long moment. Ésine observait Nour à la dérobée. Elle sentait qu'il avait un aveu à lui faire, mais il était incapable de commencer le récit. Elle aurait bien aimé l'aider, mais elle aussi ne savait comment s'y prendre. Elle crut un instant qu'il ne s'intéressait pas à elle. Peut-être l'avait-il invitée par pure politesse? Elle espérait se tromper.

Ils échangèrent un sourire, et le regard de Nour se fit caressant au point qu'il la troubla.

Nour se mit à parler des funérailles de son père et des incidents qui avaient émaillé la lecture du testament, sans toutefois lui en révéler tous les détails. Par pudeur, il évita de révéler la liaison illégitime de son père avec Maro et l'existence de sa nouvelle mère.

— Cela a dû être très dur pour toi et ta famille.

— Dur. Frustrant.

Elle remarqua le visage bouleversé de Nour, mais se retint de lui dire qu'elle souhaitait lui apporter toute l'aide dont elle était capable. À ce moment, elle eut tout simplement envie de lui passer la main dans les cheveux.

Ésine avait cessé de s'interroger sur la morosité de Nour en début de repas. Ce n'était pas elle qui était en cause mais plutôt les affaires de la famille Kardam qui assombrissaient quelque peu le moral de son... Elle ne parvint pas à trouver le mot juste, en fait qu'étaient-ils l'un pour l'autre?

Nour la fixa dans les yeux et lui prit la main.

— Je dois partir à New York dans les prochains jours. Ce n'était pas prévu, je suis désolé.

La joie d'Ésine s'estompa.

— Un voyage d'affaires?

— Oui?

Ésine ne parvenait pas à masquer sa déception.

— Pour combien de temps?

— En tout cas, pas pour toujours, répondit Nour.

Touché par sa mine déconfite, il lui caressa la main.

— Je dois régler un gros problème concernant la succession de mon père, mais je ne tiens pas à m'éterniser aux États-Unis.

Ésine le fixa d'un regard interrogatif. Elle connaissait le pouvoir de son sourire et de ses grands yeux noirs et n'ignorait pas qu'elle était attirante. Nour eut un frisson : « Si elle me fait encore un peu de charme, je tombe amoureux. »

— Je suis l'exécuteur testamentaire d'un héritage plus qu'étrange. Je t'en dirai plus quand tout sera réglé.

— Je l'espère bien, j'adore les histoires rocambolesques.

Nour oubliait ses problèmes. Antep était à des milliers de kilomètres, l'Amérique quelque part au bout du monde, mais Ésine à cinq centimètres de ses lèvres. Il se pencha vers elle et lui murmura à l'oreille :

— Je suis désolé, mais j'aurais annulé la soirée dans la *yali* avec les amis si tu m'avais dit que tu ne pouvais pas venir.

— J'avais une urgence à l'hôpital, excuse-moi. C'est mieux, ainsi nous y serons seuls, lui souffla-t-elle.

Nour fut surpris par la réplique aussi directe d'Ésine. Il est vrai qu'elle l'étonnait toujours par son dynamisme et sa spontanéité.

À vingt-sept ans, elle terminait son internat de médecine et envisageait d'ouvrir son propre cabinet dès qu'elle aurait remboursé ses prêts universitaires. Elle venait d'une famille très modeste qui ne pouvait financer de longues études mais, grâce à ses excellents résultats scolaires, elle avait obtenu une bourse. Ainsi, elle avait pu suivre ses cours de médecine à l'Université Johns Hopkins à Baltimore. Son diplôme obtenu, elle avait poursuivi sa spécialité à la faculté de médecine de l'Université d'Istanbul. Tout comme Nour, elle avait conservé d'excellents souvenirs de ses études aux États-Unis.

Un serveur grec s'approcha pour prendre la commande du dessert et du café.

— Rien d'autre, merci, dit Ésine.

— Je ne prendrai pas de dessert, merci, dit Nour.

Une fois le serveur parti, Ésine sourit d'un air moqueur.

— Je croyais que tu avais un faible pour les sucreries?

— Je n'arrive pas à manger devant un médecin qui surveille mon alimentation!

Ésine prit un ton professionnel :

— Le poisson ne fait pas grossir, donc tu peux te permettre de prendre un dessert.

— D'accord! Allons prendre le dessert dans la *yali*. Il n'est pas encore minuit, nous avons tout notre temps, suggéra Nour.

— Allons-y, répondit-elle sans la moindre hésitation, car elle voulait enfin connaître la maison où il vivait et mourait d'envie de se retrouver seule avec lui.

* * *

Dehors, les voitures stationnaient en double et en triple position tout le long de la route asphaltée. Nour fit signe au *kâhya*, le gardien du stationnement, qui, deux minutes plus tard, arriva au volant de sa Jaguar gris argent. Avant même que Nour ne démarre la voiture, ses yeux croisèrent ceux d'Ésine. Il la pressa tendrement contre lui. Le corps d'Ésine frissonna lorsqu'ils s'embrassèrent avec un peu de maladresse.

Une douce brise soufflait du rivage asiatique tandis que la voiture longeait la côte. Ésine se blottit contre l'épaule de Nour. Aucun n'osait briser le silence. Ils voulaient s'imprégner de ce moment intense, le faire durer jusqu'à leur arrivée à la *yali*.

Les navires et les bacs, pareils aux grands paquebots tout de cristal et de lumières, s'entrecroisaient sur le Bosphore, transportant passagers et marchandises entre l'Asie et l'Europe, et vers la mer Noire. Les eaux frémissantes de la voie navigable chatoyaient de mille feux de diamants et d'opales. Une douce musique orientale venue des terrasses des cafés avoisinants flottait dans la nuit profonde. Sous la pleine lune, les pêcheurs dévidaient leurs filets à l'arrière de leurs barques. Ils ramaient dans le sens du courant, sans effort, en attendant que leurs proies s'emprisonnent dans les mailles.

— Viens contre moi, *shekerim*, ma chérie, dit Nour l'attirant vers lui.

Contrairement à la plupart des jeunes Turcs, Nour n'avait pas l'habitude des grandes déclarations. C'était la première fois qu'il s'adressait à Ésine en lui disant «ma chérie».

Arrivé devant la *yali*, Nour sortit de sa voiture pour ouvrir le portail en fer forgé. Kérim et Aïcha étaient endormis, sinon, quelle que soit l'heure, le vieux serviteur aurait clopiné jusqu'à l'auto pour s'assurer que son jeune maître n'avait besoin de rien avant d'aller se coucher.

— Nour, tu m'avais caché que tu habitais un palace! lui dit-elle, comme subjuguée. C'est vraiment fabuleux!

Nour la fit entrer par une porte latérale. Ésine stoppa net dans le hall d'entrée, stupéfaite par l'enfilade des colonnes, la splendeur du lustre en cristal de Venise et des dorures qui l'entouraient. Elle venait de se rendre compte qu'elle avait le privilège d'être reçue dans un palais ottoman. Chandeliers et candélabres brillaient de mille gouttelettes lumineuses. Le grand escalier recouvert de tapis persan s'élevait jusqu'à la mezzanine où se trouvait le salon de réception. Des portraits de sultans, de viziers et des ancêtres Kardam ornaient les murs.

Elle s'arrêtait devant chaque tableau, allant de l'un à l'autre, émerveillée par ses découvertes. La peinture l'avait toujours fascinée. Elle faisait une longue pause devant chaque toile, en s'extasiant.

Nour se sentait un peu gêné par cet étalage de richesses.

— C'est beau, mais je me sens plus à l'aise dans mon appartement en ville. Dommage qu'il n'offre pas la même vue!

Ils se dirigèrent ensuite vers le salon principal. Là encore, Ésine resta muette d'admiration.

— La maison comprend différents éléments qui s'inspirent du *konak* traditionnel turc et de la *yali* en bois, se mit-il à expliquer.

Puis, il s'arrêta brusquement.

— Je ressemble trop à un guide, je ferais mieux de me taire!

– Fais-moi faire un petit tour. J'aimerais ça. J'imagine la garde des Circassiens en tenue de parade, resplendissants dans leurs uniformes écarlates, armés d'épées et de dagues glissées dans leur ceinture, escortant Leurs Excellences…

Nour siffla d'admiration.

– Commençons par le commencement, répondit-il en souriant, mais ne t'imagine pas que tu vas me faire oublier le dessert.

Nour se dirigea vers la cuisine, comme pour échapper à la fascination que la maison exerçait sur son amie.

Ésine n'avait jamais vu autant d'opulence. De magnifiques tapis chinois recouvraient les parquets. Un large divan occupait le mur sur toute sa longueur, comme dans le harem du Grand Sérail; des figurines et des bibelots de porcelaine, pièces rares importées d'Europe, ainsi que des coupes en argent et des cendriers de cristal rehaussaient le lustre des tables, des commodes et des bureaux. Les murs étaient tapissés de grandes toiles, parmi lesquelles Ésine reconnut des œuvres de maîtres comme *L'Esclave blanche* du peintre Jean-Jules Antoine, *L'Odalisque* de Pierre Auguste Renoir et *Pierre Loti* d'Henri Rousseau. À une période de leur vie, ces peintres occidentaux avaient été séduits par le charme et les mystères de l'Orient. Riza Bey avait été ému par la beauté de ces toiles et il avait fait fi de la tradition en ornant les murs de sa demeure de représentations humaines, sans se soucier des restrictions que sa religion islamique lui imposait.

Nour réapparut dans la pièce avec un plateau en argent garni d'un choix de pâtisseries, d'une bouteille de champagne Taittinger et de deux coupes en cristal de Baccarat.

– Tu ne pourras pas résister à mon dessert!

Nour prit un morceau de baklava avec les doigts :

– Ouvre la bouche et goûte, mais ne me mords pas! dit-il en éclatant de rire

Ésine désigna du doigt *L'Esclave blanche* et *L'Odalisque*.

— Ton père devait avoir les idées larges pour permettre à ses enfants d'admirer des nus aussi délectables!

— Tu veux rire, s'esclaffa de nouveau Nour. Il les gardait tous dans son appartement privé et ils y sont restés jusqu'à ce que nous soyons en âge de les regarder. Avec Altan, nous avions l'habitude de nous glisser en douce chez lui et de nous extasier devant ces corps de femmes avec, je l'avoue, quelques pensées coquines.

Ésine pouffa de rire.

— Nous avions un serviteur qui récitait des sourates du Coran chaque fois qu'il passait devant, continua Nour, sans doute pour se protéger du mauvais œil, ou… de mauvaises pensées.

En riant, il lui tendit un verre de champagne et s'en servit un.

— À ta santé, à ton succès et à notre amitié!

— Et à bien plus, si tu le désires…

Nour fit mine de ne pas avoir entendu la réponse provocante d'Ésine. Il aurait souhaité se confier à elle, mais leur relation était bien trop récente pour qu'il puisse épancher son cœur, ainsi qu'il en avait besoin. Tous deux posèrent avec précaution leurs coupes de champagne sur la table de marqueterie.

— J'aurais aimé que cette dernière semaine n'ait pas existé, soupira Nour, ainsi je n'aurais pas été obligé de faire ce voyage.

— Parce que tu n'as pas envie de me quitter?

Encore une fois, Nour ignora l'allusion d'Ésine.

— Je me demande combien de temps je vais devoir rester là-bas. Tout ça me paraît bien compliqué, continua Nour. J'ai téléphoné plusieurs fois à New York hier. L'avocat américain qui était supposé m'aider est décédé. Son cabinet a changé de mains et, maintenant, plus personne ne semble au courant de mon dossier. Je crois que je vais être obligé de jouer les Sherlock Holmes.

— Je te vois bien dans le rôle du détective privé, tu en as déjà le physique. Tu verras, je suis certaine que tu vas boucler ton enquête en un tournemain, répliqua Ésine avec une pointe de déception.

Il l'attira contre lui et posa ses mains sur ses épaules nues. Sa peau avait la douceur du velours.

Ils s'embrassèrent pendant un long moment. La lumière du lustre en cristal inondait le salon comme pour une réception. Intimidée, Ésine se dégagea de son étreinte et Nour éteignit, ne laissant que deux chandeliers.

Il l'aida à retirer sa robe.

— Je n'ai pensé qu'à toi lorsque tu étais à Antep, murmura Ésine.

— Moi aussi, j'attendais cet instant sans y croire.

La lueur dansante des bougies s'étendait comme une poussière impalpable sur la peau satinée d'Ésine allongée sur le divan, très intimidée d'être nue devant lui pour la première fois. Quand Nour eut fini de se dévêtir, elle ouvrit les bras. Ils s'étreignirent avec passion et se laissèrent tomber sur le divan. Il s'allongea à ses côtés et laissa ses mains courir sur sa peau avec le doigté d'un pianiste. Ses mains ne se lassaient pas de la toucher. Il l'effleurait, l'embrassait, et, en retour, elle l'étreignait dans un déluge de longs baisers désordonnés. Nour sentit une chaleur ardente envahir son corps quand elle leva ses yeux sombres vers lui. Seul le bruissement de leurs gestes passionnés emplissait la pièce.

Le ciel du Bosphore resplendissait sous le soleil lumineux, tandis que Nour et Ésine dormaient d'un sommeil apaisé, toujours étroitement enlacés.

* * *

Le soleil de midi écrasait les plantations de tabac. Ömer Bédir s'éloigna furtivement des ouvriers qui se reposaient à l'ombre du figuier. Il s'assura que les hommes, à demi assoupis, ne s'intéressaient pas à lui et se dirigea à grands pas vers le séchoir à tabac. En tant que contremaître, il pouvait circuler librement sur le domaine mais, cette fois, il préférait rester discret. Ömer Bédir pénétra dans la bâtisse de bois et retrouva avec plaisir la senteur lourde des feuilles qui mûrissaient sur leurs perches. Une fois ses yeux habitués à l'obscurité, il se guida à tâtons vers le fond.

— Il est entré, dit Özkoul à son frère. Vas-y.

Sabri escalada le talus avec une agilité surprenante malgré ses cent trente-cinq kilos de graisse et de muscles. En quelques enjambées, il avait atteint la porte du séchoir qu'Ömer Bédir avait laissée entrouverte.

Le contremaître, accroupi, comptait les billets qu'il avait extraits de leur cachette aménagée dans le sol jonché de feuilles. Toute son attention étant accaparée à compter fébrilement les coupures vertes, il ne sentit la présence du géant qu'au dernier moment. Avant qu'il ne puisse esquisser un mouvement de défense, Sabri l'écrasa de sa masse. Il plaqua sa victime au sol en tombant à genoux sur son dos. Ömer sentit la cordelette glisser autour de son cou. Sabri serra de toutes ses forces. Après quelques soubresauts, le corps d'Ömer Bédir devint flasque, et Sabri le chargea sur son épaule.

— C'est fait, dit-il à son frère qui l'attendait dans la jeep dissimulée sur le chemin en contrebas.

Il déposa le cadavre à l'arrière et ajouta :

— Tu peux y aller.

Les frères Haydar roulèrent jusqu'à une vaste excavation qui servait de dépotoir à la plantation et y lancèrent le corps sans vie d'Ömer Bédir qui s'enfonça dans les détritus.

— En voilà un qui ne nous emmerdera plus, dit Sabri en guise d'oraison funèbre.

8

C'était presque l'automne, New York était encore prisonnière dans l'étuve de la chaleur estivale. Manhattan vibrait au rythme du halètement des climatiseurs et du vacarme des rues encombrées de taxis jaunes et de camions débordant de marchandises. Malgré la chaleur, la fourmilière humaine, en perpétuel mouvement, avait pris possession des trottoirs.

Maro descendit à la station de la 71e Avenue et, une fois sur le quai, se sentit emportée par le flot humain. Les affiches collées sur les murs du couloir avaient été arrachées et tombaient en lambeaux, dévoilant çà et là des graffitis, à demi effacés. Le sénateur McCarthy, destitué depuis un an, en prenait pour son grade : «Mort au piégeur de communistes… salopard de chasseur de sorcières… politicien pourri.» Quand elle émergea sur Continental Avenue, le soleil s'était caché derrière les immeubles.

Maro aimait cette période de l'année où les soirées raccourcissent, apportant une accalmie à la fournaise de la journée. Elle marchait en direction des courts de tennis de Forest Hills pour rejoindre son domicile au plus vite. Elle habitait une de ces maisons ordinaires, à trois étages, aux murs de briques sombres.

À la lumière mordorée du soleil couchant, les maisons lui paraissaient plus belles et plus imposantes, avec leurs rangées de rhododendrons en bordure du trottoir. Comme elle arrivait chez elle, Maro aperçut la vieille jeep kaki de sa fille, Nayiri, qui entrait dans l'allée. Elle lui fit un signe de la main et l'interpella. Nayiri sauta hors de la voiture en souriant.

Plus grande que sa mère, elle avait les cheveux châtain clair, en général décoiffés, tombant en cascade jusqu'au milieu du dos. Elle avait une taille de mannequin et les hommes se retournaient sur son passage.

— Pour une fois, je ne serai pas la dernière arrivée au repas de famille, dit Nayiri en sautant au cou de sa mère.

— Pour une fois, ne fais pas la rebelle et essaie de ne pas te disputer avec ton père. J'aimerais que ce repas se termine dans le calme, lui répliqua Maro d'un air entendu.

— J'ai aperçu la voiture d'Azniv. Ma sœur est déjà là à attendre qu'on se mette à table. Pour garder sa taille fine de vieille écolière, elle ne grignote que des feuilles de salade toute la semaine et, après, elle crève de faim. Elle doit être dans la cuisine en train de piquer en douce dans les plats.

— Ne va pas, non plus, te disputer avec elle, soupira Maro.

Azniv, l'aînée des enfants «américains», avait dépassé la trentaine et persistait à vouloir se donner une allure d'étudiante tout à fait conventionnelle. On ne lui connaissait qu'une seule tenue, bicolore : socquettes et chemisier blancs, jupe et mocassins bleu marine. Azniv portait des lunettes dont on savait qu'elle n'avait nul besoin, «juste pour jouer l'intellectuelle», se moquait son frère Jake.

Son mari, Roberto, était pharmacien. De son origine italienne, il avait conservé l'ampleur du geste ponctuant chaque phrase et un amour immodéré pour les pâtes à l'huile d'olive. Il cultivait son embonpoint et sa truculence autant que Azniv surveillait sa ligne et son langage. Personne ne pouvait imaginer couple plus mal assorti.

***

Comme l'avait prévu Nayiri, Azniv furetait dans la cuisine. Elle embrassa sa mère et sa sœur, en cachant derrière le dos ses doigts collants de sucre.

— Araksi vient de téléphoner, elle a dit qu'elle arrivait dans cinq minutes, ce qui veut dire qu'elle ne sera pas avec nous avant une bonne heure.

Araksi, de deux ans la cadette de Azniv, était encore célibataire et, contre l'avis de ses parents, tenait à le rester. Elle enseignait dans une école secondaire située dans le quartier peu reluisant d'Ozone Park, dans le Queens. Petite et rondelette, elle attirait la sympathie de tous grâce à sa cordialité et à sa vitalité débordante. «Nayiri a hérité de la beauté de maman, et moi du bedon de papa!» disait-elle avec un sourire navré. Cela dit, Araksi se moquait, comme d'une guigne, de son physique et de sa tenue vestimentaire. «Les fripes de cette pauvre Araksi sont aussi froissées que si elle avait passé une semaine dans le train» disait souvent Jake. Araksi était membre de toutes les associations d'entraide dont elle entendait parler et se dépensait sans compter pour les bonnes œuvres de son quartier. «Je sais, disait-elle, ce n'est pas là que je rencontrerai un mari fortuné, mais, au moins, je rends service.»

Maro et Nayiri arrachèrent Azniv de la cuisine et allèrent s'installer dans le vénérable canapé du salon. Maro aurait bien aimé meubler l'appartement à son goût, mais le couple Balian avait peu de moyens. Malgré les années écoulées, elle ne s'était pas habituée à son mobilier et elle se demandait encore par quelle aberration elle avait pu choisir des meubles aussi tristes. «Enfin, disait-elle en riant, ce sont les seuls spécimens du style "Renaissance du Bronx".»

— Tu as toujours ta vieille jeep de l'armée? demanda Azniv à Nayiri. Je me demande pourquoi une jolie fille comme toi a choisi de rouler dans un pareil tas de ferraille.

101

— Je ne l'ai pas payée cher et, en plus, c'est un authentique vestige de la Seconde Guerre mondiale. Moi, j'aime les valeurs sûres!

Son joujou préféré avalait autant de litres d'huile que d'essence et refusait de démarrer un matin sur deux, mais il lui permettait de se démarquer de son groupe d'amis. Lorsqu'elle était étudiante, les filles de sa classe couraient soit après les sportifs aux muscles avantageux, soit après les fils de famille dotés des plus belles voitures. Nayiri, elle, avait jeté son dévolu sur un professeur de maths, de dix-sept ans son aîné. Plus pour choquer que pour se justifier, elle expliquait avec sérieux à ses amies : «Un homme plus âgé pratique les choses de l'amour avec bien plus de talent que tous vos jeunes godelureaux; j'ai bien mieux à faire que perdre mon temps avec votre bande de puceaux. »

— Je vois mal ce pauvre Greg circuler là-dedans. Cela doit froisser sa dignité d'avocat et il doit redouter de souiller ses beaux habits avec le cambouis. Rien que pour ça, je ne comprends pas qu'il ait pu se fiancer avec toi, ajouta Azniv pour provoquer sa sœur.

— Ne te moque pas de Greg, intervint Maro, il a obtenu ses diplômes haut la main et, désormais, une belle carrière s'ouvre devant lui. Il a beaucoup de mérite d'avoir financé seul ses études, aidé sa famille…

— Une jolie famille d'emmerdeurs complètement coincés et empêtrés dans leurs traditions arméniennes, pire qu'à la maison! interrompit Araksi qui venait de faire son entrée dans le salon.

— Merci, les langues de vipère, répondit Nayiri à moitié vexée. Je vais à la cuisine terminer les préparatifs pour le repas, vous pouvez continuer de vider votre venin sans moi.

En effet, personne dans la famille n'avait compris que le choix de Nayiri ait pu se porter sur un garçon aussi terne et guindé que Greg. Qu'il soit arménien rassurait Vartan et Maro, quoique cette dernière eût préféré un gendre un peu plus présentable.

Avant ses fiançailles avec Greg, Nayiri avait emménagé dans son propre appartement près de Columbia University, où elle terminait une maîtrise en psychologie. Vartan et Maro, soucieux de respecter les traditions arméniennes, avaient vu d'un mauvais œil sa décision de quitter la maison alors qu'elle n'était pas mariée. «Laissez tomber vos coutumes d'un autre âge et d'un autre pays, leur avait lancé Nayiri, vous êtes en Amérique maintenant, il serait temps de vous y faire.» Le couple Balian, blessé par la réflexion, s'était résigné, la mort dans l'âme, au déménagement de leur fille.

— Cendrillon, cria Araksi, arrête de torcher les fourneaux et viens boire avec tes deux très-chères-grandes-sœurs et ton honorable mère, et finis de faire la gueule, on t'attend pour trinquer avec nous!

Maro donna une tape sur la tête de sa fille.

— Araksi, quel vocabulaire! Je te défends de parler comme ça devant ton père, il va encore te sermonner pendant une heure. Tiens, va plutôt ouvrir, on a sonné.

— Certainement, *mayrig*, répliqua Araksi en insistant bien sur le mot «maman» qu'elle n'utilisait jamais en arménien. Pour peser autant sur la sonnette, ça doit être ce macho de rital qui sert de mari à Azniv.

— À ton tour d'essuyer les sarcasmes d'Araksi, dit Nayiri, en venant s'asseoir à côté de sa sœur.

— Ce n'est pas le macaroni, c'est Jake! hurla Araksi depuis la porte d'entrée, et elle courut au salon rejoindre ses sœurs.

Les trois filles adoraient leur frère et, à chaque réunion de famille, l'accueillaient en lui sautant au cou, jouant à celle qui le couvrirait de plus de baisers et le narguant de

103

déclarations moqueuses. «Le plus beau, le plus intelligent, le plus fort, c'est notre Jake à nous!» criaient-elles à l'unisson.

– Du calme, la volaille! dit Jake, je dois vous faire une déclaration de la plus haute importance…

– …?

– J'ai soif!

Jake avait décroché un diplôme en commerce au New York City College. Contre l'avis de son père, il avait décidé de s'associer avec son oncle Noubar, qui dirigeait un petit négoce de produits alimentaires orientaux, depuis la fermeture de l'entreprise familiale d'importation d'opium médicinal, en 1923. «J'ai fait, par erreur, des études pour pratiquer le commerce à l'échelle internationale, alors que je me sens une âme d'épicier», avait-il répliqué aux re-marques de son père. Compte tenu du chiffre d'affaires modeste, la décision de développer la société représentait, en effet, un véritable défi pour un jeune diplômé comme Jake. Il avait convaincu son oncle de la nécessité d'importer un plus vaste assortiment de produits orientaux pour faire face à la concurrence des gros marchands qui verrouillaient le marché. Grâce à son entregent, il avait su se faire admettre et apprécier dans le milieu très fermé du commerce avec le Moyen-Orient. L'entreprise de l'oncle Noubar était devenue une très belle affaire. Comme il avait consacré toute son énergie à son activité professionnelle, Jake, âgé de vingt-sept ans, était toujours célibataire. «Je n'ai pas trouvé de jeune Américaine qui sache faire la différence entre une once de poivre et un sac de curcuma; les arômes et les senteurs d'Orient ne font pas bon ménage avec les hamburgers, expliquait Jake résigné. Alors…»

– On dit que les femmes arrivent toujours en retard, mais je vous ferai remarquer qu'il manque encore trois hommes à l'appel : notre cher père, Tomas et Roberto le rebondi, s'exclama Araksi.

— Euh… Tomas ne viendra pas ce soir, dit Maro d'un air embarrassé.

— Comme d'habitude, Tomas est retenu par des obligations bien plus importantes que nos modestes réunions familiales. Encore une fois, il nous fait faux bond, remarqua Nayiri d'un ton exaspéré. Il ne veut plus nous voir ou quoi?

— Excuse un peu ton frère, il a des problèmes, répliqua Maro.

— Nous avons chacun nos problèmes, *mom*, et nous sommes toujours tous présents, à chaque repas, sauf Tomas. Nous aimerions quand même savoir ce qui lui arrive, répondit Nayiri.

— Ce serait pas mal d'être tous réunis, de temps en temps, et je dis bien «tous», dit Azniv.

Personne ne remarqua que le visage de Maro avait perdu ses couleurs. La conversation lui parvenait comme un brouhaha. Même avec Tomas, il manquerait, pour elle, un enfant à table. Surtout en cette fin de septembre.

Trente ans après, Nourhan était toujours présent dans ses pensées. Chaque année, le 27 septembre, elle célébrait, à sa manière, son anniversaire «par contumace», se disait-elle par dérision, comme s'il s'agissait d'un délit. Elle se livrait à ce rituel dans le secret de sa chambre, car, s'il en avait eu le moindre soupçon, Vartan ne l'aurait pas supporté. Elle redisait la prière prononcée pour le baptême de son fils, en présence de Vartouhi. Ensuite, elle allait se recueillir au salon, un verre de vin à la main, et se laissait glisser au plus profond de ses souvenirs.

Maro fut tirée de sa rêverie par l'arrivée de Roberto, suivi par Vartan. «Ceux qui peuvent être présents sont arrivés, allez! Va jouer ton rôle de maîtresse de maison, ma fille, et n'oublie pas de sourire», ordonna Maro à son double dans le miroir.

— Est-ce que les petits viennent ce soir? demanda Vartan en guise de salut à sa femme.

Maro et Vartan adoraient leurs petits-enfants. Saro avait onze ans et Levon, neuf. Depuis un an, les visites de Tomas et de son épouse s'étaient espacées au point de se faire de plus en plus rares. Voilà six mois qu'il avait coupé toute relation avec ses frères et sœurs et n'avait plus participé à un repas de famille. Vartan, qui semblait ignorer la situation, posait, avec constance, la même question à chaque repas pris en commun, ce qui agaçait prodigieusement ses autres enfants.

— Je ne pense pas, répondit Maro. Tomas est très pris à l'hôpital.

Vartan se tourna alors vers sa plus jeune fille.

— Tes examens, Nayiri…?

— Ça devrait aller, j'attends les résultats en gagnant mon argent de poche chez Macy's, comme vendeuse. Je ne suis pas très bien payée, mais je m'amuse bien. »

— Je t'ai toujours dit que tu aurais dû t'orienter vers le droit international ou le commerce au lieu de…

— Papa, je suis en dernière année de psycho et chaque année tu me rabâches les mêmes commentaires au sujet de mes études.

— Arrêtez votre polémique, on passe à table! cria Maro.

9

Trois jours s'étaient écoulés depuis leur première nuit dans la *yali*. Ésine conduisait Nour à l'aéroport international d'Istanbul de Yechilköy, à une vingtaine de kilomètres du centre-ville. Il devait prendre le vol de la British European Airways vers New York, qui faisait escale à Londres.

Autrefois bien distincte d'Istanbul, l'élégante banlieue de Yechilköy se composait surtout de résidences d'été occupées par des personnalités particulièrement fortunées et quelques célébrités des arts ou du spectacle. Aujourd'hui, ce quartier est devenu le simple prolongement d'Istanbul, à quelque trente minutes de la gare de Sirkeci, le terminus européen de l'Orient-Express.

Tandis que la voiture s'approchait de l'aérogare, Ésine s'exclama :

— Un million deux cent mille dollars!

Nour se tourna vers elle, surpris. Elle avait un regard malicieux. En dépit de leurs longues nuits d'amour, elle montrait une fraîcheur qui ravissait son partenaire.

— Jamais je n'aurais pu imaginer qu'une passion aussi folle puisse exister!

Devinant où elle voulait en venir, Nour chercha à la taquiner :

— Tu parles de la nôtre, j'imagine?

— Tu es bête! Non, je parle de l'amour de ton père pour cette femme.

— Oh, elle! Jusqu'à présent, j'étais heureux de croire que l'amour n'avait pas de prix, mais mon père, lui, en a fixé un. Fini le romantisme désintéressé!

— Quand même, j'aimerais bien rencontrer cette femme. Elle ne doit pas être n'importe qui pour que ton père ne l'ait jamais oubliée! Trente ans d'amour en secret, quelle constance! Il fallait vraiment qu'elle en vaille la peine, non?

— Tu as sans doute raison, ce doit être une personne bien singulière, répondit Nour, un peu embarrassé.

Son regard obliqua soudain vers la robe légèrement remontée de sa compagne, offrant à son regard des jambes et des cuisses galbées. Ésine portait une robe en coton bleu pastel, sans manches. Les rayons du soleil filtrés par le pare-brise enveloppaient ses cheveux d'une auréole irisée. Elle lui adressa un tel regard que Nour eut envie de lui faire l'amour à l'instant même. Ses doigts frôlèrent le visage d'Ésine, glissèrent lentement vers sa poitrine, descendant en douceur vers ses genoux et le rebord de sa jupe pour aboutir entre ses cuisses. Ésine sourit, entrouvrit ses jambes et prit un air coquin, en soupirant d'aise.

— Arrête. On va dévier dans le fossé, murmura Ésine en fermant ses cuisses sur sa main prisonnière.

Elle aimait le provoquer. Lorsqu'elle arrêta la voiture, il écrasa sa bouche contre ses lèvres. Elle s'abandonna.

Aucun d'eux n'avait remarqué le *kâhya*, le gardien du parking, debout près de la portière de la conductrice. Patiemment, il attendait la fin de leurs démonstrations amoureuses. Quand Ésine tourna la tête et vit deux yeux noirs au-dessus d'une épaisse moustache, elle rougit, horriblement gênée.

Les formalités de départ se déroulèrent sans encombre. Aucune question suspicieuse de la police, aucun formulaire à remplir à la douane, ni aucun pourboire à distribuer. Elle s'étonna de la rapidité avec laquelle Nour avait obtenu sa carte d'accès à bord. Il lui expliqua qu'un commis de Kardam et Fils International avait, à l'avance, résolu tous les problèmes pratiques.

Elle regardait Nour avec admiration, moins parce qu'il dirigeait un empire financier qui l'effrayait, qu'en raison de sa personnalité qui l'envoûtait littéralement. De plus, elle trouvait beaucoup de charme à cet homme élancé, avec une belle allure. Elle se rendait compte que l'univers dans lequel il vivait était à des années-lumière du sien. Issue d'un milieu modeste, Ésine n'avait jamais fréquenté la classe dirigeante et elle se demandait comment elle devait se comporter pour que Nour ne la trouve pas trop godiche. Par crainte de faire mauvaise impression, elle restait prudemment sur son quant-à-soi.

Pour sa part, Nour avait des appréhensions presque similaires. Comme il était soucieux de ne pas l'intimider, il évitait de parler de son métier ou de faire allusion à sa famille, qui restait un symbole de pouvoir dans les milieux politiques et financiers du pays.

Ils n'entendirent pas le premier appel à l'embarquement.

— J'aurais aimé que tu m'accompagnes à New York.

— J'aurais bien voulu, mais je ne peux pas laisser l'hôpital.

Elle lui fit un sourire enjôleur.

— Tu seras plus tranquille sans moi pour t'occuper des belles Américaines.

Ésine hésitait, Nour la regarda d'un air interrogatif pour l'inviter à se confier.

— Dis-moi ce qui te chagrine, avant que je parte. Fais-moi confiance, je suis aussi ton confident. Regarde! Personne ne peut t'entendre.

Il y avait peu de monde dans l'aérogare, hormis quelques rares touristes qui dépensaient leurs dernières liras dans les boutiques de souvenirs.

– Dernièrement, j'ai remarqué que tu étais un peu distant, et…

Son visage s'empourpra. Elle s'arrêta de parler.

Nour l'enlaça et l'attira tendrement vers lui.

– Cela n'a rien à voir avec toi. En ce moment, je suis vraiment tout chamboulé… cette histoire d'héritage… un procès en cours contre des clients… la mort de mon père… ma famille en effervescence…

– Excuse-moi, je n'aurais pas dû t'en parler.

Le second appel à l'embarquement était passé depuis longtemps. Lorsque la voix du haut-parleur retentit pour la troisième fois :

– Dernier appel pour le vol 467 de BEA à destination de Londres.

– Si les choses se compliquent, je confierai le dossier à un avocat sur place. Je pense que mon ami Irving accepterait de s'occuper de cette affaire et je reviendrai aussi vite que possible, déclara Nour.

– Je suis sûre que tout va bien se passer.

Nour n'en était pas aussi certain. Il se sentait mal à l'aise pour mener à bien la mission que son père venait de lui imposer. Chercher Maro Balian, sa vraie mère. Qui était donc cette inconnue ? Quelle femme allait-il découvrir ? Était-elle seulement encore vivante ? Si oui, il devait lui remettre une petite fortune au nom de Riza Bey, son ancien amant, et ainsi se brouiller avec la quasi-totalité de sa famille.

Un employé de la BEA se dirigeait vers eux.

– Kardam Bey, Kardam Bey, les passagers sont déjà à bord !

– Dépêche-toi, Kardam Bey, répéta Ésine, en souriant malgré ses yeux humides. Ils vont partir sans toi !

Elle se jeta dans ses bras et l'embrassa d'un long baiser passionné.

* * *

Nour regardait le sol s'éloigner. La piste longeant le littoral de la mer de Marmara, il avait une vue magnifique sur l'élégante banlieue de Yechilköy, avec ses luxueux hôtels, ses clubs, ses villas et ses plages.

Décidément, il ne laissait que des femmes éplorées derrière lui. Ésine, dont il venait de faire sa maîtresse et qu'il abandonnait aussitôt, et Leyla, son ex-mère, qui avait en vain tenté de lui parler. Chaque fois qu'elle avait téléphoné, il lui avait fait répondre qu'il était occupé, ce qui l'avait mise au désespoir.

* * *

Avant son départ de Gaziantep, Nour décida de partager avec Altan la découverte de ses origines. Depuis des années, les frères n'avaient plus chevauché côte à côte. Après un long galop, les deux pur-sang reprenaient leur souffle, le museau dans l'herbe, la bride sur le cou. Les cavaliers, adossés au mur du vieux caravansérail, se remémoraient les chevauchées de leur jeunesse. Nour lui raconta ce qu'il avait appris chez Deniz.

Altan écouta le récit, consterné, levant les bras à chaque nouvelle révélation qu'il ponctuait d'un « c'est pas possible! »

Les deux hommes étaient aussi atterrés l'un que l'autre.

— Tu n'avais donc jamais entendu parler de quoi que ce soit?

Altan secoua vigoureusement la tête.

— Je n'étais au courant de rien. À l'âge que j'avais, je me désintéressais complètement des affaires du harem et des racontars des domestiques. Quelle histoire, ça me coupe les jambes!

Les sourcils froncés, il se plongea dans des souvenirs très anciens. Brusquement, il saisit Nour par le bras.

– Ramazan et Touran le savaient. Du moins, ils en avaient entendu parler. Ce n'est pas possible autrement. Voilà pourquoi ils te traitaient de bâtard plus souvent qu'à ton tour. Ce n'était pas une injure gratuite.

Nour le fixa droit dans les yeux.

– Si tu l'avais su, tu me l'aurais dit, toi?

– Oh oui! sans problème, répondit Altan en lui appliquant une claque dans le dos.

– Que comptes-tu faire? ajouta-t-il.

Nour prit un air convaincu.

– La retrouver. Peu importe le temps que ça me prendra.

– Tu as raison, acquiesça Altan. Tu as tout mon soutien.

Ayant en horreur les adieux, ils s'étaient séparés dès leur retour aux écuries. Le chauffeur avait conduit Nour à l'aéroport.

Dans une quinzaine d'heures, il débarquerait à New York, et il se demandait s'il ne ferait pas mieux de s'y installer définitivement.

* * *

Depuis sa fondation, en 1927, le journal *Armenian Free Press* occupait des locaux sans prestige, au-dessus de l'échoppe d'un quincaillier, près de la ligne du métro aérien, sur la 3ᵉ Avenue.

Maro, qui cumulait les fonctions de directrice et de rédactrice en chef, avait envisagé de déménager ses bureaux pour s'installer à Flushing Meadows où les bâtiments étaient plus modernes et les loyers moins onéreux. Elle avait finalement renoncé à son projet, car elle manquait de temps, son mari participant trop peu à la vie du journal.

Vartan était très impliqué dans les affaires nationales arméniennes et, malgré son exil aux États-Unis, il entretenait encore de nombreuses relations avec les milieux gouvernementaux arméniens. Dès le début de 1915, il avait alerté

les chancelleries des pays occidentaux : le gouvernement turc préparait l'épuration ethnique des populations chrétiennes. Les publications de Vartan dans les journaux européens et américains lui avaient conféré une notoriété méritée. Bien connu dans son pays d'adoption pour ses prises de position en faveur de la cause arménienne et contre le maccarthysme, Vartan était sollicité en permanence pour donner des conférences dans les universités américaines et dans les locaux de nombreuses associations.

« Après tout, je ne peux pas assumer seule la destinée du journal, pensait-elle, et, tant que Vartan ne sera pas en mesure de me donner un coup de main, nous resterons là où nous sommes. »

Quelques années après leur départ précipité de Turquie et leur installation à New York, Vartan et Maro avaient fondé le journal. À cette époque, aucun d'eux n'avait vraiment eu la possibilité de s'investir à temps complet dans cette aventure. Maro se consacrait en priorité à ses jeunes enfants et Vartan travaillait avec son frère Noubar dans l'entreprise familiale d'importation d'opium médicinal, fondée bien longtemps avant leur arrivée aux États-Unis. Mais l'*Armenian Free Press* était pour le couple à la fois un exutoire idéologique et une façon de préserver leur identité arménienne.

Deux ans après leur arrivée à New York, Vartan et Maro changèrent leur nom de Balian en Armen, pour des raisons de sécurité. En effet, Vartan était encore inscrit sur la liste noire des opposants recherchés par la Turquie et il tenait à couper tout lien le rattachant à son ancien pays. Ce fut encore à cette époque que la situation changea de façon radicale pour le couple Balian-Armen. Dès que la Turquie devint une république, en 1923, le nouveau gouvernement nationalisa toutes les plantations privées d'opium, et Vartan et Noubar n'eurent d'autre choix que de fermer du jour au lendemain l'entreprise familiale, vieille de plusieurs décennies, et de se mettre à la recherche d'une nouvelle source de revenus.

* * *

Il était six heures du soir. Maro se sentait fatiguée par une journée de travail particulièrement fertile en incidents techniques avec l'imprimeur. Malgré son âge, elle n'avait jamais voulu ralentir le rythme de son activité et, chaque jour, elle restait à son bureau bien au-delà de l'heure de fermeture. Une fois le personnel parti, elle s'installait à sa table de travail pour vérifier avec minutie les épreuves de l'édition du lendemain et préparer un résumé des événements commentés par la presse américaine.

Elle se leva pour préparer son dernier café de la journée et observa son reflet dans la baie vitrée. Maro n'était pas mécontente de son apparence : la silhouette restait mince et l'allure juvénile. Finalement, elle ne paraissait pas son âge. Elle devait bien reconnaître qu'elle attirait toujours certains regards masculins et, malgré la trahison de quelques cheveux grisonnants, personne ne pouvait imaginer qu'elle venait de passer le cap de la soixantaine.

Maro s'empara du *Time Magazine* et le feuilleta tout en sirotant son café. Chaque semaine, elle consultait la rubrique «Milestone», la fameuse rubrique nécrologique des célébrités de ce monde.

Sans trop savoir pourquoi, elle en avait fait sa lecture favorite pour la dernière pause-café du jeudi.

«Tu cherches toujours une vieille connaissance?» ne manquait pas de lui demander Vartan avec ironie, chaque fois qu'il la voyait faire. Maro hochait la tête et répondait invariablement : «Cette fois encore, personne que je connaisse.»

Soudain, à la rubrique «Turquie», son regard fut attiré par un encart qu'elle lut le cœur battant.

On apprend le décès de Riza Farouk Kardam, à l'âge de 73 ans. Le roi du tabac, milliardaire et célèbre philanthrope, a été terrassé par une crise cardiaque à Gaziantep. Au cours des deux dernières décennies, l'ancien gouverneur et membre fondateur du parti des Jeunes-Turcs, avait ajouté à ses plantations de tabac et de coton un véritable empire industriel. Retiré de la scène politique, il s'était consacré aux œuvres de bienfaisance, recueillant des fonds pour la Société du Croissant Rouge et autres organisations caritatives turques. Il laisse derrière lui une famille nombreuse. Son plus jeune fils, Nour Kardam, lui a succédé à la présidence du consortium Kardam et Fils International.

Abasourdie, Maro laissa tomber le magazine. Tout tournait autour d'elle. Elle lut et relut la notice nécrologique, ferma les paupières et murmura : « Nour! Mais c'est Nourhan, mon fils, mon enfant! » Son cœur battait la chamade. Plus de trente ans s'étaient écoulés depuis que Vartan l'avait arrachée au harem de Riza! La dernière image de son fils, gravée dans sa mémoire, s'imposa devant ses yeux avec un réalisme qui la déconcerta : dans les jardins du harem, Nourhan, qui ne marchait pas encore, jouait sur un tapis d'Hereke, en pure soie, étalé sous les magnolias…

Quand il lui arrivait de penser à son fils, Maro imaginait bien qu'il était devenu un bel homme, mais elle ne parvenait pas à se représenter son visage. Les traits de Nourhan restaient irrémédiablement flous malgré ses efforts. « À qui et à quoi peut-il bien ressembler maintenant, se demandait-elle, je ne l'aurai même pas vu grandir! »

« … roi du tabac, milliardaire et célèbre philanthrope » disait l'article du *Time*. Maro était furieuse : Riza, un philanthrope! « Comme quoi l'argent peut donner du lustre au grotesque! » marmonna-t-elle à haute voix.

Les années passant, Maro avait relégué Riza au tréfond de sa mémoire et, quand il lui arrivait de se remémorer cet épisode pénible de sa vie, elle se hâtait de détourner ses pensées vers des sujets moins douloureux. Pourtant, elle n'avait pas que de mauvais souvenirs de son séjour forcé à Aïntab. Chaque fois qu'elle évoquait la douceur des soirées dans les jardins du domaine, elle se sentait fautive. Maro ne parvenait jamais à chasser sa mauvaise conscience lorsqu'elle se rappelait ses promenades autour des fontaines, dans le soleil déclinant. Car elle ne restait pas longtemps solitaire. Riza, qui l'observait de la fenêtre de son bureau, ne tardait pas à la rejoindre. Maro devait se rendre à l'évidence : elle attendait, elle guettait le pas familier, elle espérait, avec ardeur, la venue de son amant.

Elle cacha son visage entre ses mains.

Jour après jour, elle avait livré bataille contre cette fièvre qui la mettait à la merci de Riza et l'éloignait toujours plus de Vartan. Maro cachait un arc-en-ciel dans son cœur : elle pleurait un époux dont elle n'avait plus aucune nouvelle, en se maudissant de lui être infidèle, en même temps qu'elle s'offrait à un amant passionné, en succombant à son désir.

Maro se leva et se planta devant le miroir pour se regarder droit dans les yeux. Elle n'avait jamais éprouvé la moindre reconnaissance envers Riza pour les avoir sauvés, Tomas et elle, d'une mort certaine dans le désert syrien. Pas plus qu'elle ne s'était sacrifiée pour mériter la mansuétude de son sauveur. Elle n'avait pas couché avec Riza pour profiter de sa protection. Elle avait aimé Riza, voilà tout.

Elle chassa avec peine les images de persiennes tirées, d'ombres sur le lit défait, de draps froissés dans l'arôme entêtant des magnolias. Maro fut envahie d'une intense chaleur. Furieuse contre elle-même de ressentir une bouffée de désir, elle découpa fébrilement l'article nécrologique.

* * *

Dans le métro qui la ramenait chez elle, Maro relut de nouveau la coupure de presse, à la fois rongée d'impatience et d'anxiété. «Il est mort! Je vais peut-être enfin revoir Nourhan! Mais Vartan?» Dès que Maro lui avait révélé l'existence de Nourhan, Vartan s'était buté et il n'avait plus jamais voulu entendre parler de ce fils illégitime, pas même entendre prononcer son nom. Vartan s'empressa de le rayer de sa mémoire. Pour lui, les choses étaient simples : Nourhan n'existait pas, il n'avait d'ailleurs jamais existé.

En refusant la réalité du fils de Maro, Vartan souhaitait par-dessus tout réduire à néant l'adultère qu'elle avait entretenu pendant quatre ans avec Riza Bey. Vartan avait souffert de ce qu'il appelait «la trahison» de sa femme, et plus il était tourmenté par sa jalousie maladive, plus il haïssait son rival. Pour Vartan, rien n'était plus comme avant, il avait risqué sa vie pour libérer sa femme et il l'avait retrouvée souillée par le gouverneur Kardam.

Maro n'avait plus jamais prononcé le nom de son fils devant son mari.

Après leur départ de Turquie, Maro avait écrit à Diran, le cousin de Vartan, pour lui demander son aide. Elle voulait récupérer Nourhan et supposait que Diran, très impliqué dans la résistance arménienne, pourrait faire enlever son fils. Il l'avait convaincue de renoncer à son projet. «Impossible! Trop dangereux!» avait-il répondu.

Quand elle se remémorait sa vie avec Riza, il lui arrivait de détester sa double personnalité. Il n'était pas qu'un amant romantique et passionné, il avait été son geôlier et il avait tout fait pour la garder sous son emprise, au milieu de ses autres femmes. Riza se moquait bien qu'elle soit déjà mariée. Peu lui importait qu'elle ait un mari qui la recherchait désespérément, il la voulait, il l'enfermait dans son harem, la prenait quand bon lui semblait.

La réalité la heurta de plein fouet : Riza avait cessé d'exister! Elle regardait d'un air absent les grandes maisons recouvertes de stuc qui bordaient la rue. Pressée de se réfugier dans son appartement, elle accéléra le pas.

* * *

Maro monta dans sa chambre. Elle sortit la coupure de presse de sa poche, faisant ressurgir des souvenirs confus qui ébranlaient ses nerfs. Les mains de Riza qui la frôlaient, le choc causé par l'annonce de sa mort, la silhouette imprécise de Nourhan, la mort de sa mère dans le désert… Elle déposa le papier sur la table de chevet et alluma la lampe pour se rassurer. Sa chambre était le havre de paix qu'elle retrouvait avec bonheur après sa journée de travail, mais, ce soir, elle n'y ressentait aucun apaisement.

Dans la salle de bains, Maro ouvrit les robinets de la baignoire et parcourut son courrier sans entrain. Elle avait juste assez d'énergie pour se glisser en douceur dans l'eau tiède et fermer les yeux.

De nouveau le passé… comme un fardeau dont elle ne pouvait se défaire. Maro savait qu'elle devrait payer le prix fort, toucher le fond, se remémorer l'inavouable.

Sitôt convaincue de sa grossesse, elle avait eu honte de sa maternité et refusé de porter l'enfant de Riza. En dépit de ses convictions religieuses, elle avait soudoyé une vieille servante connue comme faiseuse d'anges. La tentative d'avortement ayant échoué, elle s'était sentie soulagée, car elle ne se serait jamais pardonné la mort de cet enfant.

Elle mit au monde un magnifique garçon. Cependant, quel avenir attendait cet enfant? Un bâtard, un paria! Déjà les disputes avec Riza pour le choix du prénom. Riza refusa formellement Nourhan : «C'est arménien, ça! Mon fils est turc et sera musulman. Je l'appellerai Nour, ce qui veut dire "lumière" en turc.»

118

Lors des tractations de Vartan pour la libération de Maro, Riza n'avait jamais parlé de l'enfant. Vartan ignorait l'existence de Nour, et Riza Bey, sciemment, le confisquait en guise d'otage : si Maro choisissait de partir à Constantinople avec son mari, elle perdait son fils, et tant mieux si elle en souffrait, on ne quittait pas Riza Bey impunément!

Épuisée, elle se laissa flotter et s'assoupit.

Elle fut tirée de sa torpeur par la sonnerie du téléphone, Vartan l'appelait d'Albany où il donnait une conférence à un groupe d'étudiants en sciences politiques.

— Allô, *anoushes*, ma douce!

Le son de sa voix grave et sonore ramena Maro à la réalité.

— Je viens de sortir du bain.

— Et le journal?

— Comme d'habitude! Sauf que l'imprimeur a encore fait des siennes.

— Je suis resté coincé plus longtemps que prévu au débat qui suivait la conférence. Je n'ai pas même eu le temps d'écrire l'éditorial.

À cause de ses nombreux engagements, Vartan écrivait ses commentaires irrégulièrement. Éternel idéaliste, il se sentait très concerné par la destinée tragique des Arméniens, mais ne saisissait pas toujours les impératifs et les contraintes d'une publication quotidienne.

— Tu veux que je l'écrive pour toi, je suppose? lui suggéra Maro.

— Si j'étais toi, je l'oublierais pour cette semaine.

— Certainement pas. Je verrai ce que je peux faire, je le ferai à ta place, ce ne sera pas la première fois, ni la dernière, je présume.

Pour Maro, il était impensable de sauter l'éditorial. Le journal avait paru tous les jours, sans la moindre interruption, même durant les années de guerre.

Maro s'efforçait de se concentrer, malgré le petit morceau de papier sur la table de chevet. Allait-elle aborder ou non le sujet avec Vartan? Elle n'osait pas, pas maintenant, pas par téléphone. C'était son problème à elle, du moins pour le moment. Ce non-partage renforça son sentiment de solitude.

— Quand je débarquerai de l'avion demain, j'irai directement au bureau. On peut déjeuner ensemble, veux-tu?

— Excellente idée!

Vartan suggéra que le *Free Press* publie un article sur les conséquences du maccarthysme.

— On a déjà travaillé sur cette idée. À vrai dire, j'allais écrire quelque chose sur cet Arthur Miller dont on parle tant et sa pièce de théâtre, *Les Sorcières de Salem*, qui connaît un franc succès, mais je n'en ai pas encore eu le temps.

La voix de Maro perdit son entrain.

— À bien y penser, tu es mieux qualifié que moi pour écrire sur la chasse aux sorcières.

— On en parlera demain.

10

Le *Cilicia*, situé dans la 22ᵉ Rue, à l'est de Lexington, était l'un des restaurants arméniens les plus réputés de New York. Il ressemblait à un club où tous les membres se connaissent de longue date. Sourires amicaux et saluts conviviaux réchauffaient l'ambiance de cette petite salle. La famille Kéropian tenait cet établissement depuis 1909. Son propriétaire actuel, Kévork Kéropian, «Georgie» pour les intimes, traitait tous ses clients comme ses amis. Pendant que sa femme et sa mère s'affairaient à la cuisine, il s'activait dans la salle, en prenant soin de la clientèle. Il avait un mot affectueux pour chacun, donnait des détails sur les plats du jour, s'inquiétait du moral et de la santé de ses hôtes et, plus souvent qu'il n'aurait dû, trinquait avec eux.

À midi, les habitués se composaient surtout d'hommes d'affaires, d'employés de bureau et de commerçants du quartier. Le soir, par contre, la clientèle était tout autre. Les amateurs éclairés affluaient des quatre coins de la ville pour apprécier la fine cuisine de Georgie. En fin de semaine, deux joueurs d'*oud* et des chanteurs orientaux prenaient place dans le fond de la salle et distillaient leurs sonorités.

Maro et Vartan marchaient à grands pas dans la rue, ignorant les voitures et les camions circulant entre les colonnes d'acier du métro aérien. Dans son petit tailleur de coton crème et son chemisier noir, Maro détonnait parmi la foule sombre et dépenaillée qui grouillait sur les trottoirs du Lower East Side. Très en verve, Vartan lui détaillait sa conférence à Albany et les réactions de l'auditoire. Plongée dans ses pensées, elle l'écoutait d'une oreille distraite. Depuis qu'elle avait appris la mort de Riza, elle ressentait un malaise indéfinissable. Elle se demandait comment elle allait lui annoncer son décès et la décision qu'elle avait prise au sujet de son fils.

Lorsqu'ils entrèrent dans le restaurant, la salle était déjà bondée. Georgie les accueillit avec empressement et les conduisit à leur table habituelle, près de la fenêtre.

— Voilà les journalistes! Quel plaisir de vous revoir, mes amis, dit-il d'une voix claironnante, pour être certain que toute la salle l'entendait comme il faut.

Quelques têtes se tournèrent pour dévisager les nouveaux arrivants, mais la plupart des clients, nullement impressionnés par l'annonce tonitruante de Georgie, poursuivirent leur conversation et leur repas sans lever le nez. Soudain, une voix aiguë se fit entendre du fond de la salle :

— *Pari yegak, dghakes*, soyez les bienvenus, mes enfants.

C'était la voix de Mama Martha, la mère octogénaire de Georgie, toute vêtue de noir depuis le décès de son mari, quarante ans plus tôt. Je suis toujours la plus fidèle lectrice de votre journal, Dieu vous bénisse tous les deux pour le travail que vous faites!

— Merci. Nous allons très bien, Mama Martha, répondit Vartan en posant les mains sur ses épaules. Il faut que vous me donniez le secret de votre longévité si vous voulez que je continue d'écrire dans ce journal!

— Ça doit être le travail, s'interposa Maro, sans donner le temps à Martha de répondre. Vous ne vous arrêtez jamais n'est-ce pas?

Le visage de la vieille femme s'éclaira.

— Dieu merci, je me porte bien, répondit Martha.

Pressée de revenir à son sujet préféré, la cuisine du jour, elle poursuivit :

— Aujourd'hui, il faut absolument que vous goûtiez à mes artichauts. Je les ai farcis avec des petits pois parfumés à l'aneth et cuits à l'huile d'olive. Les aubergines sont aussi un délice!

— Elles sont frites ou farcies? s'inquiéta Maro.

— Frites et nappées de yogourt à l'ail.

— Parfait! Cela me semble délicieux. Je vais en prendre.

Georgie attendait patiemment que sa mère en termine avec la description de ses préparations, puis il l'interrompit avec douceur :

— Laisse-moi prendre les commandes, tu veux bien, *mayrig*?

— *Pari akhorzhag*, bon appétit, mes enfants, dit-elle en clopinant vers la cuisine.

Le restaurant se trouvant au sous-sol, les clients attablés près de la fenêtre ne pouvaient voir que les jambes des passants qui circulaient sur le trottoir. Le climatiseur étant en panne, il faisait aussi chaud à l'intérieur qu'à l'extérieur. Maro retira sa veste et la posa sur le dos de sa chaise. Vartan la regardait faire, avec tendresse.

Sans même consulter le menu, Maro commanda des aubergines grillées et des croquettes d'agneau au cumin accompagnées d'un pilaf de blé concassé.

Vartan étudiait encore la carte, par-dessus ses lunettes demi-lune posées sur le bout de son nez.

— Pas de hors-d'œuvre pour moi, Georgie. Juste des boulettes d'agneau à la sauce au yogourt et un artichaut, dans une assiette à part.

Vartan n'avait pas encore eu le temps d'examiner la carte des vins que Diego, le jeune serveur portoricain, apparut avec deux verres d'*oghi*, de l'ouzo, sur un plateau.

— De la part de la *dueña*, dit-il.

Georgie leur fit un petit sourire de connivence.

– C'est ma mère qui vous l'offre, elle pense que l'*oghi* fait partie du secret de sa longévité.

– Elle tient vraiment à faire de nous des centenaires! s'exclama Vartan, apercevant la double dose d'alcool dans son verre.

Maro leva son verre et fit un clin d'œil à Mama Martha plantée sur le seuil de sa cuisine.

– Merci. À votre santé, *mayrig*!

Vartan ajouta un peu d'eau à l'ouzo, puis le regarda en silence prendre une teinte opalescente. Il soupira et prit les mains de Maro dans les siennes.

– Plus les années passent, et plus tu me manques quand je suis loin de toi.

Maro sourit. Elle n'éprouvait plus pour son mari le même désir qu'autrefois, mais elle se sentait pleine d'une tendresse indéfinissable pour lui, comme chaque fois qu'il lui prenait la main. Elle le regardait avec l'affection qu'elle lui avait témoignée tout au long de sa vie. Bientôt septuagénaire, Vartan restait un bel homme, grand et bien bâti, il s'accommodait parfaitement d'un léger embonpoint.

En prenant de l'âge, Vartan manifestait un nationalisme exagéré qui finissait par indisposer son entourage, sa famille et surtout Maro, malgré toute la bienveillance dont elle faisait preuve à l'égard de son mari.

Certes, Vartan Balian était un fervent démocrate, un ardent défenseur des droits de l'homme, un nationaliste arménien plus que loyal, et sa probité avait soulevé le respect au sein de la diaspora. Cette notoriété l'avait accompagné depuis son départ d'Arménie occidentale et Vartan avait eu l'habileté de l'utiliser dans la défense des droits du peuple arménien. La vie aux États-Unis ne paraissait pas avoir réussi à Vartan et les dizaines d'années passées à la défense de la cause arménienne l'avaient enfermé dans une sphère dont il ne s'évadait guère. Plus il vieillissait, plus il devenait intransigeant dans le respect des coutumes et des traditions de son pays d'origine. Ses enfants nés en Amérique ne comprenaient plus ce père accroché à son passé et jugeaient son manque d'intégration à la fois pathétique et rétrograde. Bien entendu, ils avaient gardé ces réflexions pour eux, par amour pour leur père et pour éviter une terrible querelle de famille.

Maro n'arrivait pas à se décider à lui parler de la mort de Riza. Elle était restée agitée presque toute la nuit, ressassant dans sa tête les mots qu'elle allait prononcer. Maintenant qu'elle se trouvait face à lui, elle ne s'en sentait pas le courage. Pour ajouter à son trouble, Vartan affichait un visage soucieux qui contrastait avec sa sérénité habituelle.

— Qu'est-ce qui te préoccupe? lui demanda-t-elle pour sonder son état d'esprit.

— La santé de mon frère. Heureusement, Jake travaille avec lui maintenant. Il a su lui insuffler de nouvelles idées pour revitaliser son négoce, et ça a l'air de réussir. C'est le savoir-faire de notre fils qui paie, pas celui de mon frère. Pauvre Noubar! Il s'est tué à la tâche toute sa vie pour quasiment rien.

— On n'a pas fait beaucoup mieux non plus.

Maro regretta aussitôt ses paroles et ajouta rapidement :

— Il ne faut pas se plaindre. Nous avons travaillé dur, mais nous avons élevé cinq beaux enfants.

— Bien sûr que nous n'avons pas à nous plaindre, acquiesça Vartan. Nous avons survécu aux déportations, aux massacres, à la Dépression. Nous nous sommes relevés chaque fois.

À la seconde même, Maro fut sur le point de craquer et de rajouter «... et j'ai abandonné un fils derrière moi», mais ce souvenir cuisant bloqua les mots dans sa gorge.

— Notre fils Jake est un as en affaires, continua Vartan qui pensait encore à son frère Noubar.

— On ne sait pas de qui il a hérité ce talent! insinua en douce Maro.

Pharmacien de profession, journaliste politique de vocation, Vartan n'était ni doué ni intéressé par les affaires. Son association avec Noubar avait été dictée par les circonstances : en débarquant à New York, le couple Balian ne possédait que le maigre pécule remis par la famille à leur départ de Constantinople. Vartan avait dû gagner sa vie rapidement, d'autant que Maro allait bientôt mettre au monde leur fille Azniv. À l'époque, Noubar faisait des affaires profitables et il avait offert un emploi à Vartan sans se faire beaucoup d'illusions sur les capacités commerciales de son cadet.

Maro se sentait incapable d'aborder le sujet critique de Nourhan avec Vartan au cours de ce repas, aussi se résigna-t-elle à savourer en silence son plat d'aubergines, ses croquettes de viande nappées de yogourt à l'ail. Elle termina son verre de vin, et elle repoussait son assiette avec un soupir de satisfaction quand elle vit Vartan froncer les sourcils.

— C'est décidé. À partir de maintenant, je vais refuser de donner des conférences, déclara-t-il. Il est grand temps que je me consacre davantage au journal et à l'écriture.

Il s'attendait à causer une belle surprise à Maro.

— Je crois que c'est une excellente décision, répondit-elle sans broncher. Grâce à tes livres et à tes articles, tu récupéreras vite l'argent que tu gagnes en donnant des conférences.

— C'est ce que je pense aussi.

Vartan fit la moue d'un air pensif.

— Étant davantage disponible, je me rendrai plus utile à notre communauté.

126

Sa dernière remarque irrita Maro.

– Comme si tu ne les aidais pas assez! Tu en as déjà fait suffisamment pour eux. Tu as écrit tellement à leur sujet. Le gouvernement américain en connaît maintenant beaucoup plus sur la culture, la religion et le passé des Arméniens et, tout ça, grâce à tes efforts.

Leurs regards se croisèrent, encore emplis de nostalgie et tristesse. Ils pensaient tous deux aux événements qui les avaient marqués à jamais : leur séparation durant la Grande Guerre, leurs amours illégitimes, la famille et le pays abandonnés, la dure réalité du rêve américain… et, pour Vartan comme pour Maro, le poids des ans.

Vartan fronça de nouveau les sourcils.

– J'espère que tu dis vrai. J'aimerais croire que j'ai rendu ce service aux miens.

Vartan se rapprocha de Maro.

– Buvons à l'avenir.

– Avec plaisir.

Toutefois, Maro était soucieuse. Depuis la veille, elle se refusait à imaginer l'avenir sans la présence de Nourhan dans sa vie. Aussi avait-elle décidé d'entamer les recherches pour le retrouver, quoi qu'en pense Vartan, comme si la mort de Riza avait effacé tous les obstacles. Cependant, elle s'inquiétait de la nature des sentiments de Nourhan : ne l'avait-elle pas abandonné lorsqu'il n'était qu'un bébé? N'avait-elle pas été remplacée par une autre mère? Que lui avait-on raconté? Qu'avait-il à faire d'une mère qui les avait reniés, son père et lui, trente ans auparavant?

Vartan pivota sur sa chaise et tenta d'intercepter le serveur portoricain pour commander deux autres verres d'*oghi*.

Quand ils furent servis, Vartan leva son verre et porta un toast.

– À nous!

Maro leva à son tour son verre en disant :

— Cela veut dire qu'à partir de maintenant je peux compter sur toi pour écrire les éditoriaux!

— Au moins, tu es franche, tu as le souci de l'efficacité. C'est ce que j'aime en toi.

— Mon rôle n'est pas de faire de la politique, je dirige un petit journal qui se bat pour vivre. Et, avec toi, je dis ce que je pense.

Maro restait songeuse. Elle se demandait si c'était le moment d'aborder le sujet. Une fois encore, l'angoisse l'envahit. Sa dernière affirmation méritant d'être mise en pratique, elle se jeta à l'eau.

— Je veux te parler d'un tout autre sujet, dit-elle.

Peut-être était-ce son second verre d'alcool qui lui donnait ce courage.

— Oh! c'est grave?

— Je voulais t'en parler avant mais, vu tes réactions chaque fois que nous en avons discuté, j'ai préféré me taire jusqu'à maintenant.

Vartan la regardait, mal à l'aise.

— Le moment est venu pour moi de... retrouver mon fils Nourhan, commença-t-elle.

Elle hésita, se demandant si elle irait jusqu'au bout.

Vartan ne quittait pas sa femme du regard. La voix de Maro ressemblait à un murmure.

— J'aimerais savoir où il se trouve, ce qu'il fait, à qui il ressemble. Je sais que tu ne veux rien savoir de lui, pas même entendre son nom...

— Je pense que tu exagères.

Vartan s'efforçait de sourire, mais sa bouche était sèche comme du parchemin et ses lèvres paralysées. Il était transpercé de nouveau par une immense douleur, une douleur qui était née le jour de ses retrouvailles avec Maro, une douleur qui avait effacé le bonheur de la retrouver, qui l'avait tourmenté des années durant et qu'il n'avait pas su mater.

— Je veux le revoir… au moins une fois avant de mourir.

Le souvenir de Riza Bey brûla comme un acide le cerveau de Vartan. Une vague de haine le submergea et son visage se métamorphosa en un éclair, comme si ses os s'étiraient sous sa peau.

— Je ne pense pas que ce soit une bonne idée, répondit Vartan en maîtrisant tant bien que mal ses émotions.

— Justement si, dit-elle en posant devant lui la rubrique «Milestone». Riza Kardam est mort.

Vartan parcourut l'article les mâchoires crispées, la lèvre supérieure agitée d'un tic nerveux. L'image du gouverneur s'imposa une seconde devant ses yeux, aussi claire que s'il avait été devant lui.

— Ce fils de pute! explosa-t-il. J'aurais dû le tuer lorsqu'il était à ma merci, dit Vartan à haute voix, ce qui fit sursauter Maro.

— Qu'est-ce que tu me racontes? dit-elle, alarmée.

— C'est pour ça que tu veux retrouver son fils, maintenant?

Vartan semblait subitement harassé, marqué par les ans. Les images du passé défilaient devant ses yeux.

— Va au diable, Vartan! Toujours la même réponse stupide! Ce n'est pas Nourhan qui a persécuté notre peuple. Ce n'est pas Nourhan qui t'a envoyé au gibet. Il n'est pas responsable des actes de son père. Quand seras-tu assez humain pour accepter la vérité?

Emportée par la colère, Maro avait élevé la voix et les regards des clients convergèrent vers leur table.

— Je me fous de ce que tu en penses, tu n'es qu'un radoteur sénile. Je te préviens, je me mets à sa recherche et je le retrouverai. C'est mon fils!

Elle défia Vartan du regard et ajouta :

– J'irai là-bas!

Sans une parole de plus, Maro se leva d'un bond, attrapa au vol sa veste et quitta le restaurant. Vartan avait pâli sous l'insulte, pétrifié. Il regarda Maro sans pouvoir esquisser un seul geste pour la retenir.

En deux phrases, Maro avait libéré les vieux démons assoupis dans la mémoire de Vartan. Riza Bey, tortionnaire du peuple arménien et rival triomphant dans le lit de Maro. Nourhan dont on ne connaissait pas le visage, bâtard né des amours sulfureuses de son père – maudit soit-il – et de Maro. Un par un, les souvenirs enfouis remontaient à la surface, brûlaient Vartan comme des fers rougis. Les images, les mots qui s'imposaient à lui le terrassaient : Riza Bey, le musulman, se vautrant sur des sofas où gisait, soumise, Maro la chrétienne, telle une odalisque alanguie. Il ne pouvait en supporter davantage.

D'un pas chancelant, Vartan quitta le restaurant sans un regard pour son vieil ami «Georgie» Kévork Kéropian, consterné par la scène à laquelle il venait d'assister.

* * *

Vartan marchait sans but. «Je vais étaler au grand jour le passé de criminel de guerre de Riza Kardam. Maintenant qu'il est mort, je n'ai plus aucune obligation envers lui. Notre pacte est terminé.» Le visage de Vartan était déformé par la haine. Il fixait d'un regard impitoyable un fantôme qu'il était le seul à percevoir.

«Ne perds pas ton temps, il est mort! Tu ne peux pas remonter le temps pour changer le passé», se dit-il, retrouvant son calme un instant.

«J'aurais voulu le revoir, ne serait-ce qu'une fois avant sa mort, grommela-t-il d'une voix vindicative. C'était une ordure de la pire espèce!» s'exclama-t-il à haute voix.

Il essaya de se raisonner en se disant que les temps avaient changé. Son intime conviction de la culpabilité de ce Riza n'était plus suffisante. «Tout cela ne signifie plus rien.»

Comme tout le monde, Vartan savait que depuis la Seconde Guerre mondiale, la Turquie jouait un rôle important dans la politique du Moyen-Orient. Les Américains la considéraient comme une alliée précieuse pour appuyer leurs menées anticommunistes et ils entendaient développer ces relations privilégiées, quitte à fermer les yeux sur un passé peu glorieux. L'installation de bases militaires en Turquie était à ce prix. C'est pourquoi Washington étoufferait toute velléité de critique envers les Turcs. Vartan en était conscient, mais pour rien au monde il n'aurait voulu l'admettre. Autant capituler.

Il se sentit soudain très las et eut envie de rentrer chez lui.

* * *

Vartan regardait par la fenêtre du métro. Il était dans un petit village d'Anatolie, flanqué de deux gardes militaires ottomans, et il marchait lentement, à la cadence du roulement monotone des tambours, vers le poteau dressé sur la place publique… Au loin, hors de vue, dans la fièvre de son imagination, une maison du Sud anatolien, de style mauresque, des femmes drapées dans leurs *tchartchafs* et, parmi elles, la plus belle de toutes, sa femme, Maro, donnant le sein au fils qu'elle avait eu de Riza Kardam. Vartan regrettait que les soldats n'aient pas tiré…

* * *

Maro avait ralenti le pas, indécise. Tout à l'heure, elle avait eu du mal à ôter sa bague et avait pensé que c'était peut-être un mauvais présage. Elle s'arrêta à quelques pas de la boutique du prêteur sur gages. Une façade sinistre, de grosses grilles à la devanture et une vitrine sale. Le malaise de

Maro augmentait à chaque seconde. Elle n'oserait jamais entrer. Demander de l'argent à un inconnu qui la scruterait. Qu'allait-elle lui dire? Maro était sur le point de faire demi-tour. Pourtant, elle avait besoin de cet argent. La Turquie était loin, le voyage très onéreux. Là-bas, il fallait vivre. Combien de temps lui faudrait-il pour trouver Nourhan? Le désir de revoir son fils était plus fort que tout. Elle devait surmonter sa honte et proposer sa bague à un usurier. Marchander.

Vartan lui avait offert ce magnifique rubis, quarante ans auparavant. Elle ne s'en était jamais défait, même pendant la Déportation. Ce bijou était le seul lien qui les avait unis pendant leurs années de séparation. Maro serrait la bague dans le creux de sa main. Elle eut un haut-le-cœur et, d'un geste brusque, la replaça à son doigt. Les yeux pleins de larmes, mais soulagée, elle prit le chemin du retour.

Ayant besoin de réfléchir, elle s'arrêta au hasard dans le premier établissement ouvert. La *Pizzeria Pandelli* était un endroit plutôt lugubre, avec une douzaine de banquettes le long d'un mur à la peinture écaillée. Face à elles, un comptoir en formica dont les tabourets étaient dans un état lamentable. La table de Maro était constellée de brûlures de cigarettes et de ronds de verres. Plus elle y songeait, plus la solution Noubar s'imposait à elle. Son beau-frère avait tout fait pour aider le couple Balian qui débarquait à New York sans le sou. Il était généreux, il comprendrait sa détresse, le besoin vital de retrouver son fils. Sa décision était prise, elle lui emprunterait l'argent nécessaire.

Sur le trottoir, un groupe de cinq jeunes Noirs donnait un petit concert de jazz. Des curieux formaient un cercle autour d'eux. Maro se fraya un chemin à travers la foule des amateurs de plus en plus nombreux, et qui commençaient à empiéter sur la rue, provoquant, cette fois, un concert de klaxons de la part des automobilistes.

* * *

Une forte odeur d'épices s'échappait par la porte entrouverte du magasin de Noubar, jusque sur le trottoir. Maro entra dans la boutique de vente au détail. Un alignement de sacs de lentilles, de haricots secs, de fèves, de riz concassé, de riz entier et de couscous occupait tout un pan de mur. De l'autre côté, une myriade de tiroirs soigneusement étiquetés abritait des épices en provenance du monde entier. Les clients occasionnels s'émerveillaient d'une telle variété d'arômes et de saveurs et se demandaient à quoi et à qui pouvait bien servir un si grand nombre de condiments. Elle passa devant le comptoir sur lequel trônait une caisse enregistreuse qui faisait la fierté de Jake, mais dont la modernité laissait son oncle perplexe. Depuis des lustres, Noubar faisait ses opérations à la main sans la moindre erreur, posait son crayon, en attente, sur l'oreille et récupérait les vieux emballages pour y inscrire ses comptes. Des rangées de *gombos* séchés, gros, enfilés sur des cordes, pendaient comme de longs colliers depuis les poutres du plafond. L'odeur âcre du *bastourma*, la viande fumée à l'ail, au cumin et au poivre rouge, embaumait tout le magasin.

Maro accéda à l'arrière-boutique où les boîtes d'huile, de feta et d'olives étaient soigneusement empilées sur des étagères. De l'autre côté de l'allée se trouvaient des tonneaux de pickles, d'herbes et d'épices orientales. Le sous-sol du magasin servait d'entrepôt pour les stocks plus volumineux destinés à la vente en gros et aux marchandises non déballées.

Les bureaux occupaient l'étage supérieur, s'ouvrant sur une entrée exiguë, où la secrétaire était installée. Noubar s'était attribué la pièce la plus vaste pour en faire son bureau, mais elle était tellement encombrée de cartons débordant d'échantillons, de dossiers épars et de classeurs en attente de rangement, qu'il restait juste assez de place pour accueillir un visiteur. Quant à Jake, il occupait une sorte de cagibi meublé d'une chaise et d'une table de cuisine.

Noubar roula des yeux étonnés en apercevant sa belle-sœur. Ils s'étreignirent à la manière arménienne, en se donnant mutuellement une tape dans le dos et en s'embrassant sur les deux joues. Un observateur étranger aurait pu penser qu'ils ne s'étaient pas vus depuis des années. Il la conduisit à son bureau. Sa démarche était plus lente que de coutume et son dos plus courbé, l'air humide rendant son arthrite chronique encore plus pénible.

Une fois la porte fermée, Noubar remarqua le visage contrarié de Maro.

– Tu en fais une sale tête, qu'est-ce qui se passe?

– C'est… compliqué… pas facile à dire.

Noubar glissa la main dans sa poche et en sortit sa pipe, sa compagne inséparable. Il la bourra avec application d'un mélange de tabac aromatique, qu'il se réservait en exclusivité, puis, regardant Maro, dit avec beaucoup de douceur :

– Je t'écoute.

Elle lui expliqua. De temps en temps, il hochait la tête, lui souriait pour l'inviter à poursuivre. Quand elle eut présenté sa demande de prêt, Noubar se pencha et lui prit la main.

– Je te donnerai l'argent dont tu as besoin. C'est ton fils et tu as raison de vouloir le retrouver. Même si je te parlais des émeutes qui ont lieu là-bas en ce moment et qui visent les Arméniens, je ne te ferais pas changer d'avis. Alors, sois prudente.

L'interphone se mit à crachoter la voix de la secrétaire :

– Jake est arrivé, monsieur.

– Dis-lui de venir, répondit Noubar.

Il regarda Maro avec tendresse en lui soufflant :

– Il vaudrait mieux changer de sujet.

11

Le taxi s'arrêta devant le Waldorf Astoria. Un voiturier corpulent apparut pour ouvrir la portière et fit signe à un porteur de s'occuper des bagages.

Nour remplit sa carte d'enregistrement et la remit à une employée à la coiffure impeccable. Elle vérifia d'abord un graphique compliqué et se dirigea vers le panneau pour prendre la clé de la chambre. En revenant vers le comptoir, elle tenait des feuilles de papier à la main.

— C'est une de nos meilleures suites, monsieur, dit-elle en lui tendant les messages qui lui étaient destinés.

Nour lut les transcriptions des appels téléphoniques et les froissa, agacé. Leyla avait tenté de le joindre presque toutes les heures. Qu'il ait mis des milliers de kilomètres entre elle et lui n'avait rien changé. Pour une fois, Leyla n'avait qu'à régler ses problèmes elle-même, si elle en était capable. Lui, il tenait à avoir la paix. Il avait assez de ses propres soucis sans devoir s'embarrasser de ceux de sa mère. Curieusement, il ne ressentait plus aucune pitié en pensant à elle.

La suite était composée d'une immense chambre à coucher adjacente à un salon décoré de lourds rideaux de brocart couleur prune. Le mobilier était un mélange de styles Thomas Sheraton et Directoire. Un plateau de boissons et un panier de fruits avaient été posés sur une table basse antique.

Nour se préoccupait peu de la catégorie ou du luxe des hôtels dans lesquels il descendait. Le responsable des voyages de Kardam et Fils International se chargeait des réservations, comme il le faisait autrefois pour son père.

Ayant une faim de loup, il descendit à la cafétéria du rez-de-chaussée pour s'offrir un énorme hamburger, avec des frites et un Coca-Cola grand format. Lorsqu'il était à Istanbul, il lui arrivait d'avoir une envie irrésistible de manger ces «cochonneries américaines», qui lui rappelaient l'époque où il étudiait à Harvard. Lassé de la cuisine orientale, il aurait aimé trouver à un angle de rues l'inévitable carriole ambulante du vendeur de hot-dogs.

* * *

— La police a retrouvé un de nos contremaîtres étranglé, expliquait Altan à son frère Nour au téléphone. Ils ont retrouvé son corps dans la décharge.

— De qui s'agit-il?

— De celui de l'entrepôt de tabac.

— Tu as des soupçons, toi?

Altan acquiesça.

— Je m'inquiète, Nour. Les langues ne se délient pas facilement, mais j'ai entendu parler de trafic d'opium dans les ballots de tabac en partance pour les États-Unis. Tu devrais revenir.

— Tu es devenu fou? J'ai des choses à faire ici. C'est toi le patron de la compagnie!

— C'est une histoire compliquée, une histoire qui pue! Plus je creuse, plus j'ai peur de découvrir des choses fumeuses sur nos frères aînés.

Il était trois heures du matin. Nour se sentait vaseux à cause du décalage horaire.

— Je te rappelle que Ramazan et Touran s'attendent à ce que tu transfères vite l'argent à la faculté de médecine.

— Qui leur prouve que Maro Balian n'existe pas?

136

— Je n'en sais rien, mais ils semblent le savoir. Je trouve ça curieux.

— Je suis l'exécuteur testamentaire. Et, selon le testament, je dispose de trois mois pour régler cette affaire.

— Écoute, Nour. Tu m'avais demandé de me renseigner sur le coffre-fort mural du bureau de papa. J'ai volé la clé à tante Safiyé. Il y a un tas de papiers…

Altan hésita, puis après un court silence ajouta :

—… et ses mémoires. Un épais manuscrit relié en cuir.

— Tu l'as lu?

— Oui, j'y ai passé la nuit entière. Ce sont ses mémoires de guerre. Tu ne les aimeras pas.

— Quelqu'un d'autre est au courant?

— Personne. J'ai mis la clé en lieu sûr.

— Bon, je verrai ça à mon retour. Et, pour le meurtre du contremaître, que comptes-tu faire?

— J'attends le rapport de la police, mais tu les connais. Quelques bons bakchichs et l'enquête piétine, pour ne pas dire qu'elle est enterrée. Par chance, j'ai des informateurs personnels beaucoup plus zélés. Je te tiens au courant dès que j'ai du neuf.

Nour avait hâte de lire les mémoires de son père. Par contre, il éprouvait une certaine crainte à la pensée de ce qu'il risquait d'y découvrir. Il était de plus en plus réticent à l'idée de fouiller dans son passé de gouverneur, mais avait-il le choix?

— Je me demande ce que je ferais sans toi, Altan. Moi aussi, je te tiens au courant.

— Merci. Avant d'oublier, ma femme t'envoie ses amitiés. Elle te demande de te méfier de toutes ces belles blondes américaines. Et je sais qu'il y en a une autre qui se tracasse encore plus à ce sujet…

— Dis-lui que je ne sortirai pas avec n'importe qui. Et, à cette autre dont tu parles, que je serai chaste comme un moine.

Altan rit de bon cœur.

– C'est à peu près tout, petit frère.

Puis il ajouta brusquement :

– Au fait, tante Leyla a l'air toujours aussi misérable. Si j'étais toi, je la traiterais avec plus de douceur. Bonne fin de nuit.

«J'aimerais tellement qu'elle me laisse tranquille», se dit Nour avant de se rendormir.

* * *

Nour fit un écart pour éviter le corps recroquevillé sur le trottoir. En dépit de la chaleur, le jeune homme était enroulé dans un manteau de l'armée, crasseux et en loques, le haut du corps dissimulé sous une épaisse couche de journaux.

N'ayant pas trouvé trace dans l'annuaire téléphonique de la firme Goldwater et Associés, Nour était parti à la recherche du cabinet d'avocats. Il n'était pas mécontent de se replonger dans la foule grouillante où chacun se hâtait, dans un grand ballet désordonné. «À nous deux, Manhattan! centre des affaires internationales, des arts et du crime!» se dit-il, émerveillé de renouer avec l'atmosphère trépidante de la rue. En tant qu'ancien New-Yorkais, il s'était interdit de demander son chemin et entendait se débrouiller tout seul. Il aurait pu s'adresser directement à l'ordre des avocats ou demander de l'aide à son ami Irving, mais il avait décidé de mener son enquête à sa façon.

Par Canal Street, il atteignit le centre nerveux de Chinatown. Des groupes d'Asiatiques affairés s'entrecroisaient, comme soumis à une chorégraphie fébrile. Les minuscules boutiques exposaient dans leurs vitrines un empilage d'objets : mauvaises copies de vases Ming, figurines en faux ivoire, flacons remplis de liquides aux couleurs inattendues, bocaux d'herbes médicinales, canards rôtis pendus par le cou, étranges poissons séchés, légumes aux formes obscènes, montagnes de jouets, de montres, de stylos… Sur le pas de leur porte, les vendeurs racolaient le client en vantant leurs trésors, tandis que taxis et camions menaient un concert de klaxons en espérant se frayer un chemin dans le flot ininterrompu des passants.

Après avoir traversé quatre pâtés de maisons et le quartier de Little Italy, Nour arriva à la hauteur de Bowery. L'immeuble qu'il recherchait n'était qu'un entrepôt de deux étages doté d'une aire de chargement. À l'entrée, un panneau affichait en lettres défraîchies : COURTIERS EN DOUANES MARITIMES ET TRANSPORT. Nour était bien à l'adresse relevée dans le testament de son père, mais il n'apercevait nulle part une plaque indiquant le cabinet Goldwater.

L'aspect sinistre du bâtiment ne laissait pas présager une activité florissante. Nour grimpa un escalier étroit et poussiéreux et fut surpris de se trouver devant un bureau moderne, derrière lequel se tenait une réceptionniste.

Nour lui expliqua le but de sa visite. Elle réfléchit un instant et répondit que la firme Golwater et Associés avait déménagé dans l'Upper East Side une bonne quinzaine d'années auparavant.

Il y eut un court silence. Voyant la déception de Nour, elle s'expliqua :

— La firme a fermé après le décès de monsieur Goldwater.

— Que sont devenus ses associés?

— Il en avait deux : Frank Harding et Max Sherman. Des types que je trouvais sympathiques. Le pauvre Frank s'est tué dans un accident de voiture, il y a quelques années.

— Et monsieur Sherman?

— Il est en semi-retraite, mais il a toujours un bureau. Je ne sais pas où exactement. Je peux regarder dans l'annuaire.

Nour ressortit, muni d'un numéro de téléphone et d'une adresse dans Madison Avenue.

Nourettine Bey, le vieil avocat de la famille Kardam, avait raison : le cabinet Goldwater n'existait plus. Nour devait donc retrouver Max Sherman; ce dernier se souviendrait peut-être du dossier concernant Maro Balian. Il s'apprêtait à héler un taxi, lorsqu'il décida de poursuivre son pèlerinage à pied et de prendre le métro. Auparavant, il s'arrêta dans une cabine et réussit à obtenir, sans trop insister, une entrevue avec Sherman. L'avocat, heureusement peu occupé, avait accepté de recevoir Nour entre deux rendez-vous.

Il descendit les marches de pierre qui menaient à la station et, comme il s'y attendait, fut accueilli par une bouffée d'air tiède et fétide. Il attendit sur le quai bondé, faiblement éclairé, la rame en direction de la 42e Avenue et de l'Avenue of Americas. Des graffitis délirants couvraient les murs au point qu'ils paraissaient clignoter et vibrer devant les yeux des voyageurs.

Pendant le trajet, Nour se disait que le résultat de ses investigations était bien maigre : jusqu'à présent, il avait découvert que deux des avocats de la firme étaient décédés et que le troisième était en semi-retraite, lequel n'avait pro-bablement aucune idée du dossier Maro Balian.

* * *

Monsieur Sherman, un vieil homme osseux, flottant dans un costume désuet, consultait des papiers derrière d'épaisses lunettes à monture en écaille noire. Il leva la tête à l'arrivée de Nour et contourna son bureau.

— Je suis très heureux de faire votre connaissance, mon-sieur Kardam. Que puis-je faire pour vous?

— Comme je vous l'ai sommairement exposé au télé-phone, je suis à la recherche de madame Maro Balian, émigrée arménienne, dans les années 1920. Mon père avait déjà fait procéder à une enquête en s'adressant au cabinet Goldwater. J'ai donc pensé…

— Veuillez m'excuser, mais je ne suis pas du tout au courant de cette affaire. À leur décès, mes deux associés m'ont laissé bon nombre d'affaires en cours, mais je n'ai aucun souvenir d'avoir eu en mains la demande de recherche d'une personne disparue. Notre activité portait essentiellement sur le droit maritime et les problèmes douaniers. Toutefois, depuis votre coup de fil, j'ai demandé à mon assistante de vérifier s'il y avait quelque chose sur votre père…

— Riza Kardam, précisa Nour. Il est décédé le mois dernier.

Max Sherman appuya sur le bouton de l'interphone.

— Nicole, avez-vous trouvé quelque chose au nom de Kardam?

La porte s'ouvrit, et une jeune femme apparut avec un dossier jaune à la main.

— Monsieur Kardam, mademoiselle Nicole Ripert.

La jeune femme s'assit en face de Nour. Elle avait de grands yeux sombres et une bouche généreuse. En haut de son chemisier noir à manches courtes, les deux premiers boutons défaits laissaient peu de place à l'imagination.

— Apparemment, monsieur Goldwater lui-même était l'avocat de monsieur Riza Kardam. À la mort de monsieur Goldwater, le dossier a été remis à son associé, Frank Harding. Depuis la mort de celui-ci, quelques années plus tard, le dossier dort dans les archives. À propos, confia-t-elle à voix basse, une autre personne s'est occupée de la correspondance entre monsieur Goldwater et Riza Kardam.

Elle ouvrit le dossier pour s'assurer de bien prononcer le nom :

— Un certain monsieur Nourti…

— Ça doit être Nourettine, l'avocat de mon père à Istanbul.

— Oui, c'est ça.

Max Sherman ouvrit le dossier que Nicole avait déposé sur le bureau.

— En effet, voici la correspondance de votre père.

— J'aimerais y jeter un coup d'œil, si cela ne vous ennuie pas?

Nour parcourut brièvement les lettres signées Riza Kardam.

— À la demande de Nourettine, mon ancien associé s'est renseigné auprès du registraire du ministère de la Santé de la ville de New York et a appris que madame Maro Balian était décédée, il y a six ans.

— Il y a également le certificat de décès de cette personne, ajouta Nicole.

L'avocat chercha les certificats dans le mince dossier, en prit un et le lut avec soin. Une petite note manuscrite, en bas de page, mentionnait : «Riza Kardam insiste. Il y aurait erreur sur la personne. Ce certificat ne concerne absolument pas la Maro Balian que l'on recherche.»

— C'est étrange, s'exclama Sherman, en remettant le certificat à Nour.

Nour vérifia le document et ne cacha pas son soulagement.

— Mon père a raison. Ce n'est pas la personne que je souhaite retrouver. J'essaye d'entrer en contact avec une certaine Maro Balian, dont le nom de jeune fille est Artinian, et non pas Tévonian. Elle est née à Istanbul et non à Smyrne. Qui plus est, ce document ne mentionne aucune date de naissance. Il indique juste qu'elle est morte le 12 février 1950.

— C'est très courant de ne pas avoir de date de naissance pour les personnes qui viennent de cette partie du monde, expliqua Sherman. Quant au reste des erreurs et au renseignements qui manquent, je suis sûr qu'il s'agit de simple négligence ou d'incompétence de la part de ces conseillers juridiques stagiaires qui feuillettent en vitesse les dossiers.

La remarque de M. Sherman parut déplaire à Nicole, qui se considérait compétente et méticuleuse dans ses recherches.

— Heureusement que ce n'est pas moi qui l'ai écrit, dit-elle en fixant son patron.

— Bien que ces deux personnes portent des noms et prénoms identiques, n'importe qui pouvait se rendre compte que le lieu de naissance était différent. Sans parler du nom de jeune fille. Voilà un dossier bâclé et bien vite expédié aux archives, souligna Nour. Je vais effectuer les vérifications moi-même.

— Si je peux vous être utile, n'hésitez pas, déclara Sherman qui souhaitait, à l'évidence, se débarrasser de Nour et de son dossier.

— Nous ne pouvons plus revenir en arrière, le mal est fait. La désinvolture de vos anciens associés est inexcusable, mais, aujourd'hui, nous ne pouvons que constater les dégâts. Je vous demande d'oublier cette affaire que je vais reprendre à mon compte. J'emporte ce dossier avec moi. Adressez-moi la facture de vos honoraires, s'il y a lieu.

Ses deux interlocuteurs restèrent figés de surprise.

Nour crut bon de s'expliquer :

— Après mon diplôme de droit à Harvard, j'ai travaillé dans un cabinet de Chicago pendant plusieurs années. Je connais assez bien le système légal américain et ses procédures juridiques. Si jamais j'ai besoin d'aide, croyez bien que je ne manquerai pas de faire appel à vos services.

Nicole accompagna Nour à la porte.

— Je suis vraiment désolée de la mauvaise image que vous emporterez de notre cabinet, dit-elle d'un air penaud.

— Ce n'est pas de votre faute. Vous n'étiez pas là à l'époque. Je souhaite qu'il s'agisse uniquement d'incompétence et pas d'autre chose, disons... d'une tentative de malversation...

Nicole n'arrivait pas à se persuader qu'il avait raison. Elle observait Nour avec attention. Quelques pas seulement les séparaient. «Il n'est peut-être pas d'une beauté conventionnelle, mais ses grands yeux verts lui donnent un charme fou», pensa-t-elle.

De son côté, Nour la jaugeait: «Pas mal, brune, belle, et même mieux que belle: elle a du chien», s'avouait-il. Cependant, son esprit était ailleurs, toujours préoccupé par le contenu du dossier. «Quelqu'un a certainement dû traficoter là-dedans.»

— Au fait, vous savez, je suis également une diplômée de Harvard, déclara Nicole avec une pointe de malice dans le regard. Mais j'étais probablement en première année quand vous avez terminé l'université.

Nour sourit.

— Cette affaire Balian m'intrigue. J'espère que vous n'aurez pas de mal à retrouver cette personne. À titre personnel, en tant que condisciple, j'aimerais bien vous donner un coup de main, alors, n'hésitez pas.

Elle tendit la main à Nour.

— J'ai bien enregistré votre proposition, répondit-il en retenant sa main.

* * *

Un voile brunâtre de poussière et de vapeurs d'essence planait au-dessus de la ville. Nour marcha un moment sur Madison Avenue, puis héla un taxi pour retourner à l'hôtel.

Tandis que le chauffeur se démenait dans le trafic infernal de Manhattan, il laissa vagabonder ses pensées. Tout compte fait, la journée n'avait pas été totalement infructueuse. Goldwater et Associés n'existait plus, par incompétence ou malhonnêteté la recherche avait été trop vite expédiée aux oubliettes, le certificat de décès qui figurait au dossier ne concernait pas Maro Balian. «Retour à la case départ, je recommence l'enquête à zéro dès demain matin, et Nicole est une jolie fille qui pourra m'aider dans mes démarches», se dit Nour tout en se demandant s'il devait accorder plus d'attention au professionnalisme de la jeune avocate qu'à son décolleté.

Un étrange regain d'énergie l'envahit. Il était tout excité à l'idée de retrouver Maro. Quand il serait face à elle, pourrait-il appeler «maman» cette femme qu'il n'avait jamais vue? Peut-être n'avait-elle aucune envie de revoir ce fils qu'elle avait abandonné. Si elle l'avait laissé derrière elle, était-ce précisément parce qu'elle n'en voulait plus? Non, cela Nour ne voulait pas le croire. Au fond de lui, il était convaincu que Maro lui sauterait au cou. Elle serait de nouveau sa mère, comme avant. Mais il ne lui restait aucun souvenir de cette époque, il était trop jeune. La seule image qu'il conservait d'elle était la photo sépia. Il regretta de ne pas l'avoir détachée de l'album et emportée avec lui.

Deniz lui avait confié que Maro était mariée et très attachée à son mari. Nour se dit que, une fois en Amérique, le couple avait dû faire une ribambelle d'enfants. Comment la famille allait-elle le recevoir? Comme un intrus? «Bâtard chez Kardam, bâtard chez Balian, voilà ce qui m'attend», soupira-t-il.

Pour chasser ses idées noires, il pensa à la petite fortune qu'il allait remettre à Maro; elle était suffisante pour qu'elle-même, ou quiconque en fait, puisse passer le restant de ses jours sans avoir à travailler. «Qui sait, se dit-il, peut-être n'a-t-elle même pas besoin de cet argent?» Peu importait. C'était le souhait de son père, et il exécuterait scrupuleusement ses dernières volontés.

Plongé dans ses pensées, Nour ne s'était pas rendu compte que le taxi était arrivé devant le Waldorf et que le voiturier lui tenait la portière ouverte.

* * *

Dans leur maison d'Exeter Street, Maro et Vartan se défiaient du regard, sans prononcer un mot.

— Je n'ai pas pu fermer l'œil de la nuit, explosa Vartan.

Maro se leva et se versa une autre tasse de café du percolateur en aluminium.

— Pour l'amour du ciel, Maro, dis quelque chose!

Maro ressentait la même impression désagréable qu'elle avait eue autrefois en revoyant son mari après les quatre années passées dans la maison de Riza Bey : une profonde humiliation d'être devenue une monnaie d'échange entre les deux hommes. Aucun des deux prétendants ne lui avait laissé le choix de son avenir, sa vie ne lui appartenait plus. Ils avaient tranché pour elle, elle était devenue l'objet d'un enjeu, d'une rivalité extrême entre ces deux rivaux qui voulaient la posséder. «Je ne serai plus jamais un objet, je suis une femme libre, plus personne ne disposera de moi», Maro s'en était fait le serment.

Elle avait été incapable de toucher Vartan pendant de longues semaines. Quand il s'était approché d'elle, le désir dans les yeux, elle l'avait repoussé avec fermeté. Elle avait besoin de temps. Des mois plus tard, elle lui avait avoué qu'elle avait eu un fils du gouverneur et qu'elle avait été contrainte de l'abandonner.

À cet instant, Maro n'avait pas envie d'être conciliante.

— S'agissant de mon fils, tu réagis comme un vrai fanatique! Comment réagirais-tu, toi, si on te séparait de tes enfants pendant des années. De Tomas, de Jake, de Nayiri, de…

— C'est différent. Ce sont nos enfants, et…

— Et celui-là est un bâtard! C'est ça? Tais-toi, Vartan. Parfois, je doute de ton intelligence.

Le sang lui monta à la tête.

— Dis-moi un peu. Comment te sentirais-tu si tu avais eu un enfant de ta chère Aroussiag dont tu as partagé le lit, que tu as aimée et dont tu as caressé les seins et plus encore, pendant nos années de séparation? Que ferais-tu si on te défendait de voir ta chair et ton sang?

Touché par sa diatribe, Vartan se renfrogna dans un silence glacial. Il avait déjà réfléchi à ce qu'elle venait de lui crier au visage. Souvent, il se remémorait cette femme qu'il avait aimée avec passion, au modeste logis qu'ils avaient partagé, à son dévouement, à sa chaleur humaine, à son sourire, à son courage… à sa mort, sous les coups d'un sbire de Riza. S'il n'avait pas retrouvé Maro, serait-il retourné auprès d'Aroussiag? Il le croyait, car, dans son esprit, il avait justifié leurs relations, en se disant que Maro était libre, qu'elle s'était vouée, comme lui, à la cause de son peuple, en cachant ses partisans et en sauvant leurs orphelins. Lui, il ne l'avait jamais forcée à tomber dans ses bras. Il ne l'avait pas gardée contre son gré. En se forgeant des excuses qui ne servaient qu'à lui-même, il avait occulté les sentiments de Maro.

Vartan se décida à rompre le silence.

— C'était une Arménienne. Nous n'avons pas eu d'enfant qui risquait de compliquer les choses.

Il se garda de lui avouer qu'il était tombé amoureux d'elle.

— C'était une Arménienne! s'exclama Maro qui n'en croyait pas ses oreilles. Qu'importe que le père de Nour soit turc ou chinois! Avoue-le! Tu ne veux pas que je revoie Nourhan, car tu as toujours été jaloux de Riza. Tu n'as jamais pu digérer que je couche avec un Turc! Et tu as pris comme prétexte qu'il avait organisé les massacres des Arméniens, parce que ça t'arrangeait bien! Tu ne te permettrais jamais de considérer Nourhan comme mon fils pour la simple raison qu'il a été élevé comme… un musulman… un Turc… Dis-moi la vérité! C'est bien ça qui te ronge? Avoue-le, cela ne t'engage à rien. Pour une fois, laisse tomber ton orgueil, ne serait-ce que par égard pour moi. Par égard pour ta femme, pour qui tu as mis, sans hésiter, ta vie en danger. Pour moi, tu as parcouru l'Anatolie d'est en ouest, tu es allé jusqu'à te déguiser et à mener la vie errante d'un joueur d'*oud* dans ce groupe de derviches fanatiques, rien que pour me retrouver! Tu as enlevé Riza pour me libérer de ses griffes. Tu as fait preuve d'une patience d'ange pour que cette Maro que tu disais aimer parvienne à surmonter sa culpabilité et sa honte, et à régler ses conflits moraux. Je suis cette femme, Vartan. Aurais-tu oublié ta femme? L'aimes-tu encore? C'est ça que tu appelles avoir de l'affection? Peux-tu me dire la différence entre toi et ces bigots qui n'essayent même pas de se libérer de leur haine centenaire? Tu me dégoûtes!

Noubar avait raison au sujet de son frère : Vartan n'avait pas réussi à se venger de ses anciens ennemis, comme il l'avait prévu. Il n'avait pas fait son deuil du passé, il n'avait pas su exorciser ses vieux démons. La politique avait bien changé. Les nations refusaient maintenant de prendre parti, comme elles l'avaient fait après la Grande Guerre. Voilà ce qui consumait Vartan.

Maro tremblait littéralement d'indignation. Une ride à la commissure des lèvres marquait son amertume et son visage. Son mari n'était plus qu'un étranger. Une fraction de seconde, Riza fut là, assis devant elle : souriant, un cigare entre ses longs doigts fins, il l'admirait avec amour.

Le téléphone se mit à sonner. Vartan saisit l'appareil et lui tendit.

— C'est pour toi.

C'était Perg, son adjointe. Des problèmes d'imprimerie.

— Je ne vais pas tarder, Perg. Je ne me sentais pas bien ce matin, c'est pourquoi je suis un peu en retard. Entre-temps, s'il te plaît, appelle le technicien, je suis sûre qu'il va régler le problème.

Elle posa le récepteur, soulagée par cet intermède, puis dit calmement :

— Je dois me dépêcher, le journal n'attend pas. En ce qui me concerne, je pense que j'ai tout dit.

— Nous en reparlerons plus tard, quand tu maîtriseras mieux ton émotion.

— Quoi que tu dises ou quoi que tu fasses, mon parti est pris : je veux revoir mon fils.

Ces paroles, que Maro voulait fermes, trahissaient la femme blessée, humiliée et meurtrie par les coups venus de son propre camp. Vartan était-il encore cet homme brillant et rusé qui l'avait toujours soutenue envers et contre tout? Était-il encore ce sage qui prenait fait et cause pour la nation arménienne, toujours prompt à dénoncer les agissements des gouvernements qui nuisaient à son peuple, et qui avait eu le souci constant de le protéger?

— La Turquie n'est pas un endroit sûr. Tu n'as pas lu au sujet des émeutes du 6 septembre dans ce sacré pays? Tu ne te souviens pas de la conscription des non-musulmans dans les bataillons de travaux forcés en 1941? La taxation des propriétés des non-musulmans en 1942? Ceux qui ne pouvaient payer durent finir leurs jours à casser des pierres sur les routes d'Anatolie. Nous avons payé la plus grande part des taxes sanguinaires. Et tu veux encore aller la-bas! Je suis…

— Ça suffit, Vartan, avec tes citations historiques! Je m'en fous de tes émeutes, de tes révolutions, de tes massacres ou pire encore si tu veux. Rien ni personne ne m'empêchera de rejoindre mon fils, peu m'importe où il se trouve, j'irai.

— Révoltant! lui cria Vartan, J'ai consacré ma vie à la cause de mon peuple, et toi, Maro, tu foules aux pieds tout ce que je pensais noble et juste. Tu me trahis! C'est impensable, je ne peux croire qu'en deux phrases tu détruises ce qui a toujours fait notre fierté!

— Vartan, tu t'égares, je te parle de mon fils, pas de notre peuple! Je ne renie pas ce que nous avons fait, j'en suis fière et, si c'était à refaire, je mènerai de nouveau ce combat à tes côtés. Réveille-toi, Vartan, la guerre est finie. Tu luttes encore contre un fantôme, c'est pitoyable. Moi, je choisis la vie, et la vie, c'est mon fils Nourhan!

Vartan encaissa le choc sans mot dire. La détermination de sa femme lui fit l'effet d'une douche glacée. Au fond de lui-même, il doutait. À son plus grand désarroi, il se rendait compte qu'il avait tort. D'avoir souffert si longtemps ne l'autorisait pas à se comporter avec sa femme comme il venait de le faire, mais il avait tant de mal à se débarrasser de ses préjugés. Il fallait absolument qu'il se reprenne, qu'il cesse d'asséner des certitudes en guise de dialogue. Sinon, il risquait de perdre sa femme.

— Je file au journal, dit Maro. À plus tard.

Vartan n'entendit même pas la porte qui claquait. Ses idées s'embrouillaient à mesure qu'il tentait d'y mettre de l'ordre. Il aurait voulu s'expliquer, dire quelques mots d'excuse, apaiser Maro. Il pensa à sa famille, il ne voulait pas la voir éclater. Nourhan avait toujours été un secret bien gardé entre eux. Les enfants ne savaient rien de cette facette de leur passé, sauf Tomas qui n'avait qu'un vague souvenir de l'existence de ce demi-frère, à l'image des couleurs fanées des vieilles photos. Vartan lui avait fait promettre le secret. Ce fut facile, car ce que Tomas souhaitait par-dessus tout, c'était oublier. Oublier la déportation, le quasi-esclavage après son enlèvement, les années de solitude au pensionnat... Oublier tout ce qui avait été sa jeunesse. Au point qu'il évitait ses parents, de peur qu'ils ne lui rappellent ce qu'il tentait obstinément d'oublier. Combien de fois Maro a-t-elle imploré Vartan d'être assez courageux pour expliquer cette situation aux enfants… en toute franchise.

«Ne les perturbe pas avec les tragédies de notre passé. Laisse-les grandir heureux», avait-il insisté. Il regrettait ces paroles, Maro regrettait de l'avoir écouté.

* * *

Le lendemain, en milieu d'après-midi, Nour était toujours en train de feuilleter d'épais registres étalés sur une longue table. Il se trouvait dans un sous-sol lugubre occupé par les archives du ministère de la Santé de la ville de New York. Il avait déjà vérifié tous les dossiers de chacune des personnes décédées depuis 1947. Heureusement pour lui, les noms étaient inscrits en ordre alphabétique, autrement il aurait dû engager des aides pour effectuer la recherche à sa place.

Nour n'avait toujours pas retrouvé trace de Maro Balian dans les registres, mais il persistait, certain qu'elle n'était pas morte. Au point où il en était, il devait aller jusqu'au bout. Quelle pagaille son père avait semée! Comment l'amour pouvait-il pousser les gens à faire des actes aussi insensés? Une pensée folle lui traversa l'esprit : se pouvait-il que Riza ait désigné Maro uniquement pour punir son mari? Après tout, son père était capable d'une telle fourberie. Il revint à la réalité et alla demander d'autres registres à l'archiviste.

La préposée était une grande femme noire, dégingandée, proche de la retraite. Une fonctionnaire typique. Elle donnait l'impression de connaître par cœur les registres, et Nour se demandait si elle n'allait pas lui réciter de mémoire toutes les dates et tous les noms inscrits dans ses bouquins poussiéreux.

— Qu'est-ce que je peux faire pour vous maintenant?

— Donnez-moi le registre de 1944 à 1947, répondit Nour, exténué par la chaleur suffocante de la pièce.

— Vous n'en avez pas encore marre, m'sieur?

— Pour dire vrai, j'en ai par-dessus la tête. Mais je n'ai toujours pas trouvé la personne que je cherchais.

Nour desserra sa cravate et déboutonna son col.

— Elle n'existe peut-être pas, dit l'archiviste en souriant.

— Vous avez raison. C'est ce que je veux vérifier.

La femme disparut pendant une bonne minute et réapparut avec un gros volume dans les mains.

— Comment savez-vous qu'elle est morte à Manhattan? demanda-t-elle.

— Je ne sais pas.

— Vous êtes bizarre, m'sieur, dit-elle étonnée. Vous recherchez quelqu'un, vous ignorez si cette personne est morte et, si elle l'est, vous ne savez pas si c'est à New York et en quelle année. C'est ce que j'appelle une chasse au «pifomètre»!

Nour dut en convenir.

— Cela paraît assez compliqué, dit Nour avec un sourire narquois. Mais j'essaie de retrouver ma mère!

Sa remarque jeta un froid.

— Mon Dieu, pitié! Ça, c'est quelque chose! Vous ne savez même pas si votre mère est morte?

— Je ne savais même pas que j'avais une mère!

— Écoutez, m'sieur. C'est la meilleure que vous m'ayez dite jusqu'à présent. Même Jésus avait une mère. Mon Dieu, pardonnez-moi!

— Vous êtes drôle, déclara Nour qui riait d'énervement, tout en retournant à sa table.

— Et vous, un petit marrant, entendit-il murmurer la femme.

Nour reprit ses recherches. La seule Maro Balian qu'il avait retrouvée était celle mentionnée sur le certificat de décès que Max Sherman lui avait remis. Au moins, il avait réussi maintenant à éliminer toute possibilité d'erreur ou de négligence. Il vérifia l'heure : quinze heures. Persister serait une pure perte de temps.

Cinq minutes plus tard, Nour se dirigeait vers le comptoir, mallette à la main et veste sous le bras. La fonctionnaire s'y trouvait toujours, attendant qu'il lui demande un autre registre.

Nour lui adressa un aimable sourire.

— Après tout, ma mère n'est sans doute pas décédée, c'est bien ce que je souhaitais. Merci de votre aide.

— J'en suis très heureuse pour vous, rétorqua-t-elle.

Après une courte pause, elle ajouta :

— Essayez de trouver où elle habite maintenant.

— C'est exactement ce que je compte faire, madame. Merci de votre conseil.

12

Après deux jours de ratissage systématique des archives du ministère de la Santé et de coups de téléphone à tous les Balian de l'annuaire de New York, Nour n'avait encore abouti à rien. Il ne se sentait pas découragé, mais pressé de découvrir une piste. Altan lui téléphonait de Turquie presque chaque jour, en lui répétant que ses frères devenaient impatients. Ils l'accusaient de trop faire traîner les choses et voulaient qu'il transfère, de suite, l'argent du compte à la faculté de médecine de l'Université d'Istanbul. Heureusement pour Nour, ils étaient liés par les dernières volontés de leur père et contraints de respecter le délai fixé par ce dernier. Cependant, ils manifestaient de plus en plus d'indignation à l'idée que l'argent profite à une ancienne maîtresse, chrétienne de surcroît. Outre la perte d'une petite fortune, ils n'admettaient pas que cette femme ait pu être d'une ethnie et d'une religion différentes. Que leur père les ait écartés des affaires au profit du fils de cette catin, ils ne le supportaient plus. Nour personnifiait toutes leurs frustrations, alors ils cherchaient à le blesser, pour lui faire payer au centuple.

L'horloge de l'église de Park Avenue sonna trois coups. Nour s'aperçut une fois de plus qu'il avait sauté son déjeuner. Fatigué et affamé, il referma l'annuaire. Plus tôt dans la journée, il avait appelé un certain monsieur Sérop Balian, marchand de tapis orientaux, mais celui-ci était parti et ne devait être de retour qu'après trois heures. Une cigarette pouvait peut-être tromper sa faim. Il en glissa une entre ses lèvres, l'alluma et s'approcha sans illusion du téléphone.

— Est-ce que je pourrais parler à monsieur Balian, s'il vous plaît? demanda Nour.

— Le père ou le fils?

— Le père.

Une voix aimable se fit entendre au bout de quelques minutes :

— Allô! Sérop Balian à l'appareil.

— Bonjour, monsieur. Je m'appelle Nour Kardam, je viens d'Istanbul et j'essaie de retrouver une femme nommée Maro Balian. Il s'agit d'une proche parente.

À force de répéter ces phrases au cours des dernières quarante-huit heures, Nour les connaissait par cœur. Il expliqua encore une fois la raison de son appel. Un bref silence s'ensuivit.

— Ce nom me dit quelque chose. Vous m'avez bien dit qu'elle était originaire de Turquie?

— Oui, d'Istanbul.

Le cœur de Nour se mit à battre à vive allure, car il lui semblait que le marchand de tapis allait lui donner un élément concret.

L'homme émit un long soupir.

— Je me souviens d'une certaine Maro Balian d'Istanbul. J'ai rencontré une personne qui portait ce nom, il y a des années, à une soirée dansante de l'UGAB.

— Une soirée dansante de l'UGAB? répéta Nour, en soufflant une bouffée de fumée vers le plafond.

— Oui. Au bal annuel de l'Union générale arménienne de bienfaisance.

Nour répéta le sigle et écrivit le nom en entier sur un bloc de papier.

— Je me souviens bien d'elle, continua son aimable interlocuteur. Elle était si belle que les roses auraient pâli d'envie
en la voyant. Je n'ai jamais rencontré de personne aussi
exquise de ma vie. Malheureusement, j'ignore s'il s'agit bien
de la Maro Balian dont vous parlez.

«En plein dans le mille», pensa Nour, en appréciant la
métaphore de l'homme.

— Je crois qu'il s'agit de la même personne, monsieur.
Sauriez-vous où elle habite?

— J'ignore tout à fait ce qu'elle est devenue, répondit
Sérop Balian soudain moins joyeux.

— Vous souvenez-vous de l'année et de l'endroit où avait
lieu la réception?

— Je me souviens de l'endroit, certainement. C'était au
Hilton de Los Angeles. Quant à la date, non. Cela se passait
il y a au moins vingt-cinq ans.

— Pensez-vous que l'UGAB le saurait?

Nour jeta de nouveau un coup d'œil sur son bloc pour
être certain de ne pas déformer le sigle.

— Sûrement. Le siège social est à New York. Vous les
trouverez dans l'annuaire de Manhattan.

Que le marchand de tapis puisse encore, après autant
d'années, se souvenir du nom d'une femme qu'il n'avait fait
qu'entrevoir relevait du miracle.

— Je vous félicite pour votre mémoire, monsieur, s'exclama
Nour.

— Vous ne diriez pas ça si vous aviez vu votre parente. Elle
était vraiment belle et, à cette époque… j'étais un bon parti!

Son rire joyeux résonna dans l'appareil.

— À ma grande déception, j'ai appris qu'elle était déjà
mariée.

— Merci infiniment, monsieur. Vous m'avez été d'une aide
précieuse.

Nour devenait de plus en plus impatient de revoir sa mère. Pourtant, son enthousiasme se tempérait chaque fois qu'il se souvenait qu'elle l'avait abandonné. Puis il pensa à l'amour de Riza pour Maro, et à celui qui naissait entre Ésine et lui : saurait-il se souvenir de son visage dans vingt ans? Se rappellerait-il même son nom, après deux décennies, comme le marchand de tapis, qui n'avait pu effacer l'image de Maro de sa mémoire?

Chassant cette pensée, il lui en vint une autre, subitement. Il ne pouvait pas courir d'une adresse à une autre pour suivre la piste de Maro. Il avait dressé une liste de toutes les églises, des associations et des journaux arméniens de New York. Pourquoi ne pas demander un coup de main à Nicole? Il chercha la carte de Sherman et appela à son bureau.

— Le bureau de monsieur Sherman.

Il reconnut la voix de Nicole.

— Nour Kardam à l'appareil.

— Oui, monsieur Kardam, répondit-elle surprise.

— Je vous appelle au sujet de votre proposition.

La jeune femme eut un moment d'hésitation, puis saisit où Nour voulait en venir.

— Vous voulez dire que vous avez besoin de mon aide?

— Si c'est possible.

— Avec grand plaisir. Ma proposition tient toujours, répondit-elle le cœur battant.

— Pourriez-vous venir me rencontrer à cinq heures cet après-midi?

— Entendu.

— Je suis au Waldorf.

* * *

La conversation avec le marchand de tapis avait donné à Nour une lueur d'espoir. Une misérable piste vieille de vingt

158

ans qui risquait de le conduire jusqu'à Los Angeles. Il grilla cigarette sur cigarette. «Sale habitude», se dit-il comme pour s'en dégoûter, et il inhala avec volupté une large bouffée.

Les sentiments de Nour vis-à-vis de Maro se simplifiaient, car il s'était fait à l'idée d'avoir une autre mère. Malgré l'insistance d'Altan, il avait refusé d'appeler Leyla, en expliquant à son frère qu'une seule mère lui suffisait pendant son séjour à New York. Si Maro Balian vivait encore et s'il la retrouvait, alors il serait temps de penser à Leyla.

* * *

Des membres d'équipage de la Pan American occupaient le hall d'entrée de l'hôtel, faisant la queue pour s'inscrire. Nour, qui attendait l'arrivée de Nicole, jeta un coup d'œil sur le tableau d'affichage. Son attention fut attirée par le mot «arménien». Curieux, il s'approcha et lut :

SAMEDI 1ER OCTOBRE 1955
SOIRÉE DANSANTE DE L'ASSEMBLÉE ARMÉNIENNE

«Une occasion rêvée, se dit Nour, pour découvrir d'autres pistes.» À cet instant, il remarqua, à proximité du comptoir d'accueil, un homme qui le dévisageait. Lorsque leurs regards se croisèrent, ce dernier détourna rapidement les yeux vers les hôtesses de l'air. Assez grand, il était dans le début de la quarantaine malgré ses cheveux clairsemés. Avec sa moustache à la Clark Gable et sa veste en coton blanc ornée d'une pochette rouge vif, il ressemblait à un de ces gigolos qui traînent dans les meilleurs hôtels de la ville, à la recherche d'une proie fortunée. Comme Nour ne le quittait pas des yeux, l'homme se sentit épié et il s'éclipsa.

– Monsieur Kardam!

Il se retourna et reconnut Nicole. Il l'accueillit avec un large sourire.

— Je vous ai appelé pour vous avertir que je serais un peu en retard, mais vous aviez déjà quitté votre chambre.

— Vous n'êtes pas du tout en retard. Je m'amusais à examiner tous ces visages autour de moi.

Nicole portait une robe d'organdi jaune à manches courtes et bouffantes qui rehaussait son teint.

Nour l'entraîna au bar de l'hôtel et demanda au serveur de leur donner une table discrète pour parler librement. Puis il décida d'aller droit au but :

— J'aimerais que vous fassiez pour moi un travail de détective.

— Moi ? Une détective ?

— Je dirai enquêteuse, si vous préférez ? Je vous rémunérerai, bien sûr.

C'était la dernière chose à laquelle Nicole pensait.

— Ce n'est pas nécessaire. Nous appartenons à la même *alma mater*.

— J'apprécie. Mais les affaires sont les affaires, dit Nour qui préférait avoir une relation professionnelle plutôt qu'une entente amicale qui risquait de se transformer en flirt compliqué. Comme s'il en avait besoin maintenant !

— J'ai dressé une liste des associations, des églises et des journaux arméniens et j'aimerais que vous entriez en contact avec eux. Tentez de retrouver la trace d'une certaine Maro Balian ou de quelqu'un qui l'aurait connue.

Nicole hocha la tête.

— Je peux commencer dès demain matin.

— Je vais prendre la première moitié de la liste, et vous, le reste. En fin de journée, nous pourrons nous rencontrer ici et faire le point. Si jamais vous trouvez quelque chose d'important, laissez-moi un message à l'hôtel.

— Nous allons jouer aux détectives comme dans les romans policiers ?

— Nous n'avons pas une minute à perdre. Il ne me reste que deux mois avant de retrouver Maro Balian. Passé ce délai, elle ne pourrait plus toucher l'héritage. Je suis certain qu'en travaillant en équipe nous arriverons à quelque chose.

— J'espère.

— J'ai oublié de vous demander une précision, continua Nour.

Nicole scruta son regard avec inquiétude.

— À quel sujet?

— Comment réussirez-vous à combiner votre travail au bureau et notre enquête?

— Aucun problème.

Son visage se détendit.

— Je travaille pour monsieur Sherman uniquement lorsqu'il est en ville, deux fois par semaine, ou quand il me demande de faire une recherche. Chaque jour, une standardiste prend les messages, et, en fin d'après-midi, j'organise ses rendez-vous.

— Je vois.

Contrairement à ce que l'on aurait pu imaginer, la sensualité de Nicole cachait quelque chose d'innocent qui attendrissait Nour. Elle avait de grands yeux bruns et un sourire enjôleur dont elle jouait pour masquer sa timidité. Bien qu'elle lui ait avoué ses vingt-six ans, Nour lui trouvait la candeur et la fraîcheur d'une très jeune fille. En d'autres temps, s'il n'avait pas été investi d'une aussi lourde mission, Nour n'aurait pas détesté avoir une relation plus… Dans un recoin de son esprit, Ésine tira la sonnette d'alarme.

L'heure des cocktails approchait et les clients commençaient à affluer au bar. Nour fit signe au serveur d'apporter deux autres verres.

— Vous paraissez inquiet?

Elle avait vu clair. Non seulement il était inquiet mais exténué. Nour ne prit pas la peine de répondre, il s'agita sur sa chaise et dévisagea les personnes autour de lui. Nicole suivit son regard qui s'arrêta sur deux jolies filles assises à proximité du bar. Il ne lui laissa pas le temps d'intervenir et lui demanda à voix basse :

— J'aimerais que vous jetiez un coup d'œil sur l'homme assez grand et maigre qui est assis au bar, juste derrière vous, à côté de ces deux filles. Il porte une veste blanche. Soyez discrète.

Nicole fit tomber son paquet de cigarettes sur le sol et se pencha pour le ramasser, tout en examinant avec soin l'homme à la fine moustache et aux sourcils théâtraux.

— Je ne l'ai jamais vu auparavant. On dirait qu'il nous surveille.

— Il ressemble à ces guerriers que l'on voit sur les miniatures persanes, glissa Nour, mais la comparaison était trop exotique pour que Nicole puisse en saisir le sens.

— Ça doit être un reporter.

— Qu'est-ce qui vous fait dire ça?

— Simple supposition. Dans les enquêtes policières, il y a toujours un journaliste qui fourre son vilain nez partout.

Nicole n'imaginait même pas qu'un journaliste veuille suivre les faits et gestes de Nour Kardam. Elle n'avait jamais entendu parler de la dynastie des Kardam et, pour elle, Nour était un avocat, agréable de sa personne, probablement de bonne compagnie et, qui sait, peut-être auraient-ils une brève aventure des plus romantiques!

Nour entendit son nom. Un chasseur le faisait appeler.

— Excusez-moi un instant.

Il se leva et se dirigea vers le bureau de réception.

— Nous avons un appel d'outre-mer pour vous, monsieur Kardam. Vous pouvez le prendre dans la seconde cabine.

Il entendit la voix de Leyla.

— Tu ne réponds même plus aux messages de ta mère, dit-elle en mettant l'accent sur «ta mère».

162

Le visage de Nour s'assombrit.

— Je vous en prie, maman, je suis très occupé par mes recherches, je n'ai pas vu le temps passer.

Sourde à ses paroles, Leyla continua :

— As-tu trouvé ta mère, l'autre, la vraie? dit-elle d'une voix désespérée.

Nour laissa passer un lourd silence.

— Tu l'as retrouvée, oui ou non?

Prêt à lui raccrocher au nez, il serra les dents.

— Je vous préviendrai quand je l'aurai retrouvée.

Leyla était effondrée par ses réponses laconiques. Des larmes coulèrent sur ses joues. La nuit précédente, elle avait rêvé que Maro avait convaincu son fils de rester à New York et qu'elle ne le reverrait plus jamais.

— Nour, si cette femme t'arrache à moi, je la ferai poursuivre en justice. Elle n'a aucun droit sur toi!

«Elle est en train de perdre la tête», se dit Nour, pris de pitié.

— Écoutez-moi, maman. Il ne s'agit pas de la garde d'un enfant en bas âge. Personne ne m'enlève, ni vous ni quelqu'un d'autre. Vous divaguez.

Les paroles de Nour ne firent que redoubler les pleurs de Leyla.

— Je vous promets de vous appeler dès que j'aurai retrouvé Maro Balian. Ensuite, nous en reparlerons.

— J'espère que tu ne la retrouveras jamais, rétorqua-t-elle d'un ton vengeur. J'espère qu'elle est bien morte et qu'elle le restera.

Nour raccrocha le récepteur. Il retourna vers le bar, profondément bouleversé, bien plus qu'il ne l'avait laissé paraître à Leyla. Il comprenait bien son angoisse de le perdre, mais il n'avait aucune envie de s'apitoyer sur le sort de sa mère; pour l'heure, il en avait bien assez du sien. Sans motif, il se souvint brusquement des jours heureux de sa jeunesse, où, par les chaudes soirées d'été, il disparaissait dans les champs avec Altan pour aller à la chasse aux lucioles, armés de filets en mousseline. Ils extirpaient les minuscules insectes pris dans les mailles et les mettaient dans des cages pour observer les pulsions des miraculeuses lueurs qui s'allumaient et s'éteignaient. Pourquoi s'était-il mis à penser à cela? Sûrement un désir de se sentir libre et heureux comme autrefois, toujours prêt à rire et à faire le fou, sans rendre de compte à personne. Devenu riche et puissant, il n'avait plus une seconde à accorder aux lucioles, et il s'en trouva tout attristé.

Nicole perçut que l'appel téléphonique n'avait pas apporté de bonnes nouvelles, mais n'osa pas lui poser de questions.

— Je n'ai jamais été à Istanbul, risqua-t-elle, pour détourner Nour de ses problèmes.

— Istanbul, c'est New York sans les gratte-ciel. New York est une ville debout, dressée face à l'Atlantique, Istanbul est langoureusement allongée le long du Bosphore. Mais elle est aussi sale et bruyante que Manhattan, et de deux mille ans son aînée. Un véritable musée à ciel ouvert rempli de richesse et de pauvreté.

— C'est une bonne description. Est-ce vrai ce que l'on raconte dans ces histoires de sultanes, de harems, d'intrigues de palais...

— De nos jours, ça existe seulement dans les livres.

Préférant changer de sujet, il lui demanda :

— Vous avez un nom français? Je me trompe?

— Non vous ne vous trompez pas. Je suis française. Je suis née à Montpellier. Mes parents ont émigré aux États-Unis quand j'avais huit ans.

— Est-ce que vous parlez français?

— Bien sûr, répondit-elle d'un air étonné.

— Vous êtes une femme brillante, mais vous devez le savoir.

— Je n'en suis pas si sûre.

Elle ne s'attendait pas à une telle remarque, mais, au fond, elle n'était pas fâchée d'entendre Nour abandonner leur conversation professionnelle pour aborder un sujet plus intime.

— Tout ce que je sais, c'est que, même si je suis une citoyenne américaine, je reste profondément attachée à mes origines françaises.

— Bravo, approuva Nour d'un léger signe de tête. Ne changez pas. J'adore la France et la langue française. Mon père, qui était un grand francophile, a étudié à Paris.

Nour n'avait pu s'empêcher de penser à son père, aux qualités que chacun lui reconnaissait : aimable, généreux, civilisé, francophile…

— Donc, vous devez, vous aussi, parler français?

— Vous voulez me faire passer un test? lui demanda Nour en français.

Puis il poursuivit :

— Dites-moi, le dossier que j'ai vu dans le bureau était-il le seul sur l'affaire Kardam ou y en avait-il d'autres?

La jeune femme plissa les yeux, l'air étonné.

— Ah! c'est donc ça que vous vouliez, que je trahisse mon secret professionnel? dit-elle, offusquée.

— Pardonnez-moi cette question déplacée. Rassurez-vous, ce n'est pas la raison pour laquelle j'ai fait appel à vos services. Oubliez ce que je vous ai dit, d'accord?

— Voulez-vous vraiment que je fasse des démarches pour retrouver madame Balian ou avez-vous besoin de moi pour des tâches plus… complexes?

Nicole ne savait pas cacher ses émotions. Ses joues s'étaient colorées à la question de Nour, qu'elle trouvait particulièrement désobligeante. Mal à l'aise, Nour lui lança un regard qu'il voulait apaisant.

— Désolé d'avoir jeté le trouble dans votre esprit.

Le visage de Nicole s'empourpra davantage. Elle aimait les situations claires. Si elle n'avait pas été emballée par l'offre de Nour de travailler pour lui, elle aurait quitté les lieux sur-le-champ.

— Avant de poursuivre, je pense qu'il vaudrait mieux régler d'abord nos points de désaccord. Vous paraissez oublier que je travaille pour quelqu'un d'autre. Ma position m'oblige à rester discrète.

— Je n'avais pas l'intention d'être déplaisant. Je ne vous ai pas appelée pour fouiller dans les affaires confidentielles de votre patron, ne croyez surtout pas ça.

Peu convaincue, Nicole accepta ses excuses d'un hochement de tête.

« Elle fera un bon travail, pensa Nour. Professionnelle et sincère, elle ne se laissera pas intimider. »

Pour sa part, Nicole s'efforçait de garder son sang-froid. Elle savait qu'elle n'était pas sotte, seulement un peu trop novice dans le métier, mais disposée à apprendre. Elle se demandait quel homme était réellement ce Nour Kardam, sans aucun doute un homme puissant dans son pays, probablement très riche, fonceur. « Travailler pour lui me fera acquérir une bonne expérience et, en cas de réussite, une belle référence », se dit-elle pour achever de se convaincre qu'elle avait bien fait de proposer son aide.

— Il va partir! s'exclama brusquement Nour.

Méfiante, Nicole évita de tourner la tête.

— Attendez-moi une seconde, murmura Nour.

Il se leva pour interroger le barman.

— Il me semble que j'ai déjà rencontré l'homme qui vient juste de partir. Je crois que c'était lors d'une conférence de journalistes à Atlanta, il y a quelques années. Sauriez-vous par hasard son nom?

— C'est effectivement un reporter, mais j'ignore son nom, je ne sais pas non plus pour quel journal il travaille.

En retournant à sa table, Nour semblait satisfait.

— J'avais raison. Ce type est un journaliste.

— Vous êtes une célébrité? plaisanta Nicole.

— Hélas, rien de tout ça.

Il montra à Nicole la liste qu'il avait préparée. Tous deux étudièrent les noms avec peine à la faible lueur des ampoules jaunes du bar.

* * *

Nour trouva l'immeuble de l'UGAB, à l'angle des 5e et 39e Avenues. Une responsable de l'association lui conseilla de se mettre en rapport avec le diocèse arménien d'Amérique, ainsi il pourrait contacter les différentes églises arméniennes des États-Unis. En principe, les paroisses conservaient des registres où étaient consignés les noms de leurs membres vivants ou décédés. Elle pensait que ce serait long et fastidieux, mais elle ne voyait aucun autre moyen pour accélérer les recherches de Nour.

— Quand ils sont arrivés aux États-Unis, un certain nombre de nos compatriotes ont souhaité rompre définitivement avec leur ancienne vie et ils ont changé de nom. Si c'est le cas de la personne que vous cherchez, je pense que vous aurez beaucoup de mal à retrouver sa trace.

Nour n'avait pas encore envisagé cette éventualité et, effaré par la dimension de son nouveau problème, il prit congé de son interlocutrice, bien décidé toutefois à se rendre à la soirée arménienne annoncée au Waldorf Astoria.

13

La soirée dansante de l'Assemblée arménienne au Waldorf était, pour la communauté, le premier événement marquant de la saison.

Malgré les disputes, Maro, femme de devoir, avait organisé le décorum de la famille. Comme elle le faisait tous les ans, elle avait résolu tous les problèmes fondamentaux qui se posaient à cette occasion. Quelle tenue doit-on porter? Quelle partenaire Jake inviterait-il? Qui allait servir d'escorte aux filles? Elle porterait un robe noire à godets, manches couvrant juste les épaules et décolleté très sage. À la dernière minute, elle opta pour de longs gants de velours noir.

Aux alentours de huit heures, une file de voitures commençait déjà à encombrer la rue devant l'entrée du Waldorf. Un grand nombre de portiers allaient et venaient entre les véhicules et les curieux qui, espérant apercevoir une tête célèbre, envahissaient la chaussée.

La gracieuse silhouette de Maro émergea d'une voiture, suivie de Vartan, assez mal à l'aise dans son smoking loué pour l'occasion. Le couple s'avança lentement vers le hall de l'hôtel. Le Dr Artchie Gregorian, président du comité d'organisation, et son épouse, Nancy, les attendaient au pied de l'escalier à double volées. Maro admira la salle de bal, impressionnante sous les lustres de cristal, les stucs et les dorures, les grands miroirs multipliant à l'infini les tables aux nappes damassées, dressées de porcelaine anglaise et de couverts d'argent.

Les personnalités présentes étaient nombreuses : le primat arménien du diocèse de l'est des États-Unis, l'archevêque Sabirian; à sa droite, l'invité d'honneur, le maire de la ville de New York, accompagné de son épouse; quelques autres notables comme Haig Sarafian, le président de l'Assemblée arménienne et son épouse; et enfin le docteur Artchie Gregorian.

Les couples d'invités se mirent à défiler l'un derrière l'autre en serrant tour à tour les mains des dignitaires qui les accueillaient, tandis que l'orchestre jouait en sourdine.

Bien que les portes du salon de réception aient été grandes ouvertes, la queue des invités se mit à ralentir, ce qui donna aux femmes l'occasion de se faire admirer plus longtemps dans leurs plus beaux atours, tout en échangeant les derniers commérages.

Les enfants Balian étaient aussi de la fête, car cette réception arménienne était la seule à laquelle ils assistaient.

Nayiri se tenait auprès de son fiancé, Greg, lorsqu'elle le poussa du coude et lui désigna l'entrée de la salle :

— Regarde! Regarde! Tu vois le grand type là-bas en complet bleu? Le garde de sécurité vient de l'arrêter. Pas mal, tu ne trouves pas? dit-elle, en laissant un sourire aguichant danser aux coins de ses lèvres. Je vais aller voir ce qui se passe, il semble qu'on l'empêche d'entrer. Ce serait dommage, ça ferait un beau parti pour Araksi.

Nour était venu s'enquérir de la famille Balian auprès des Arméniens et glaner quelques renseignements susceptibles de l'aider dans ses recherches. La présence de personnages officiels et de membres du gouvernement expliquait le déploiement inhabituel de gardes et de surveillants. On arrêta Nour à l'entrée de la salle.

— Un instant, monsieur. Attendez. Vous ne pouvez pas entrer. Vous n'avez pas d'invitation. En plus, il faut être en tenue de soirée, s'exclamait le garde.

— Je m'appelle Nour Kardam. Je suis un client de l'hôtel. Je veux juste parler aux personnes qui s'apprêtent à entrer. J'essaye de trouver quelqu'un.

— On ne reçoit que sur invitation personnelle et en habit de soirée…

La conversation animée d'un groupe d'invités empêcha Nayiri d'entendre le reste de la discussion entre le garde et Nour qu'elle ne quittait pas des yeux, subjuguée par son charme. «Étrange! Qu'est-ce qui m'arrive? Ce type me coupe le souffle», se dit-elle.

En se dirigeant vers le hall, Nour remarqua que la jeune fille l'observait. Il s'arrêta un instant et la dévisagea. Le choc fut instantané. Un long frisson lui traversa le corps.

Nayiri se troubla et détourna la tête. Lorsqu'elle retrouva son calme, elle prit le temps de se retourner, mais il avait disparu. Elle se dirigea vers le hall à sa recherche et l'aperçut devant les ascenseurs. Elle accéléra le pas, puis s'arrêta net. De quoi se mêlait-elle? L'espace d'un instant, l'immensité du hall bondé de monde fondit devant ses yeux, et elle fut submergée de nouvelles sensations. Sans raison, elle aima cet émoi qui s'était emparé d'elle et qui s'intensifiait, tandis qu'elle retournait dans la salle de bal. Elle avait perçu des bribes de son nom… ce n'était pas un nom américain, ni anglais, ni français. «De toute façon, je m'en fiche», murmura-t-elle. Greg l'attendait.

* * *

Lorsque leurs enfants se penchèrent tour à tour pour embrasser leurs parents dans la file, Maro et Vartan ne purent cacher leur émotion. Au moment d'étreindre sa mère, Nayiri lui glissa à l'oreille :

— Attention, maman, Son Éminence semble très intéressée par ton décolleté!

Nayiri pouffa de rire, mais réprima vite son côté délinquant en apercevant le froncement de sourcils réprobateur de son père.

Le dîner se déroula comme prévu, avec un menu fort apprécié des convives qui n'en ralentissaient pas moins leurs conversations. Vartan et Maro, installés à la table d'honneur, bavardaient chacun de son côté avec leurs hôtes. L'archevêque étourdissait Vartan avec son discours-fleuve; écoutant d'une oreille distraite, ce dernier donnait le change à son interlocuteur en hochant la tête d'un air entendu et laissait dérouler le film muet de son passé. Bien des années s'étaient écoulées depuis que Maro et lui avaient franchi la passerelle du raffiot rouillé pompeusement baptisé *Star of Peloponnesus*, à Ellis Island. Tomas, en culottes de golf, émerveillé et apeuré à la fois par ce nouveau monde qui l'entourait, au bout du quai, et son frère Noubar qui les attendait.

— J'espère que vous ne regrettez pas votre décision, Vartan? demanda l'archevêque.

— Certainement pas, *Sirpazan*, Votre Éminence, répondit Vartan en s'efforçant de se souvenir du sujet dont il parlait.

Maro, Azniv et Araksi discutaient avec animation. Nayiri restait silencieuse, obsédée par le regard de braise de Nour.

Au milieu de la soirée, le maître de cérémonie demanda le silence à l'assemblée pour que l'archevêque puisse prononcer quelques mots. Le vieil homme s'adressa d'abord en anglais aux invités et rendit un chaleureux hommage à Vartan pour son engagement professionnel et son dévouement sans borne envers la communauté. Il poursuivit en arménien et termina en soulignant l'heureuse initiative de l'Assemblée d'honorer Vartan.

Ce fut au tour du maire de New York de prendre le micro. En politicien chevronné, il amorça son discours de façon très conventionnelle :

C'est un très grand honneur pour moi d'être parmi vous ce soir pour vous témoigner ma satisfaction de côtoyer l'un des membres les plus éminents de la communauté arméno-américaine. Véritable prophète des sciences politiques, notre ami a su rester un fin lettré, un inlassable avocat des causes sociales et, bien sûr, un chantre de la culture arménienne. En dehors de nos cercles d'amis, on lui compte également des admirateurs tout aussi nombreux qui rendent hommage à son éternel « activisme ethnique ».

Une salve d'applaudissements accompagna les deux derniers mots du maire. La gorge de Vartan se serra. À la grande joie des auditeurs, le maire abrégea son discours et termina en souhaitant bonne chance à Vartan Armen dans ses futures entreprises.

Le maître de cérémonie annonça ensuite d'une voix triomphale :

— Mesdames et messieurs, je laisse maintenant la parole à notre invité d'honneur, monsieur Vartan Armen.

Une nouvelle salve d'applaudissements s'ensuivit. Vartan se leva de son siège et se dirigea vers l'estrade. Il était nerveux, non pas du fait de se trouver devant une aussi vaste assemblée – il avait déjà affronté des auditoires plus nombreux et souvent plus critiques –, mais à cause de l'ironie du sort. La totalité de ses concitoyens l'applaudissait, au moment même où sa femme se détournait de lui. Une nuée de flashes explosa en crépitant, formant un mur de lumière, qui, bien à propos, masqua son trouble à l'assistance.

Sirpazan Hayr, Votre Éminence, Monsieur le Maire, et mes très chers amis…

Sa gorge devint sèche. Il prit le verre d'eau qui se trouvait sur le bureau et avala une gorgée. Pendant une fraction de seconde, il revit l'image du poteau d'exécution sur la place publique, là-bas en Anatolie. Deux militaires ottomans l'escortaient, tandis que les tambours battaient… Maro lui criait que personne ne pouvait l'empêcher de revoir son fils… Il prit une autre gorgée d'eau et retrouva ses esprits. Dans l'assistance, seule Maro avait perçu la brève absence de son mari.

Ce soir, je me sens…

Il s'éclaircit la voix et poursuivit :

… plus nerveux que lors de mon premier discours, il y a des dizaines d'années de ça, devant l'Assemblée nationale turque qui vivait les tout derniers jours de l'Empire ottoman. À cette époque, mon ami et aussi mon sauveur, Halit Pacha, devinant mon trac, avait cru bon de laisser tomber ses dossiers sur le sol pour me distraire de mon anxiété. Ce soir, je suis encore très ému et mon ami Halit Pacha me manque beaucoup…

Je suis arrivé dans ce pays, il y a plus de trente ans, en compagnie de ma femme et de mon fils. Nous fuyions les persécutions que la Turquie infligeait aux Arméniens. L'Amérique nous a reçus dignement, nous qui étions traqués, pourchassés et assoiffés de justice…

Pour la remercier de son accueil, nous nous sommes efforcés de faire un succès de notre vie…

Vartan continua en expliquant la position de l'Amérique au sein de la communauté des nations, puis il aborda enfin le sujet qui lui tenait le plus à cœur : la politique!

Il est dommage de constater que l'Américain de la rue considère la politique comme une activité peu honorable et même indigne de considération. Au contraire, elle est et doit demeurer une grande vocation. Il est regrettable que, de nos jours, la politique soit réduite à une chasse aux sorcières qui nie toute tolérance, voue les différences culturelles aux gémonies...

Quelques murmures manifestèrent l'approbation des auditeurs.

Je ne saurais blâmer nos jeunes qui voient dans la politique un tremplin destiné aux ambitieux avides de pouvoir, à tous ceux qui n'ont pas su révéler leurs talents dans l'exercice d'un métier honnête. Comment puis-je les convaincre du contraire, alors que la réalité leur donne quotidiennement raison?

Je sais que mes articles ont souvent fait l'objet de critiques acerbes, je sais aussi que j'en subirai beaucoup d'autres, surtout lorsque je m'oppose vigoureusement à la politique gouvernementale actuelle. J'ai l'intention de persister dans mes convictions, en prenant la plume ou en donnant des conférences. Je ne blâme pas les jeunes. Je persisterai à...

Personne ne s'attendait à un discours politique qui visait Washington.

On refuse de faire justice à notre génocide, le génocide arménien, comme cela lui serait dû. Il y a une autre mort au-delà de ces morts. C'est pour cela que j'écris, que j'exprime nos sanglots étouffés et dis l'indicible dans toute mon œuvre.

Les peuples décimés par les massacres, les pogroms et les génocides ne sont pas enterrés. Et les peuples qui n'ont pas

175

pu enterrer leurs morts ne peuvent être en paix avec eux-mêmes.

Les Arméniens, comme beaucoup d'autres peuples, n'ont pas fait le deuil de leurs morts, ils les ont ensevelis dans leur âme jusqu'à ce que le monde reconnaisse la vérité.

De nombreuses personnes dans l'auditoire, en priorité Nayiri et Maro, apprécièrent les remarques de Vartan, en particulier lorsque Vartan se mit à fustiger le maccarthysme qui s'était propagé comme un fléau, faisant d'innombrables victimes parmi l'élite américaine et les intellectuels.

Le discours que Vartan avait préparé n'avait rien à voir avec celui qu'il venait de livrer. Il l'avait changé en cédant à l'impulsion du moment, c'est-à-dire dès que l'image du poteau d'exécution était apparue devant ses yeux. Ces horribles événements qu'il avait vécus n'étaient-ils pas la conséquence d'une politique inhumaine ?

Vartan sentit qu'il risquait de s'enflammer et d'abandonner la bienséance qui s'imposait dans cette soirée, aussi il mit un terme à son allocution de façon abrupte.

Je tiens à remercier chacun d'entre vous, du fond du cœur, pour m'avoir accordé ce grand honneur et pour m'avoir donné l'occasion, ce soir, d'exprimer mon opinion sur un sujet si délicat et qui m'est si cher, et…

Il se tourna vers l'archevêque et s'adressa à lui plus par-ticulièrement :

S'il vous plaît, mon père, je vous demande de prier pour nous tous ici présents, afin que nous apprenions à faire preuve de tolérance et d'une plus grande mansuétude les uns envers les autres.

Toute la salle se leva. Vartan regagna sa place. Les invités de la table d'honneur et l'assistance lui réservèrent une véritable ovation.

Le maire se pencha vers Maro et lui glissa à l'oreille :

— Votre mari est un grand orateur, madame Armen, et un personnage hors du commun. Dommage que nous ne partagions pas toujours les mêmes idéaux.

Nullement surprise par sa remarque, Maro répliqua :

— Quand il veut dire quelque chose, rien ne l'arrête, pas même le maire.

— Touché, madame! Comme je le disais, il a cet indéniable talent de faire passer ses messages.

Courtoisement, ils s'échangèrent des sourires crispés. Vartan était fier de son effet.

* * *

En repensant à la brève altercation qu'il avait eue avec le garde de sécurité de l'hôtel, la veille au soir, Nour revit le visage de Nayiri, le seul qui l'avait frappé parmi les centaines de personnes rassemblées à l'extérieur de la salle de bal. Pourquoi avait-elle subitement tourné la tête vers lui et plongé son regard dans le sien, à moins que ce ne soit le contraire? Vraiment étrange. Il se sentait troublé par cette femme comme il ne l'avait jamais été jusqu'à ce jour. Cette étrangère avait fait irruption dans sa vie et, pourtant, il avait eu envie de la serrer dans ses bras, comme après une longue séparation, comme s'il l'avait toujours connue. Bien sûr, il avait remarqué son charme hors du commun, mais ce n'était pas le physique de cette femme qui le bouleversait. Elle dégageait des ondes faites de tendresse et de férocité qui l'attiraient et l'effrayaient à la fois. Curieuse femme, si jolie, si fascinante, si inquiétante…

Nour eut de la difficulté à détourner son esprit vers un sujet plus terre à terre. Il décrocha le téléphone pour commander son petit-déjeuner puis ouvrit le *New York Times*. Il vérifia tout d'abord si ses messages avaient été correctement publiés et survola les gros titres. Les cours de la Bourse chutaient de quelques dixièmes de point, les matières premières restaient stables. Le dernier contingent des troupes turques rentrait de Corée. Il jeta ensuite un bref coup d'œil à la rubrique des commérages d'Howard Lehman où un petit entrefilet retint son attention :

> *Le millionnaire turc, Nour Kardam, de passage à New York, ne cherche pas à cacher ses fréquents rendez-vous galants avec Nicole Ripert, une jeune avocate du cabinet Max Sherman.*

«Si jamais la presse turque a vent de ces racontars, tous les journaux vont afficher des grands titres, ça ne va pas arranger ma réputation là-bas, marmonna-t-il, furieux. J'ai eu du flair d'en rester à des relations très professionnelles avec cette fille. Cet article est certainement l'œuvre du reporter que j'ai aperçu au bar du Waldorf.» Il était d'autant plus en colère que cette rumeur était sans fondement.

Puis il eut un sursaut d'espoir. «Peut-être Maro Balian lira-t-elle l'article de Lehman?» se demanda-t-il. Mais son enthousiasme retomba rapidement. Il se dit que, si elle l'avait lu, elle l'aurait déjà appelé à l'hôtel. Nour se prit à douter. «Mais elle peut aussi hésiter à reprendre contact avec moi, après tout ce temps...»

Nour se demandait pourquoi sa mère n'avait pas tenté de renouer avec lui. Avait-elle simplement eu envie de le revoir? Avait-elle honte, maintenant, de s'être désintéressée de lui? Son questionnement le conduisit à la crainte de leur future rencontre. Que ferait-il si elle refusait de lui parler? Il ne supporterait pas qu'elle le repousse. Écartant cette éventualité, il se mit à espérer qu'il pourrait, très vite, la serrer dans ses bras.

14

La soirée au Waldorf avait fait l'objet de nombreux articles dans la presse arménienne et, plus discrètement, dans la presse new-yorkaise. Les télégrammes, les appels téléphoniques et les lettres de félicitations avaient afflué chez les Armen, mais ces témoignages de sympathie avaient à peine amélioré les relations entre Vartan et Maro qui continuaient à vivre sous le même toit, comme des colocataires. Au bureau, leurs conversations étaient réduites au minimum et se limitaient à des propos strictement professionnels.

Il était neuf heures et demie du soir, et Vartan n'était pas encore rentré. La table et les deux couverts étaient intacts depuis plusieurs jours, chacun avalant à la hâte un en-cas dans la cuisine. Comme Maro s'apprêtait à monter dans sa chambre pour écouter les nouvelles du soir, elle entendit Vartan ouvrir la porte d'entrée.

— Je suis resté tard pour terminer l'éditorial du week-end. Vartan hésita un moment.

— Je voulais te parler cet après-midi, mais tu es partie trop vite.

Maro prit un air buté qu'il connaissait bien.

— Trop tard, Vartan. Je pars pour Istanbul. J'ai acheté mon billet cet après-midi.

Vartan se raidit et agrippa le dos du fauteuil.

— Je te l'interdis, hurla Vartan hors de lui, j'exige que tu revendes ce billet, j'exige que tu restes ici, je veux…

– Ça suffit, Vartan! Tu n'as rien à m'interdire!

Maro poussa un soupir de soulagement.

– Comment vas-tu expliquer cela aux enfants? bredouilla Vartan.

– Tout ce qui t'intéresse, c'est de sauver la face devant tes enfants!

– Je leur dirai la vérité. J'ai demandé à Nayiri de te donner un coup de main à la maison et de me remplacer dès maintenant au journal.

– Pour l'amour du ciel, Maro, as-tu perdu la tête? Tout raconter aux enfants! Que vont-ils penser de nous?

Vartan était cramoisi.

– Ce sont des adultes, Vartan, et il y a bien longtemps qu'ils n'attendent plus la sacro-sainte bénédiction de leur père pour se faire une opinion sur la vie!

– Où as-tu trouvé l'argent du voyage?

– J'ai emprunté.

– À qui?

Maro préféra ne pas mentionner Noubar.

– Je pars dans trois semaines.

Vartan était médusé. Sa femme tourna les talons et s'enfuit dans sa chambre.

Maro ne parvenait pas à trouver le sommeil. Ces querelles sempiternelles avec Vartan la minaient. Plus la nuit avançait, plus son insomnie développait ses angoisses. Maro se laissait dominer par les doutes. Peut-être avait-elle pris sa décision trop hâtivement? Son initiative allait-elle détruire son couple? Mille pensées se bousculaient dans sa tête. Elle se rendait compte qu'elle avait blessé Vartan dans sa fierté, que la force qu'il avait affichée devant amis et ennemis cachait en réalité une vulnérabilité attendrissante. «Comme d'habitude, j'ai été trop impulsive, mais ce qui est décidé se fera. Il faut que je cesse de culpabiliser», se dit Maro.

***

Irving Leonard recommanda à Nour de s'adresser au détective Charles Burto. «Tu verras, lui dit-il au téléphone, ce n'est pas le style Sherlock Holmes, mais c'est un excellent professionnel. Il est au service de notre cabinet depuis un bon bout de temps et il s'est toujours très bien tiré d'affaire. Discret et efficace. Il va te plaire. Je suis d'accord avec toi, tu as besoin d'un type du métier pour compléter votre duo d'amateurs, ton avocate et toi.»

***

Comme il fallait s'y attendre, les trois principaux quotidiens d'Istanbul, *Milliyet*, *Hüriyet* et *Cumhuriet* reprirent les commérages du *New York Times* au sujet de Nicole et de Nour.

Altan décrocha son téléphone, en espérant que la communication ne serait pas trop longue à obtenir.

— Ce n'est pas normal, insistait-il. Je ne vois pas pourquoi, tout à coup, la presse à sensation s'intéresse à toi, surtout chez nous. Tu n'avais jamais défrayé la chronique auparavant et, soudain, tu fais l'objet d'un article, à vrai dire très insipide, mais avec une photo à l'appui pour qu'on te reconnaisse bien. Tu ne vas pas me dire qu'il n'y a pas quelque chose de louche là-dessous?

— Oui... peut-être... Cela n'explique pas pourquoi tu t'énerves autant. Je suis jeune, riche et célibataire. Ce genre de bêtises intéresse pas mal de lectrices. C'est bon pour les ventes du journal.

— Cela crée bien trop de remous à mon goût. Surtout quand trois quotidiens turcs reprennent l'information, si on peut appeler ça de l'information. C'est suspect, insistait Altan. Il y a des dizaines d'hommes comme toi qui dînent tous les soirs au restaurant du Waldorf en compagnie d'une jeune femme et ils ne font pas l'objet d'un article dès le lendemain matin.

— Je me demande si tu n'es pas en train de faire une crise de paranoïa en inventant un complot contre moi. Ces histoires de flirt à New York, tout le monde s'en fout à Istanbul. Aucun célibataire n'a jamais été discrédité parce qu'il buvait un verre avec une jolie fille, bien au contraire!

Altan était déçu par le ton désinvolte de Nour, il s'apprêtait à lui répondre vertement quand la liaison avec la Turquie fut coupée. Il était furieux de le voir faire les frais des commérages. Il restait indulgent pour ses frasques, mais cet étalage de sa vie privée le consternait. Et plus il y pensait, plus il était convaincu que c'était une manœuvre pour le discréditer. Si cette manœuvre visait à écarter Nour des affaires familiales à son retour des États-Unis, Altan devinait qui tirait les ficelles. Ramazan était tout désigné, lui qui n'avait jamais accepté d'être écarté de la direction de l'Empire Kardam. «Il a mis une sourdine à ses prétentions du vivant de papa mais, désormais, il agit. Graisser la patte de quelques journalistes ne lui a pas posé de problème. J'espère me tromper, mais ça m'étonnerait», se dit Altan.

* * *

La courte averse nocturne avait purifié l'air de Manhattan. Les gratte-ciel s'échangeaient les rayons du soleil matinal en faisant miroiter leurs façades vitrées. Une belle journée d'automne s'annonçait.

En route vers les bureaux de l'*Armenian Free Press*, le taxi traversa la ligne de métro aérien. Dans le quartier, les piétons semblèrent se multiplier, pour devenir aussi nombreux que les nids-de-poule qui trouaient la chaussée. À part les panneaux publicitaires des magasins, Nour aurait pu se croire dans une des rues commerçantes d'Istanbul. Des marchands de hot-dogs agitaient leurs clochettes pour attirer le chaland, une nuée de porteurs transbahutaient des piles de caisses et de cageots de fruits, un livreur jetait, depuis son triporteur, des piles de journaux et de magazines qui atterrissaient sur le trottoir aux pieds des passants. À l'entrée du métro, deux clochards faisaient la quête…

— Vous êtes sûr que c'est bien l'endroit? demanda Nour lorsque le chauffeur de taxi s'arrêta devant une porte.

— Oui, monsieur, c'est l'adresse, répondit-il sur un ton chantant, en désignant une porte étroite à côté d'une quincaillerie.

Nour ne vit aucune indication, pas même un numéro. L'escalier étroit qui menait à l'étage, au-dessus de la boutique, ressemblait à ceux qu'empruntaient les domestiques dans les anciens *konaks* ottomans. Il grimpa les marches et ouvrit avec méfiance l'unique porte du palier. Il se retrouva devant des piles de journaux entassées jusqu'au plafond. Un jeune homme et deux femmes d'un certain âge, installés derrière des bureaux maculés d'encre, tapaient sur leur machine avec tant de concentration qu'aucun d'eux ne le vit entrer. Une grande carte de l'ancienne Arménie ornait un mur. À gauche, une salle vaste et sombre où cliquetaient des machines à imprimer. À droite, la porte était grande ouverte, Nour aperçut une employée aux cheveux blancs dont le bureau encombré de dossiers lui faisait face. Elle leva les yeux, enleva ses lunettes et lui demanda en quoi elle pouvait lui être utile.

— J'aimerais passer une annonce.

— Certainement. Avez-vous rédigé le texte?

— Je l'ai écrit en anglais. Auriez-vous la gentillesse de le traduire pour moi en arménien?

Nour sortit de sa poche une feuille à l'en-tête du Waldorf Astoria et la lui tendit.

183

La femme remit ses lunettes et lut lentement le message, en pinçant les lèvres. Elle lui jeta un regard interrogateur et relut le texte.

Urgent. Recherche Maro Balian, née Tévonian, le 14 septembre 1891, à Istanbul. Madame Balian est la bénéficiaire d'un héritage important. Une récompense sera offerte à toute personne susceptible de fournir des renseignements permettant de prendre contact avec Mme Balian. Joindre l'exécuteur testamentaire, Nour Kardam, au Waldorf Astoria, New York.

Elle le regarda de nouveau, cette fois avec un regard plus amène.

— Si vous voulez attendre un moment, je vais faire la traduction.

Nayiri apparut dans l'encadrement de la porte. Elle s'appuya contre le mur, le cœur battant : le jeune homme mince et élancé qui se tenait devant elle, les yeux d'un vert étincelant, était bien le même homme qu'elle avait entrevu au Waldorf!

— S'il vous plaît, venez dans mon bureau. Je peux certainement vous aider.

Nour tourna la tête vers la voix et se trouva face à face avec la femme qui l'avait tant impressionné. Naturelle, portant un simple jeans et sans maquillage, elle lui parut encore plus belle.

— Je m'appelle Nour Kardam.

Il hésita un moment et ajouta :

— Je pense vous avoir aperçue au Waldorf.

Les yeux de Nayiri s'allumèrent d'une lueur moqueuse.

— En effet, monsieur Kardam.

Oui, Kardam, c'était bien le nom qu'elle n'avait pas pu saisir l'autre nuit.

184

— Je remplace ma mère pendant son absence. C'est la rédactrice en chef du journal. Je m'appelle Nayiri Armen.

— Nayiri…

Nour prononça «Nayiri» avec une intonation inhabituelle qui sembla des plus romantiques à la jeune femme.

— Je suis avocat à Istanbul. Je suis mandaté pour retrouver la personne en question.

Nayiri parut étonnée.

— Vous venez spécialement de Turquie? Ça doit être important!

Elle se sentit prête à lui avouer que publier l'annonce ne serait pas nécessaire, mais ne succomba pas à la tentation. Elle était ravie de le revoir et pleine de curiosité d'en apprendre plus long à son sujet. Un avocat turc qui recherchait sa mère! Un héritage!

— Oui, il s'agit d'un héritage comme il est écrit dans l'annonce, mais je suis désolé, je ne peux vous en révéler tous les détails. Je suis tenu par le secret professionnel.

— Je comprends, répondit Nayiri sans se rendre compte qu'elle le dévorait du regard.

En outre, cette histoire complètement loufoque l'intriguait au plus haut point : un avocat avait traversé la moitié du monde pour apprendre à sa mère qu'elle allait avoir un gros héritage! N'importe quoi! Elle se demandait quelle tête allait faire son père, quand il apprendrait qu'un émissaire turc était à la recherche de sa femme pour lui remettre des coffres plein d'or et de pierres précieuses…

— Je m'occuperai personnellement de la parution de votre annonce. Elle paraîtra dès demain dans le journal.

— Merci, Nayiri.

Le téléphone se mit à retentir. En décrochant le récepteur, Nayiri secoua ses cheveux bouclés d'un mouvement provocant.

— Oui, papa. Je suis occupée pour l'instant. Je te rappellerai dans un petit moment.

— Je ne vous retiendrai pas plus longtemps, dit Nour.

— Pas du tout, cela m'a fait plaisir, le rassura Nayiri.

Puis elle rajouta :

— Parfois les gens nous appellent au lieu de téléphoner au numéro indiqué dans l'annonce. Peut-on vous joindre facilement au Waldorf?

Elle voulait juste vérifier si Nour logeait à l'hôtel.

— Oui, bien sûr, appartement 4119.

Elle lui sourit. «Il vient de me donner le numéro de sa chambre, si je comprends bien», se dit-elle, ravie de l'aubaine.

— Pendant combien de temps resterez-vous à New York?

— Le temps de retrouver madame Balian. Mais j'ai un délai à respecter. Mon mandat expire dans quelques semaines, et le temps presse, je le crains. Si, de votre côté, vous pouvez recueillir des informations, j'en serais très heureux. N'hésitez pas à prendre contact avec moi à mon hôtel, à n'importe quelle heure. Le moindre détail peut m'être utile pour retrouver la piste de cette personne.

Nayiri savait ce qu'elle allait faire. Le laisser retourner à son hôtel et l'appeler dans la soirée pour lui dire qu'elle avait un renseignement à lui communiquer d'urgence. Ainsi, elle ne lui ferait pas mauvaise impression en se montrant trop empressée. Une chose était sûre : elle n'envisageait pas une seconde de le perdre.

* * *

De retour à son hôtel, Nour eut une pensée pour Ésine. Comme Altan, elle avait dû lire les journaux et devait être furieuse. La moindre des choses était de l'appeler pour rétablir la vérité.

Elle fit semblant de ne pas être au courant et se répandit en bavardages pour donner le change. Puis elle lança :

— Félicitations, Nour, Nicole est vraiment une belle fille, c'est le bon choix pour passer un agréable séjour à New York. Pas étonnant que tes recherches s'éternisent…

Nour eut toutes les peines du monde à lui faire entendre raison. Il lui proposa de prendre le premier avion et de venir le rejoindre pour juger par elle-même, sur place. Il en voulait à la presse turque. Non seulement les ragots étaient, comme il se doit, remplis de mensonges, mais ils ternissaient encore plus sa réputation en le présentant comme un sinistre coureur de jupons.

— Allons, Ésine, ne soit pas aussi naïve. Ma relation avec Nicole est strictement professionnelle, cela arrange certainement quelqu'un de faire de moi un play-boy frivole plutôt que de me désigner comme un dirigeant responsable. Quelqu'un qui cherche à me nuire. Ne t'en fais pas la complice, je t'en prie.

Ésine se sentait piquée par la jalousie, bien plus qu'elle ne l'aurait souhaité. Elle ne voulait pas couper court à leur conversation sur une note amère. Elle voulait le croire et ne pas se sentir obligée de remettre leur relation en question pour une raison aussi futile. L'absence de Nour lui avait donné assez de temps pour faire le point. Elle l'aimait… mais elle attendrait son retour pour lui en faire l'aveu.

Nour s'en voulut de s'être fait piéger et d'avoir ébranlé la confiance d'Ésine.

— Je ne peux pas t'en dire plus. J'ose seulement espérer que tu pourras me faire confiance et oublier ces articles.

Les dernières paroles d'Ésine furent peu encourageantes.

— Je suis contente que tu sois à New York. Cela nous donnera du temps pour réfléchir sereinement à notre avenir.

Puis elle raccrocha.

15

Nayiri passa son début d'après-midi à peaufiner sa stratégie. Il fallait qu'elle organise la rencontre de sa mère et de Nour Kardam. Elle voulait temporiser avant d'avertir Maro. D'abord, la laisser en paix, le temps pour elle de se calmer après les disputes et les affrontements qui s'étaient succédé ces derniers jours. Et puis, l'annonce d'un fabuleux héritage oriental nécessitait une mise en scène originale, à la mesure de l'événement. Il s'agissait aussi de faire en sorte que son père n'explose pas en invectives s'il apprenait que le généreux légataire était, par malheur, dans le camp de l'ennemi héréditaire, le camp des Turcs.

Prendre son temps signifiait aussi passer de longues heures avec cet inoubliable avocat aux yeux verts. Il ne faudrait pas non plus le mener en bateau trop longtemps, car il risquait d'être furieux et de tourner les talons en la plantant là. Nayiri avait envie de distiller les renseignements qu'elle lui apporterait de manière à prolonger, très égoïstement, la mainmise qu'elle avait sur cette affaire. « Pas très joli tout ça, mais je n'en ai même pas honte », se disait-elle, excitée.

Nayiri s'était lancé un défi : retenir Nour Kardam à New York. Ne lui avait-il pas dit qu'il comptait retourner à Istanbul dès qu'il aurait retrouvé Maro Balian ? Cela voulait dire qu'elle pouvait, à sa guise, mettre fin ou prolonger son flirt avec Nour. Il suffisait de lui dire : « Maro Balian, je sais où elle est, c'est ma mère. » Il prendrait son avion et elle ne le reverrait plus jamais. Bien entendu, il n'était pas question qu'elle prive sa mère d'un héritage, d'autant plus que la famille ne roulait pas sur l'or. «Modeste, mais honnête, la famille», disait Jake par dérision.

Pour séduire, Nayiri savait qu'elle pouvait compter sur son physique. Les hommages vibrants que les hommes lui adressaient et le nombre de prétendants qu'elle avait éconduits témoignaient en sa faveur. Le regard de Nour Kardam n'était pas équivoque. Elle était certaine qu'il avait mordu à l'hameçon, il ne lui restait plus qu'à ferrer et ramener le beau jeune homme dans les mailles de son filet. Elle le voulait, elle l'aurait.

* * *

Nayiri rassembla ses papiers et, tandis qu'elle se dirigeait vers le bureau de sa mère, elle se rappela soudain l'invitation à dîner de Greg. Passer la soirée avec son fiancé était bien la dernière chose qu'elle avait envie de faire. Tout à coup, il lui paraissait bien fade. C'est vrai, il était toujours très «comme il faut», bien soigné dans son éternel costume trois-pièces, jamais un mot plus haut que l'autre, respectueux des coutumes familiales jusqu'à la complaisance. Vartan l'appréciait pour son attachement aux traditions arméniennes, Maro pour son mérite à s'être élevé, à la force du poignet, au-dessus de sa modeste condition de fils d'immigrants sans le sou. Araksi et Azniv, les sœurs de Nayiri, le trouvaient trop sérieux, pour ne pas dire parfaitement ennuyeux. «Incolore, inodore et sans saveur», avait conclu Jake. Nayiri allait devoir jongler avec lui. «Pour faire une bonne intrigante, il faut savoir mentir», se dit-elle en composant le numéro de téléphone de Greg.

Nayiri prit prétexte d'une indisposition tenace pour expliquer qu'elle ne pouvait participer au repas avec leurs amis.

Son mensonge n'était pas très convaincant, mais Greg, particulièrement débordé par son travail, ne prêta que peu d'attention aux explications de sa fiancée. Elle n'était pas fière de son invention, mais l'essentiel était d'avoir quartier libre pour se rendre au Waldorf.

Quant à Nour, elle se demandait quelle raison lui faire valoir pour faire irruption à son hôtel quelques heures à peine après l'avoir quitté. De toute façon, quoi qu'elle dise et fasse, il saurait un jour la vérité au sujet de sa mère. Tant pis. Elle lui avouerait qu'elle était attirée par lui, ce qui était la meilleure des excuses, et elle avait d'excellents arguments pour se faire pardonner.

En moins de temps qu'il n'en faut pour le dire, Greg venait d'être relégué aux oubliettes.

— Je voulais vous confirmer que votre annonce paraîtra bien demain, dit-elle à Nour dès qu'elle fut en communication avec lui. J'ai réfléchi à une autre piste, j'aimerais bien vous en parler plus longuement, mais je dois terminer le bouclage du journal avant cinq heures…

— J'ai quelques coups de fil urgents à passer en Turquie. Donnons-nous rendez-vous au bar de l'hôtel dans deux heures, vous m'expliquerez tout ça. Je suis très heureux que vous ayez pris le temps de me rappeler, dit Nour qui avait de la difficulté à maîtriser son excitation.

« Si elle ne m'avait pas appelé, j'aurais bien fini par trouver un prétexte honorable pour le faire », se dit-il. Il surprit son visage dans le miroir et le trouva rayonnant.

* * *

Les cheveux au vent, Nayiri conduisit sa jeep devant l'entrée du Waldorf. Le portier resta déconcerté malgré une longue expérience de l'excentricité des clients fortunés qui fréquentaient l'hôtel. Il se demandait comment remplir sa fonction première qui était d'ouvrir les portières avec un véhicule qui n'en possédait pas.

Nayiri prit soin de vérifier sa tenue dans la vitre du tambour de la porte d'entrée et fut satisfaite de son inspection. D'ailleurs, quelques têtes se retournaient déjà sur son passage lorsqu'elle grimpa quatre à quatre les marches de l'escalier de marbre, au pied de la gigantesque horloge. Quelque chose d'étrange lui arrivait qu'elle ne cherchait pas à comprendre, elle flottait, comme dans un début d'ivresse, et cela lui plaisait. Elle n'était pas conviée à une rencontre ordinaire, elle était aussi émue que si elle se rendait chez un homme pour la première fois. Dans le hall, elle ralentit le pas pour prendre le temps de retrouver son calme.

— Bonsoir, Nayiri, je vous guettais, je vous ai vue arriver… Curieuse décapotable pour une jeune fille… mais, pourquoi pas?

Nayiri avait bien préparé une formule de présentation, mais elle fut incapable de s'en souvenir lorsque Nour prit sa main dans les siennes. Elle baissa les yeux et murmura une phrase qu'elle trouva bien banale. Les yeux verts de Nour lui avaient encore fait perdre le nord.

— Vous conduisez toujours une jeep de l'armée, ou c'était juste pour étonner le portier de l'hôtel?

— Non, elle est à moi. Ça change un peu des voitures qui circulent habituellement dans Manhattan, et puis ça me permet de m'aérer.

— Je vous propose de dîner sur place à l'hôtel, si cela vous convient. Cela nous évitera de perdre du temps en déplacements. J'ai hâte que vous me racontiez vos dernières trouvailles. Venez.

— Vous jouez du piano? demanda soudain Nayiri alors qu'ils passaient devant le salon baptisé *Peacock Alley* par les habitués.

— Pas très bien, répliqua Nour, surpris par la question. Pourquoi?

— Parce que, dans ce salon, il y a le piano sur lequel jouait Cole Porter lorsqu'il résidait à l'hôtel. C'est là qu'il a composé son célèbre *Kiss me Kate*.

— Comme musicien, je ne suis pas du tout à la hauteur! Allons dîner, c'est encore ce que je sais faire de mieux.

Le restaurant de l'hôtel était réputé pour sa cuisine française. Quand elle fit son apparition, Nayiri suscita le plus grand intérêt chez la clientèle masculine et, avec une plus ou moins grande discrétion, les messieurs apprécièrent ses formes moulées dans une robe noire et ne purent s'empêcher de la suivre du regard tout le long de son passage… Quelques épouses manifestèrent des signes d'impatience. Nour, dans un complet d'alpaga bleu nuit, était flatté de traverser la salle en tenant le bras d'une femme si attirante. Il observait à la dérobée son teint hâlé exempt de tout maquillage, si ce n'était une légère teinte corail sur les lèvres, et ses longs cils noirs qui rehaussaient un profil grec dessiné à la perfection.

Le maître d'hôtel disparut comme par enchantement, après avoir pris leur commande.

— Votre annonce paraîtra demain, dit Nayiri, esquissant un sourire timide avant de se plonger dans les yeux verts de son hôte.

— Merci. J'apprécie.

— Du nouveau dans vos recherches?

— Absolument rien. J'espère que l'annonce m'apportera plus de chance.

Nour l'amusa en lui racontant ses aventures de l'après-midi au diocèse arménien d'Amérique : «Au moment où je leur ai dit que je venais de Turquie, ils ont eu un mouvement de recul comme si j'étais un pestiféré ou comme si j'allais brandir mon yatagan et leur couper le cou. Je suis consterné par leur attitude. »

Nayiri imaginait la réaction de son père quand il apprendrait que sa fille avait passé la soirée en tête-à-tête avec un Turc. Vert de rage. L'ennemi héréditaire tenant la main de sa fille! Plus le temps passait, plus il lui apparaissait que son père, empêtré dans ses convictions surannées, menait un combat d'arrière-garde qui n'intéressait plus les nouvelles générations.

Nour l'interrogea sur sa famille, ses origines. Nayiri répondit de façon évasive, ne sachant plus trop jusqu'où elle devait aller dans ses confidences pour ne pas se dévoiler. Voyant qu'elle était mal à l'aise, il aborda un autre sujet et choisit des questions plus personnelles.

— Je n'ai pas grand-chose à dire de moi-même, si ce n'est que je suis une jeune fille américaine ordinaire, née de parents arméniens naturalisés américains. Je termine une maîtrise en psychologie à Columbia University. Et… voilà!

Nayiri ne fit aucune allusion à sa relation avec Greg. Pour l'instant, il était bien loin de ses préoccupations.

— Et cette nouvelle piste dont vous m'avez parlé au téléphone? lui lança-t-il, visiblement intéressé.

Nayiri s'attendait à cette question, mais elle se troubla.

— La piste? Je dois vous avouer que… qu'il n'y en a pas. C'était un prétexte pour vous revoir. Croyez-moi, cela ne m'est jamais arrivé auparavant de me conduire ainsi. Je suis vraiment confuse. Je ne sais pas ce qui m'a pris. J'avais une envie folle d'être avec vous.

Nour lui prit la main et plongea ses yeux dans les siens.

— Rassurez-vous, si vous n'étiez pas venue ce soir, demain à la première heure, je serais allé vous voir au journal.

Seul un profond silence pouvait succéder à l'audace de ces aveux réciproques. Ils ne prononcèrent plus un mot jusqu'à ce que la salle du restaurant ait disparu, emportant avec elle le ballet des serveurs, le cliquetis lointain des couverts, les conversations feutrées des convives. Nayiri perdait pied dans les yeux verts, Nour succombait à la langueur des grands yeux noirs, seuls dans leur jardin secret au beau milieu du Waldorf.

Quand le charme fut rompu, Nayiri laissa libre cours à sa curiosité. Elle voulait tout savoir : qui était le généreux donateur, pourquoi il avait choisi Maro Balian, à combien de dollars s'élevait l'héritage, pourquoi Nour semblait si concerné, pour quelle raison un avocat américain n'aurait pas fait l'affaire…

Laissant passer l'avalanche de questions, Nour se réfugia derrière le secret professionnel pour éviter de donner trop de détails. Nayiri regretta qu'il ne puisse en dire plus long et poursuivit dans un domaine plus personnel. Il dut composer un personnage assez éloigné de la réalité, car il n'avait pas envie d'expliquer les multiples facettes de sa famille, ni de révéler sa fortune ou ses soucis. Il insista sur les études qu'il avait faites aux États-Unis et sut se dépeindre travailleur et dilettante, sentimental et pragmatique, solitaire.

Par ailleurs, Nour débordait d'une curiosité insatiable pour tout ce qui avait trait à cette jeune femme. Il aurait voulu tout savoir, des plus infimes détails de sa vie aux pensées les plus secrètes, mais il redoutait pareillement d'en apprendre trop, car il était déjà jaloux qu'elle ait vécu sans lui, jaloux des hommes qu'elle avait connus. Il ne pouvait la comparer à aucune autre femme, aucune n'ayant su faire naître cette foule d'émotions qui le submergeait. Ces derniers temps, il avait à peine pensé à Ésine, et il n'en ressentait ni gêne, ni honte, ni remords. Depuis sa rencontre avec Nayiri dans les bureaux de l'*Armenian Free Press*, il s'interrogeait sur la signification exacte de sa liaison avec Ésine et il en était arrivé à une conclusion qui lui convenait fort bien : Ésine habitait sur une autre planète.

— Vous remplacez souvent votre mère au journal?

— Non, c'est très rare. Mais, en ce moment, elle est souffrante. J'ai un travail à temps partiel chez Macy's, pour payer le carburant et l'huile de mon carrosse.

— Alors, c'est vraiment une chance que nous nous soyons rencontrés au journal, car je ne mets jamais les pieds chez Macy's.

— D'autant que je suis au rayon des petites culottes en dentelle! À moins que vous ayez un cadeau à faire à votre fiancée, je ne vous imagine pas faire vos achats au milieu de toutes ces braves femmes…

— Je n'ai pas de fiancée et…

Nayiri n'écouta pas le reste de la phrase, son cœur avait bondi en entendant ces mots. Il était libre, il n'y avait pas de rivale dans le décor.

Pendant que Nayiri lui décrivait ses démêlés avec les clientes du magasin, Nour entendait sa dernière phrase lui revenir comme un écho : «Je n'ai pas de fiancée…», et il se demandait si c'était bien lui qui l'avait prononcée. Comment avait-il pu dire ces paroles qui scellaient définitivement le sort d'Ésine? Que lui arrivait-il?

Un peu plus tard dans la soirée, un autre portier, aussi étonné que son collègue, garait la jeep de Nayiri devant l'entrée de l'hôtel.

— Pourquoi ne donnez-vous pas le volant à quelqu'un pour vous reconduire à une heure aussi tardive? demanda Nour.

— Ce n'est pas Istanbul ici. J'ai l'habitude. En plus, qui va me conduire?

— Moi, si vous me prêtez la voiture.

Elle éclata de rire. Et, soudainement, elle l'entoura dans ses bras.

Il la serra fort contre lui. Sa bouche happa ses lèvres pendant un long moment.

L'espace d'un instant, Nayiri resta figée, incapable de réagir. Sa surprise se transforma en désir fulgurant.

— Je ne sais pas ce qui m'arrive, murmura-t-elle. D'accord, raccompagnez-moi.

Aucun son ne sortit des lèvres de Nour. Il était trop heureux de passer encore un moment avec elle.

16

Altan faisait trotter son pur-sang arabe, en direction de Gaziantep. Comme tous les jours à midi, il suivait le chemin de terre serpentant à travers un réseau de remblais, qui le ramenait chez lui. C'était autrefois la route que les caravanes empruntaient pour se rendre d'Antep à Alep. Parvenu au cœur du plateau, Altan longea les ruines du vieux caravan-sérail dont l'enceinte de terre ocre se dressait encore comme un rempart dérisoire. Les iris sauvages bordaient le pied des murs d'une ligne violacée, contraste singulier avec la sil-houette sombre aux contours brisés de la bâtisse en ruine. Malgré les rayons d'un soleil écrasant, Altan arrêta son cheval un instant pour admirer un spectacle dont il ne se lassait jamais, les champs de coton en fleurs, désertés à cette heure de forte chaleur. Dressé sur sa monture, il paraissait encore plus imposant, sa chemise de coton blanc entrouverte dé-voilait un torse puissant. «Une force de la nature», disait-on de lui. Il se leva sur les étriers et, d'un regard sombre, il balaya l'horizon pour graver dans sa mémoire la moindre fleur, la moindre pierre, l'odeur âcre des moissons, tout ce dont il aimerait se souvenir lorsqu'il serait à Istanbul. Il salua ses terres en levant son chapeau de paille à larges bords et piqua des éperons pour lancer son cheval au triple galop.

Le sentier caillouteux qu'il empruntait se perdait dans une mer d'iris violine. Partout où se portait sa vue, les fleurs sauvages déclinaient toutes les teintes d'écarlate, de pourpre et de grenat, jusqu'au manoir lointain, à l'autre extrémité des champs de coton. Une petite tribu de Kurdes s'était installée au bord de la route et leurs feux de camp se consumaient lentement devant les tentes. En dépit de la chaleur insupportable, les nomades faisaient bouillir le lait qui leur servirait à préparer le yogourt. À la chaleur des flammes et sous leurs coiffes ouvragées, les femmes transpiraient à grosses gouttes. Le repas devait être prêt lorsque leurs maris reviendraient des champs. Non loin, deux chameaux entravés blatéraient bruyamment.

Altan mit sa monture au trot et se laissa porter jusqu'aux limites du domaine. Perdu dans ses pensées, il eut à peine le temps de distinguer deux ou trois silhouettes qui filaient hors d'un vieux hangar en tôles ondulées passablement rouillées. Intrigué, il relança son cheval, mais trop tard pour espérer rattraper les hommes qui s'étaient enfuis dans les bois. Il mit pied à terre et pénétra dans l'entrepôt désaffecté. Il eut la surprise d'y découvrir des ballots de tabac fraîchement emballés et qui, normalement, n'avaient rien à faire là. Il nota l'adresse du destinataire, une société new-yorkaise et se promit de faire une enquête.

Sur le chemin du retour, Altan aperçut de loin Mémo, son vieux serviteur, monté sur son petit cheval bai, qui galopait dans sa direction, sous le soleil brûlant de midi.

S'approchant de son maître, Mémo tira sur les rênes et ralentit sa monture, qui se mit à trotter avant de s'arrêter devant Altan.

— Effendi, Nour Bey vient de téléphoner, il souhaitait avoir de vos nouvelles.

— Merci, Mémo. Tu iras jeter un coup d'œil sur ce campement kurde, derrière les remblais, il ne faudrait pas que leurs feux restent sans surveillance. Avec cette canicule, ce serait la catastrophe s'il y avait un incendie…

Altan aimait bien la compagnie de Mémo. Son visage était grêlé de cicatrices rondes, séquelles du furoncle d'Alep, une infection dont la majorité des hommes du sud-est de l'Anatolie avaient souffert. Serviable sans être obséquieux, il connaissait les moindres recoins du domaine et Altan pouvait se fier à sa sagacité. Mémo restait le fidèle parmi les fidèles et s'acquittait à la perfection de son rôle d'aide de camp.

Altan lança son pur-sang vers son manoir qui se découpait dans le lointain, comme une île dressée au milieu du vert profond des plantations. Il avait hâte de raconter sa découverte à son frère.

* * *

— Toi aussi, tu fais de la parano! lui avait répondu Nour, lorsque la communication fut enfin établie et qu'Altan lui eut raconté sa découverte du matin. Je te rappelle que la principale activité de Kardam et Fils International, c'est le commerce du tabac...

— Attends la suite! Je me suis renseigné auprès des ouvriers et personne ne semblait au courant de la présence de ces ballots dans ce hangar. Finalement, il y en a un qui m'a assuré que c'était Ömer Bédir qui lui avait demandé de les déposer là... La voix d'Altan avait baissé d'un ton, comme s'il faisait une confidence dans le creux de l'oreille de son frère.

Nour perçut le malaise d'Altan, mais il voulait en savoir davantage.

— Ömer Bédir... le contremaître que vous avez trouvé assassiné?

— Tout juste! Ça fait un peu trop de coïncidences pour que ce soit honnête.

Les deux frères commençaient à être convaincus que les expéditions de tabac de la Société Kardam servaient de

201

couverture à un autre trafic. «Et j'ai bien peur qu'il s'agisse d'opium», avait surenchéri Altan.

Depuis la nationalisation, le gouvernement en avait interdit l'exportation, mais pas la culture. Il fallait bien que la récolte de pavot aille quelque part. L'Agence gouvernementale ne pouvant traiter toute la production, l'excédent quittait le pays illégalement.

— Je compte mener mon enquête avec des serviteurs fidèles. Il y a trop d'argent en jeu pour faire confiance à la police locale. Tu en sais autant que moi, quelques bakchichs bien placés et l'affaire s'enlise. Et puis, il y a d'autres noms qui circulent. Avant d'aller trop loin, il faut vérifier, proposa Altan qui avait repris une voix normale.

Nour se faisait du souci pour la sécurité de son frère aîné qui, sûr de sa force, se montrait parfois trop téméraire.

— Sois prudent. Donne-moi le nom du destinataire des ballots de tabac, je vais voir ce que je peux faire.

— C'est Independant Tobacco Company, avec une adresse à New York, rue Bowery, je crois. Un nouveau client dont le patron serait un certain Ebenezer. Je te télégraphie tous les détails dès que je reviens au bureau. Ici, je n'ai rien sous la main. Au fait, Nour…

— Oui…

— J'ai hâte que tu rentres.

* * *

Cela faisait bien longtemps que Touran et Ramazan ne s'étaient pas retrouvés face à face. Pour la circonstance, ils s'étaient donné rendez-vous au café Pierre-Loti dont la terrasse surplombait la vieille ville. Accoudé à la rambarde, Ramazan ne daigna pas accorder un coup d'œil à la Corne d'Or qui miroitait dans le lointain et fixa son regard dans le vide. Tourmenté par sa sempiternelle mauvaise humeur, il dédaignait les joyaux de l'architecture que la ville étalait à ses pieds, comme il dédaignait de s'intéresser à ce qui l'entourait, vieilles pierres, animaux, humains... Ramazan dédaignait tout, sauf lui-même.

Lorsque Touran vint le rejoindre, ils prirent place à une table basse très à l'écart du reste de la salle. Touran était soucieux. Peu souriant de nature, ses traits crispés et ses sourcils froncés lui donnaient un air plus revêche encore. Il était furieux contre Ramazan. Sa volte-face, le jour de la lecture du testament, avait eu des conséquences fâcheuses pour lui. «Je me demande ce qui a pu traverser la tête de ce gros imbécile pour céder à Altan tout le pouvoir», s'était-il répété ces derniers jours sans trouver de réponse à sa question.

— Tu as lu les journaux? demanda Ramazan. Ebenezer a fait du bon travail avec ce journaliste. Un article et une photo dans le *New York Times*. Je n'ai eu qu'à passer quelques coups de fil et la presse turque le reprenait en chœur. Ce merdeux de Nour doit faire une sale tête. Son amie Ésine aussi, par la même occasion.

— À la longue, nous arriverons bien à discréditer ce jeune idiot. Encore un peu d'effort et toute la famille se rangera de notre côté, à part Altan et Chahané, comme d'habitude, mais ils seront vite isolés. Pour le reste, où en sommes-nous?

— Ebenezer mène son enquête sur Maro. Pour l'instant, ça n'a rien donné. Ou elle est morte ou elle est bien planquée quelque part en Amérique. Si elle n'a pas crevée dans un coin, elle refera surface, attirée par l'odeur des dollars. Elle et son bâtard, on ne s'en débarrassera pas aussi facilement.

— Ne t'emballe pas. On fera ce qu'il faut. Pense un peu aux retombées qu'il y aura pour notre famille quand on remettra le chèque à l'Université d'Istanbul. On sera en première ligne. Je vois ça d'ici : les aînés des Kardam, Touran et Ramazan, remettent un chèque d'un million de dollars...

– Oui, et on fera le plus grand battage qui soit dans les journaux. J'ai des amis bien placés qui me doivent pas mal de services.

– Les gens sauront se le rappeler quand on se présentera aux prochaines élections.

– Nous n'allons pas laisser cette fortune filer n'importe où. On aurait bonne mine! Tu nous imagines en train de raconter que notre père a fait hériter une parente éloignée et, qui plus est, exilée aux États-Unis! Pour peu qu'elle clame qu'elle est arménienne, quel scandale!

– Ça, je ne le laisserai jamais faire!

– En attendant, tu vas donner carte blanche à Ebenezer. Qu'il emploie tous les moyens pour trouver cette femme avant ce bâtard de Nour. Qu'il lui mette des bâtons dans les roues, qu'il lui jette des filles dans son lit puisqu'il a l'air d'aimer ça. Si on trouve cette Maro Balian avant Nour, on trouvera bien le moyen de la faire taire avec une poignée de dollars…

– Non, on ne va pas se laisser marcher sur les pieds par ces… foutus Arméniens!

– Calme-toi. Je te dis que nous allons régler cette affaire. Mais il faut faire vite, tout doit être en ordre avant mon départ pour Bonn. Je compte sur toi pour donner des ordres à nos gens de New York, c'est toi qui as le contact avec eux.

– Je sais ce que j'ai à faire!

– Et les frères Haydar, tu en es où avec eux? Ils ont fait trop d'erreurs, il faut que tu les mettes au pas avant ton départ. Je ne veux pas avoir à traiter avec ces deux nervis qui jouent aux hommes d'affaires. J'espère que tu es sûr d'eux, car ils commencent à en savoir un peu trop long à mon goût.

– Ne t'inquiète pas, je les ai bien en mains.

– Je l'espère pour toi!

* * *

Depuis sa soirée avec Nour, Nayiri ne cessait de penser à lui. Elle prenait son petit-déjeuner en solitaire dans son minuscule appartement, en se demandant si elle aimerait qu'il soit là. Est-ce qu'il apprécierait la vie avec elle? Rouler dans sa jeep, passer des soirées avec ses copains ou danser dans un club à la mode, parler de sa vie à l'université, de ses projets… Elle se rendait compte qu'elle ne savait rien de lui, et qu'il n'en connaissait pas plus à son sujet. Elle se trouvait tout à coup bien ordinaire et se disait que jamais elle ne saurait retenir un homme comme lui… Elle savait qu'elle était jolie, mais l'était-elle assez pour lui? «Toutes les femmes doivent lui tomber dans les bras, comment je vais faire, moi, avec toutes ces rivales dans les pattes? Bon! Côté mental, je suis normale, pas névrosée, je ne suis pas trop sotte, je fais des études, mais je voudrais qu'il me trouve brillante. Hier, j'ai dû paraître pédante avec mon anecdote de pianiste, il m'a certainement trouvée idiote… D'ailleurs, il ne m'a même pas appelée…»

La sonnerie du téléphone tira Nayiri de sa morosité. Elle bondit sur l'appareil et fut terriblement déçue d'entendre la voix de Greg. Mi-furieux, mi-inquiet, Greg se répandit en récriminations. Il ne comprenait pas le silence de Nayiri, son indifférence, sa froideur. Il lui parla de ses tourments, de ceux qu'elle causait à sa famille, à ses amis. Elle le laissa dérouler son long monologue pendant plusieurs minutes, sans l'interrompre. En un éclair, elle ne le supporta plus.

— Tu aurais été gentil de me demander de mes nouvelles avant de te répandre en lamentations sur ton sort. Quand tu te poses des questions à mon sujet, évite d'ameuter ma famille avec tes états d'âme dont personne n'a rien à f… faire. Au lieu de te poser des questions à mon sujet, tu ferais mieux de te regarder toi-même. Si je ne t'ai pas appelé, c'est que je n'avais rien à te dire. Quant aux amis, ce n'est pas que je n'ai plus envie de les voir, je ne tiens pas à les voir avec toi. Oui, j'aime bien sortir. Mais pas avec toi. Tout est toujours de mon fait, je ne suis jamais correcte! Toi, tu ne te remets jamais en cause, tu préfères rejeter la faute sur les autres, c'est plus facile pour toi, plus rassurant. Tu es un rabat-joie, Greg. Tu es le pire emmerdeur que j'ai jamais connu. Salut!

Voilà des mois que Nayiri cherchait un prétexte pour rompre. Ses sœurs avaient raison, il était ennuyeux. Jake avait raison, ce n'était pas un garçon pour elle. Elle était soulagée. Elle prit sa douche en chantant à tue-tête.

Nayiri s'apprêta avec soin, puis elle choisit sa plus belle robe et se précipita dans la rue.

* * *

Le hall de l'hôtel était en grande effervescence. Des groupes de touristes s'entrecroisaient, appareil photo en bandoulière, guide touristique à la main, qui cherchant son cicérone pour la visite, qui réclamant ses bagages… Chacun dans la foule s'agitait sans paraître avoir de but défini, interpellait un ami, brandissait une brochure en signe de ralliement, bousculait… Toutes les langues du monde semblaient représentées dans cette tour de Babel. Un petit bonhomme noiraud, vêtu d'une chemise à fleurs tahitiennes distendues par sa bedaine et d'un bermuda citron, prit Nour par le coude et lui désigna du doigt la gigantesque horloge qui dominait le hall. Dans un anglais approximatif, il lui expliqua qu'elle avait été réalisée en 1893, à l'occasion de l'Exposition universelle de Chicago, et provenait de l'ancien hôtel détruit pour faire place à l'Empire State Building. Il se recula d'un pas et s'exclama : « *Senti! Que bella!* », adressa un clin d'œil à Nour et s'en fut rejoindre son groupe de visiteurs.

Nour le regardait, en souriant, se fondre dans la foule, lorsque son attention fut attirée par une silhouette connue. Entre le comptoir du concierge et le tableau d'affichage, Nayiri fit son apparition.

De peur qu'elle disparaisse dans le flot des touristes, il ne la quittait pas des yeux. Il comprit que quelque chose d'important allait se passer pour qu'elle vienne, dès le matin, à sa rencontre. Tandis qu'ils marchaient l'un vers l'autre, elle accéléra le pas et se jeta dans ses bras. Il l'enlaça tendrement et lui posa un baiser chaste sur le front.

— Il fallait que je vous voie, dit-elle.

— Moi aussi. Je ne voulais pas seulement vous téléphoner, je voulais vous voir, j'allais à votre journal.

— Trop tard, je suis là.

— Allons faire un tour. Il y a trop de monde ici.

— Je vous suis. Je me demande pourquoi vous avez choisi cet hôtel Art déco, ça ne vous ressemble pas.

— Pour me cacher au milieu des célébrités… Non, en fait, c'est ma société qui a fait la réservation.

— Je vous propose une balade dans le quartier, ça vous va?

Pendant qu'ils se dirigeaient vers la 5ᵉ avenue, Nayiri lui demanda où en étaient ses recherches. Nour haussa les épaules.

— Je me demande si ces annonces servent à quelque chose. Deux personnes seulement ont répondu à l'annonce du *New York Times*. Une femme d'un certain âge affirme que Maro Balian est décédée, il y a longtemps, et prétend être sa seule parente, donc son unique héritière. La seconde personne, qui avait exactement le même âge que Maro, ne pouvait même pas dire où se trouvait Istanbul, elle pensait que c'était dans le Michigan. Échec total. Deux imposteurs qui tentaient leur chance pour remporter le gros lot. Si mon annonce dans votre journal ne donne pas plus de résultat, je vais devoir retourner bredouille à Istanbul.

Nayiri restait silencieuse, réfléchissant à toute allure. «Il va partir.»

— Je suis certaine que quelques jours de plus pourront faire toute la différence, répondit-elle. Parfois les gens ne lisent pas toutes les annonces, et ce sont des amis ou des connaissances qui les informent. Cela prend du temps.

— J'en ai assez d'attendre. Et si nous retournions à l'hôtel, vous voulez bien?

Nayiri ne releva pas cette remarque à double sens. Elle non plus ne voulait pas attendre.

* * *

Quand Nour revint de la réception, où il était allé prendre ses messages parvenus en son absence, il fixa Nayiri dans les yeux.

— J'ai demandé à ce que l'on nous serve le déjeuner dans mon appartement. Je ne supporte plus d'être examiné comme une bête curieuse chaque fois que nous allons au restaurant. «Et ça nous évitera de figurer dans la rubrique des potins de Lehman», se dit-il.

Nayiri reçut un tel choc qu'elle fut incapable de prononcer un seul mot. Elle marqua son accord total à la proposition de Nour en se dirigeant d'un pas ferme vers les ascenseurs. Ni l'un ni l'autre n'eurent besoin de poursuivre la conversation, leur décision était prise.

Nour s'effaça pour la laisser entrer. Nayiri fut davantage impressionnée par les dimensions de la suite que par le mobilier acajou délicatement orné d'incrustations en citronnier, qui lui parut sinistre. Elle se laissa tomber dans un fauteuil généreusement rembourré et considéra avec effroi la soierie en plissé derrière la vitrine en verre.

— Quelle horreur, cette tenture! dit-elle à Nour.

— Pur style Sheraton, les Nord-Américains en raffolent, paraît-il.

— Si vous ne trouvez pas Maro Balian, que se passera-t-il pour vous? Vous ne toucherez pas d'honoraires? Je ne vous connais pas bien, mais il me semble que vous en faites une affaire plus personnelle que professionnelle, je me trompe?

— Vous êtes perspicace. C'est vrai, il s'agit aussi d'une question personnelle.

— Qui vous touche de très près, n'est-ce pas?

La remarque de Nayiri troubla Nour, et le garçon d'étage qui cognait à la porte lui offrit l'occasion de différer sa réponse.

— ... et voilà, conclut Nour. Avez-vous aimé mon histoire?

Pour toute réponse, Nayiri ouvrit les bras et lui dit :

— Viens dans la chambre!

Elle jeta hors du lit toutes les couvertures et, plus rapide à se dévêtir que lui, elle s'allongea et détailla son corps. Elle le trouvait plutôt bien fait, avec des fesses superbes, et s'en régalait d'avance. Elle eut tout le temps d'admirer sa virilité et de mesurer son désir avant qu'il ne vienne s'étendre à ses côtés. Ils s'embrassèrent longuement, Nour lui caressant doucement les seins dont la pointe durcit dans la paume de sa main. Délaissant la bouche de Nayiri, il fit courir ses lèvres sur sa poitrine, la mordillant, soulignant ses rondeurs de la pointe de sa langue. Elle se prêtait à ces jeux, espérant qu'il s'enhardirait. Comme elle le souhaitait, il posa sa bouche à la naissance de son sexe, la faisant gémir de plaisir. La tête entre ses cuisses, Nour prolongea ses baisers dans la toison offerte. Elle se retenait pour ne pas crier, submergée par des vagues de chaleur jamais ressenties auparavant. Elle retarda son plaisir, planta les ongles dans la chevelure de son amant et lui souffla : «Prends-moi, maintenant!» Elle ferma les yeux et poussa un cri quand il la pénétra.

Quand ils reprirent leurs esprits, le soleil avait plongé entre les immeubles. Cette fois, ils firent honneur au chariot du repas resté intact depuis que le garçon l'avait abandonné là.

17

À Antep et le long du littoral de la mer Noire, les Kardam, dont la renommée remontait au XVIIIe siècle, étaient un symbole de sécurité pour les familles d'ouvriers et de paysans qui exploitaient leurs terres, un gage de prospérité pour les habitants de la région et de croissance économique pour le pays. Altan se demandait si quelqu'un de mal intentionné pouvait avoir une responsabilité dans les manifestations qui troublaient les plantations de tabac de Bafra. C'était possible, mais il ne comprenait pas bien à qui cela pouvait bénéficier.

Pendant son voyage en avion, Altan se remémorait la conversation qu'il avait eue avec Touran juste avant de décoller d'Ankara. La limousine noire avait frôlé la bordure du trottoir et s'était arrêtée à sa hauteur dans un chuintement de freins très aristocratique. Ramazan avait actionné le commutateur électrique et la vitre arrière s'était abaissée à mi-course. «J'ai quelque chose d'important à te dire, monte.» Altan avait été agacé par son ton impérieux, il ne s'était jamais habitué à ses phrases courtes et tranchantes. Ramazan traitait les gens, y compris sa propre famille, comme s'il commandait un bataillon. Le chauffeur tenait la portière grande ouverte, et Altan avait dû se plier en deux pour entrer. Il avait rabattu le strapontin destiné aux visiteurs de manière à s'asseoir face à son frère, imposant dans son costume bleu marine. Mais, comme d'habitude, l'eau de Cologne embaumait la voiture, à la limite du supportable.

Ramazan avait remonté la vitre qui l'isolait de son chauffeur avant d'aborder le sujet de leur entretien. «Il y a quelques minutes, Kénan m'a téléphoné. Les nouvelles sont mauvaises. Dans les plantations de tabac, à Bafra, certains de nos ouvriers se sont déjà mis en grève et n'en finissent plus de s'agiter. Je ne peux pas l'admettre. Tu dois intervenir rapidement afin de mettre un terme à cette situation fâcheuse. Où allons-nous si ces gens cessent le travail pour un oui ou pour un non? J'ai déjà informé de la situation les autorités de la province, et les gendarmes se tiennent prêts à intervenir, ce qui n'est toutefois pas souhaitable. En effet, il conviendrait d'éviter un affrontement direct avec les forces de l'ordre afin que la presse ne s'empare pas de l'affaire. Je ne veux pas que le nom de notre famille soit associé à de quelconques revendications sociales. Veille à calmer cette poignée de paysans et d'ouvriers, châtie les meneurs, quels qu'ils soient. Je ne veux pas que ça se reproduise. Je compte sur toi.»

Agacé par le discours de son frère, Altan était descendu de la voiture, sans faire de commentaire et avait salué son frère d'un sec *Hochtcha kal,* sois heureux.

* * *

Deux heures plus tard, il avait atterri à Samsun, l'un des plus grands ports de la mer Noire. Un taxi hors d'âge l'avait pris en charge devant l'aérogare et Altan se demandait si le tacot pourrait le conduire à destination. La banquette arrière en vinyle rouge, transpercée par ses ressorts, en était à sa dernière extrémité. Altan avait eu l'impression de s'asseoir directement sur le châssis de la Mercedes. Malgré tout, le chauffeur riait, chantait et semblait être l'homme le plus heureux du monde. Il expliqua à Altan que le véhicule faisait la dernière course de sa longue carrière, plus d'un million de kilomètres, précisa-t-il, et que dès le lendemain il la mettrait à la ferraille, ensuite son patron lui confierait une voiture flambant neuve. C'était un événement, Altan en convint, mais regretta de n'être pas arrivé un jour plus tard pour en profiter.

Dans les rues commerçantes, l'atmosphère était à la fête. Les restaurants faisaient hurler la dernière musique turque à la mode, espérant ainsi attirer le client. Altan s'arrêta pour regarder passer une auto curieusement décorée de carreaux bleus et blancs et surmontée d'un haut-parleur presque aussi gros qu'elle. Une voix de stentor annonçait le spectacle... exceptionnel... inédit... incroyable... du nouvel Houdini turc! Altan prit place à la terrasse d'un café et regarda défiler la foule en attendant l'arrivée de son frère Érol, qui devait passer le prendre pour le conduire dans les plantations familiales.

* * *

Dans leur jeep, capote baissée, Altan et Érol longeaient le littoral rocheux vers le nord-ouest, en direction de Bafra, une petite ville côtière assez prospère et peuplée d'ouvriers des plantations de tabac. Le vent avait fraîchi et poussait devant lui la mer Noire en longues vagues couronnées d'écume qui venaient se briser en gerbes blanches sur les récifs de la côte. De l'autre côté de la route, les champs de maïs et de tabac formaient, à perte de vue, une mer de verdure permanente qui ondoyait entre les deux grands fleuves d'Anatolie. Le Kizilirmak et le Yechilirmak venaient se jeter dans la mer de chaque côté de Samsun, en fertiles deltas plantés de noisetiers et d'aveliniers. Tout le littoral, balayé par les pluies, était luxuriant et, à longueur d'année, d'un vert émeraude d'un effet saisissant. Les pluies torrentielles de la nuit précédente avaient engorgé les fossés qui, en débordant, avaient inondé la route sur plusieurs kilomètres. La boue qui recouvrait l'asphalte était épaisse comme de la mélasse et la jeep entamait des glissades qu'Érol maîtrisait avec peine.

213

Altan, qui ne conduisait pas, était perdu dans ses pensées. Il s'était fait accompagner par Érol, car il voulait avoir avec lui un témoin digne de foi au cas où les choses tourneraient mal. Son demi-frère, plus jeune d'une dizaine d'années, cachait sa faiblesse de caractère derrière des crises d'autorité que son entourage avait de la difficulté à supporter. Érol s'était rangé dans le camp de ses aînés pour bénéficier de leur protection, ce qui lui assurait une relative impunité et le dispensait de prendre des responsabilités quant à la bonne marche de l'entreprise familiale. En fin de compte, il avait été satisfait qu'Altan fasse appel à lui. Cette marque de considération avait flatté son ego et il n'avait pas été fâché de pouvoir s'émanciper de la tutelle envahissante qu'exerçaient Touran et Ramazan à son égard.

La route serpentait entre des villages sans grand intérêt jusqu'à Rizé, le pays du thé, qui était la petite province préférée d'Altan. Il adorait se rendre à Rizé pour inspecter les plantations de théiers à fleurs blanches. Il aimait à la fois l'accueil de ses habitants et le paysage où le vert était omniprésent. La teinte fétiche d'Altan se déclinait dans toutes ses nuances, depuis l'émeraude des plantations de thé, nichées au bas des pentes, jusqu'au sinople des noisetiers qui se mariait au jade de la forêt en surplomb. À l'arrière-plan, les montagnes Pontiques formaient un arc gigantesque qui s'étendait sur une distance de plus de cent cinquante kilomètres. Elles délimitaient le pays des Laz, dont les tribus étaient autrefois descendues du Caucase pour s'établir sur le littoral sud-est de la mer Noire.

Tandis qu'ils roulaient vers les plantations, Altan prit la parole :

— C'est là que se trouvera le nouvel entrepôt, dit-il en montrant de la main un vaste terre-plein récemment aménagé. Ce sera le plus grand du pays, je crois que nous pourrons en être fiers.

214

— Papa aurait aimé le voir construit, répondit Érol.

— Pourtant, il n'y était pas tellement favorable, au début. Il nous a fallu du temps pour le convaincre.

— Parce qu'il se doutait que ce serait dangereux d'agrandir démesurément cette exploitation. Cet investissement représente beaucoup d'argent et amène bien des soucis, je veux parler de la grève.

— Il ne faut pas avoir peur de s'agrandir si on veut survivre face à la concurrence des pays asiatiques. Le seul danger, c'est Ramazan et Touran, tu le sais bien.

Érol refusa de poursuivre la conversation sur ce sujet et concentra toute son attention sur la conduite de la jeep. Ils longeaient maintenant un affluent du Kizilirmak. Des bâtiments en planches destinés au séchage du tabac occupaient le terrain de l'autre côté de la rive. Altan les examina avec attention pour en apprécier le degré d'entretien et il remarqua qu'une toiture nécessitait une bonne remise en état; il ne devait pas oublier d'en parler à l'intendant du domaine en arrivant. Il se tourna vers Érol, qui fixait la route avec obstination.

— N'oublie pas que nous devons passer prendre Kénan.

— Il n'était pas très chaud à l'idée de nous accompagner, grogna Érol.

— Il n'a jamais envie de participer à quoi que ce soit. Heureusement que nous sommes là pour nous occuper des affaires de la famille. Si Kénan dirigeait lui-même ses affaires, il aurait fait faillite depuis longtemps. On s'ingénie à faire tourner la machine, personne ne se sent concerné et tout ce qu'on récolte, ce sont des critiques. J'en ai plus qu'assez de cette mentalité.

Altan était furieux contre son jeune frère et il n'avait jamais de mots assez durs pour qualifier son comportement égoïste qui l'éloignait de la famille.

— Tu connais Kénan, il n'est pas très habile, plaida Érol.

— Il ne fait rien de ses dix doigts et ne sait même pas se servir de sa cervelle… si tant est qu'il en ait une!

— Ne sois pas aussi dur avec lui, il est plutôt à plaindre.

Les deux frères étaient bien d'accord, même s'ils n'exprimaient pas leurs sentiments de la même manière. Ils convenaient que Kénan ferait mieux de prendre femme au lieu de passer son temps à collectionner les bijoux comme une hétaïre. Il ne s'intéressait ni aux filles ni aux garçons, sa passion se limitait à empiler des bibelots dans son appartement qui ressemblait, comme le disait Altan, «plus à un bordel oriental qu'à une maison digne de ce nom».

— J'en ai assez de le materner. Et il ne dit jamais merci, gronda Altan.

— C'est vrai, c'est un faible.

À sa décharge, il fallait dire que Kénan avait été particulièrement mal élevé par leur tante Makbulé. Dès qu'il faisait mine de sortir du jardin, elle lui courait derrière pour le ramener à la maison. Il avait passé son temps au harem avec les femmes, au lieu de courir faire les quatre cents coups avec les autres gosses. Aux yeux de tous, il passait pour une mauviette qui ne savait ni monter à cheval ni même conduire une auto.

— Je ne vois pas pourquoi tu as exigé qu'il se joigne à nous, demanda Érol.

— Je tiens à ce qu'il soit présent, répliqua Altan.

Ils avaient des difficultés avec les ouvriers et il voulait que Kénan sache que l'argent qu'il touchait en dividendes ne tombait pas du ciel, qu'il y avait des pauvres types qui transpiraient pour lui permettre de se payer toutes ses fantaisies. Il voulait que ce fainéant s'implique davantage dans les affaires de la société et qu'il se rende compte que c'étaient ses frères qui montaient au créneau pour défendre les intérêts de la famille. Au cas où ils devraient lâcher quelques augmentations de primes ou de salaire, Altan préférait que Kénan soit avec eux, ainsi il verrait que ce n'était pas aussi facile que ça de régler ce genre de situation.

— Voilà la voiture de Kénan, il nous attend bien calfeutré à l'intérieur.

Lorsque la jeep s'arrêta, une nuée de moucherons tourbillonna frénétiquement au-dessus d'eux. Érol baissa la tête en disant :

— À cette heure de la journée, ils sont insupportables.

— Et nocifs pour les récoltes, ajouta Altan dont l'esprit était préoccupé à l'idée d'affronter la foule d'ouvriers.

Les trois frères se saluèrent rapidement pour échapper plus vite aux insectes. Altan et Érol échangèrent un sourire de connivence en entendant Kénan maudire les bestioles qui le piquaient et l'inconfort de la banquette arrière de la jeep qui lui brisait les reins.

Les véhicules qu'ils croisaient étaient essentiellement de gros camions chargés qui brinquebalaient dangereusement et menaçaient de verser à chaque virage. Ils poursuivirent leur route à la lueur du soleil couchant jusqu'à ce qu'ils arrivent à la première exploitation : une immense étendue de terre recouverte de fleurs jaune pâle et de feuilles vert foncé. Des journaliers, torses nus, bronzés et luisants de sueur, s'activaient à retirer les parasites et les jeunes pousses inutilisables des plants de tabac qui avaient été transplantés en février. À une huitaine de kilomètres de là, les trois frères aperçurent les ouvriers agricoles qui achevaient la dernière phase de préparation sur les plants plus anciens, en prélevant trois ou quatre feuilles mûres.

Même à distance, Altan pouvait sentir des vagues de chaleur provenant des séchoirs à tabac. Il se retourna vers Kénan pour lui donner quelques explications.

— À l'intérieur de ces petites granges bien closes, on suspend les feuilles de tabac encore vertes à de longs tuyaux de fer qui propagent la chaleur des fourneaux placés sous le plancher. Ensuite, quand elles sont sèches, on les transporte jusqu'aux usines. Là, le tabac est nettoyé, trié, séché de nouveau, puis légèrement humidifié pour pouvoir être conditionné en ballots qui seront entreposés jusqu'à l'expédition.

— Intéressant, laissa tomber Kénan qui n'en pensait pas un mot.

— L'agitation a commencé dans les usines d'entreposage, poursuivit Altan. Aux dires des grévistes, des ouvriers auraient reçu le double de leur salaire pour accomplir des tâches dont personne ne veut parler. Ils ne cessent de répéter que, pour le même nombre d'heures hebdomadaires qu'eux, certains emballeurs gagneraient des fortunes.

Il était près de six heures du soir et tous les ouvriers s'attelaient encore à la tâche.

— Je ne vois aucun gréviste, dit Érol.

— Ils travaillent pendant une heure et ils chôment l'heure suivante. Si on ne leur donne pas satisfaction d'ici demain, ils vont s'arrêter définitivement, ce qui va bloquer les approvisionnements de l'usine, répondit Altan.

Le ciel du sud s'empourprait lentement, l'ombre dévorait les pâturages et les plantations. Avant que l'obscurité n'ait envahi le ciel, le chant du muezzin se fit entendre, repris par son écho qui se répercuta à travers l'immensité des champs. «*Allahu Akbar* – Dieu est le plus grand – *Allahu Akbar. Allahu Akbar*». Je vous le dis, il n'y a pas d'autre Dieu qu'Allah. Venez prier. Venez prier. Venez trouver le succès.» Cet appel venait briser la quiétude du crépuscule, invitait les âmes terrestres à entrer en communion avec la mystérieuse source de vie. Érol arrêta son véhicule au bord de la route, et les trois frères courbèrent la tête, figés par la majesté du moment. Comme par enchantement, les paysans sortaient de leurs granges pour faire leurs prières. Ils étendaient leurs kilims sur le sol, en se tournant vers La Mecque et la Kaaba. Ils priaient, se courbaient, se relevaient, dans une impressionnante simultanéité.

Dès la prière terminée, cinq paysans robustes chargés de la sécurité dans les plantations accoururent vers la jeep et s'arrêtèrent net en apercevant Altan. Ils s'inclinèrent encore plus bas que d'habitude.

— Ils sont venus en trois groupes, marmonna discrètement un des paysans, et ils n'ont pas l'intention de laisser faire.

Altan distingua plusieurs groupes de paysans, rassemblés devant les séchoirs qui dissimulaient tant bien que mal leurs armes de fortune composées de gros bâtons, de lourdes branches, de râteaux et de pelles à longs manches. De nombreuses femmes s'étaient jointes à eux, signe que la situation était grave. Elles venaient encourager leurs maris et leur rappeler la misère de leur condition avec des gémissements et des lamentations.

— Ils essayent d'attirer l'attention avec leurs vociférations habituelles, dit Érol à ses frères.

— Laisse-les venir, répondit Altan d'une voix calme, allons jusqu'à l'usine comme prévu. C'est là que nous les écouterons.

Lorsque le soleil disparut derrière les collines, d'autres hommes se joignirent à la foule qui devenait de plus en plus agressive à mesure que le nombre des grévistes augmentait. Le tumulte allait en s'amplifiant. Trois groupes armés d'instruments agricoles se mirent en marche comme s'ils allaient au combat, fourches et pelles au premier rang, suivis des râteaux de fer et enfin des bâtons. Les ouvriers prirent la direction de l'usine de traitement du tabac, située presque à portée de voix, en brandissant leurs outils. Ils devaient contourner l'ancien village où l'on distinguait encore les vieilles maisons sans étage, à toits plats, faites de pierres et de boue.

Érol démarra en trombe et roula à toute vitesse vers l'usine dont les bâtiments sombres se découpaient encore sur le ciel. Craignant de se faire renverser par le véhicule qui fonçait droit sur eux, les paysans s'écartèrent. Ils reconnurent au passage le chef de la famille Kardam. Un grand silence tomba, qui persista pendant un long moment, jusqu'à ce qu'ils se rassemblent dans la cour de l'usine. Les grévistes se regroupèrent en demi-cercle, face à la jeep. Kénan, complètement terrorisé, se demandait ce qu'il venait faire dans cette galère et tentait désespérément de ne pas claquer des dents. Érol, pas vraiment rassuré, faisait tout de même meilleure figure que son frère en affichant un air hautain. Altan, calme et sûr de lui, grimpa sur le capot de la jeep et regarda avec calme la foule qui avait fini de se rassembler. Il fixa dans les yeux, un à un, les meneurs qui s'étaient alignés au premier rang.

– Écoutez-moi tous, *hemcheriler*, mes compatriotes. Nous sommes là tous les trois pour vous entendre. Posez vos bâtons et vos fourches, on ne discute pas les armes à la main. Nous sommes ici pour parler, pas pour nous battre. Je voudrais que l'un d'entre vous s'avance et nous fasse connaître vos griefs. Je ne peux pas discuter avec chacun d'entre vous. Désignez des porte-parole et qu'ils s'approchent, nous n'allons pas les manger, nous ne sommes que trois et vous êtes des dizaines. Allons, décidez-vous, nous attendons, mais nous n'avons pas l'intention de passer toute la nuit ici.

En une demi-heure, les manifestants qui avaient déposé leurs armes purent se mettre d'accord entre eux et désigner les délégués qui présenteraient leurs revendications aux frères Kardam. Les six représentants des ouvriers de tabac s'approchèrent de la jeep et exposèrent leur demande : ils exigeaient plus d'argent. Leur porte-parole, un homme de taille moyenne, mince et musclé, avec un fort accent *laz*, se lança dans de grandes explications :

— Nous savons qu'une vingtaine de personnes sont payées avec beaucoup de largesse. D'ailleurs, nous connaissons bien ces gens-là. L'homme sortit de sa poche une liste de noms écrits d'une main enfantine. Ces personnes nient avoir reçu un plus gros salaire que nous, mais nous avons entendu dire ici et dans le village qu'ils ont dépensé beaucoup et acheté énormément de choses depuis les dernières inondations du printemps.

— Vous êtes tous des gens intelligents, Ali. Vous devriez savoir que les gens font courir des rumeurs, qu'ils racontent n'importe quoi, sans même avoir la moindre preuve, déclara Altan.

— Mais l'épicier Seyfi affirme qu'il a dû commander une grosse quantité de fromage blanc, quatre-vingts litres des meilleures olives et un énorme morceau de halva pour satisfaire la demande de ces personnes.

Kénan gloussa.

— Il a peut-être amélioré la qualité de son fromage, c'est pourquoi il en vend plus.

Hamdi-le-Chauve fit un pas en avant. Il arborait avec fierté deux dents en or, véritables symboles de prestige, de richesse et de prospérité, mais qui révélaient aussi un rang élevé dans la hiérarchie de leur confrérie paysanne. Avec ses quarante-six ans, il était le doyen de la troupe et s'y connaissait en matière de palabres et de on-dit dans le village. Hamdi-le-Chauve n'étant pas du tout de l'avis d'Altan, il prit la parole à son tour :

— J'ai entendu dire qu'Ibrahim avait ramené de la ville un bracelet en or pour sa femme, et que Muammer-la-Jaunisse avait fait construire une nouvelle charrette. Quant à Hafiz-le-Borgne, il a acheté quatre vaches et deux chevaux. Ça, j'en suis sûr, je les ai vus. Ma liste est longue, je peux continuer si vous voulez, mais je ne veux pas importuner les Effendi avec tous ces détails.

Hamdi se trouva soudain gêné de s'être adressé avec autant de fougue à ses patrons et, du regard, il chercha le soutien de ses collègues. Les visages des ouvriers n'exprimaient aucun sentiment et bon nombre d'entre eux fixaient le sol.

— Savez-vous pourquoi ces gens reçoivent des salaires plus élevés? demanda Altan.

— Nous ne le savons pas. Tout ce que nous savons, c'est que nous touchons des salaires de misère à nous crever dans les champs, alors que ces misérables lieurs de ballots gagnent des fortunes sans rien faire. Ce n'est pas juste, voilà ce que nous voulions vous dire.

— Et c'est pour venir nous dire ça que vous vous êtes armés de fourches et de bâtons? lança Érol.

C'était la première fois qu'il assistait à une telle manifestation de la part des ouvriers, d'ordinaire plutôt soumis.

— On nous avait dit que vous nous enverriez les *zaptiyés*, les gendarmes, alors on s'est méfiés, on a pris des outils pour pouvoir se défendre.

— Vous vous prenez pour des *fedayins* ou quoi? gronda Érol.

Altan reprit la direction de la négociation et s'adressa d'un ton plus calme au porte-parole des ouvriers. D'ailleurs, ces derniers semblaient ne plus en mener large devant la fermeté affichée par leurs patrons.

— Hamdi, tu es le plus ancien et le plus sage, et tu veux me faire croire que des lieurs de ballots de tabac gagnent autant d'argent sans rien faire. S'ils sont devenus aussi riches que tu nous le dis, alors il y a une bonne raison. Et c'est ce que nous voulons entendre, car je suis certain que l'un d'entre vous la connaît, cette raison.

Les délégués des grévistes piquèrent du nez vers le sol et s'échangèrent des coups d'œil gênés. Des murmures s'élevèrent au-dessus de la foule des ouvriers.

Un homme maigre se fraya un chemin à travers les rangs des hommes regroupés en arrière de leurs délégués et s'avança dans la lumière des phares de la jeep. Pieds nus, il n'était vêtu que d'un pantalon de coton effiloché au niveau du genou.

— Pardon, Effendi, mais ceux-là ne vous diront rien, ils ont trop peur de se faire trancher la gorge s'ils parlent.

— Et toi, tu n'as pas peur? demanda Altan.

— Je n'ai rien à perdre, je n'ai pas de famille qui me pleurera et ma vie ne vaut pas plus que celle d'un chien.

— Tu es courageux, tu seras récompensé. Parle.

L'homme fit un geste de la main comme pour marquer qu'il ne s'intéressait pas à l'offre d'Altan. Il se redressa et poursuivit :

— Les emballeurs dont on parle touchent de l'argent en douce, parce qu'ils cachent de l'opium au milieu des feuilles de tabac, répondit l'homme.

Un long moment de silence suivit cette déclaration. Puis Altan et ses deux frères échangèrent des regards où se lisaient tout leur étonnement et toute leur perplexité.

— Qui leur en donne l'ordre? demanda Érol d'une voix blanche.

— C'était Ömer Bédir, le contremaître.

— Pourquoi dis-tu «était», il n'est plus contremaître?

— Ni contremaître ni rien d'autre. On lui a tranché la gorge.

Érol interrogea Altan du regard qui lui répondit d'un hochement de tête signifiant qu'il était au courant. Puis il se tourna vers l'homme maigre et à moitié nu.

— Sais-tu qui a fait ça?

— Personne ne le sait, bien que tout le monde s'en doute.

— Toi, tu soupçonnes qui?

— Ça, je ne vous le dirai pas. Je veux bien parler de ce que je sais, de ce que mes yeux ont vu. Ne comptez pas sur moi pour lancer des ragots. Des accusations infondées peuvent meurtrir un homme bien plus durement que n'importe quelle arme.

L'homme parlait avec des mots choisis, comme quelqu'un d'instruit. Il détonnait dans cette masse de manifestants dont, visiblement, il tenait à se démarquer.

— Tu as l'air de savoir de quoi tu parles, dit Altan.

— Sans doute, répliqua l'homme qui recula dans l'ombre et se fondit au milieu de ses compagnons.

— Nous n'en apprendrons pas davantage ce soir, dit Érol en se tournant vers Altan. Maintenant, à toi de jouer, dis-leur ce que nous avons prévu.

— Parce que vous avez comploté sans m'en parler? s'insurgea Kénan. Qu'avez-vous donc décidé dans mon dos?

— Si tu veux le savoir, tu fais comme eux, tu écoutes et tu te tais, ensuite nous te reconduirons dans ta bonbonnière, répliqua Érol, irrité par les paroles de son frère.

Altan se hissa de nouveau sur le capot de la jeep. Il examina la foule d'un coup d'œil circulaire. Chaque fois qu'il s'arrêtait pour scruter le visage d'un ouvrier, celui-ci baissait les yeux, incapable de soutenir le regard du maître.

— Certains ouvriers corrompus touchent des primes pour accomplir un travail totalement illégal. Ils méritent d'être punis pour avoir participé à un tel trafic. Nous les désignerons à la police qui fera son devoir…

Quelques murmures peu convaincus accueillirent les propos d'Altan, qui poursuivit sans se départir de son calme.

— … Quant à moi, je les chasse. Dès demain matin, ils devront avoir quitté le logement qu'ils occupent sur nos terres. Je leur interdis pour toujours de remettre les pieds dans notre domaine. Que quelqu'un parmi vous aille leur rapporter mes paroles.

Les représentants des ouvriers hochaient la tête en signe d'assentiment. La foule des ouvriers émit quelques maigres bravos. Altan reprit d'une voix plus forte.

– Vous, mes amis, vous êtes restés les fidèles serviteurs de notre famille. Riza Bey, mon père, serait heureux de constater que ses ouvriers qu'il considérait aussi comme ses enfants sont demeurés loyaux et honnêtes. En conséquence, mes frères et moi avons décidé de vous attribuer une gratification exceptionnelle…

Altan laissa sa phrase en suspens et considéra la troupe des ouvriers qui s'était rapprochée de la jeep pour ne perdre aucun mot. Un silence respectueux avait cédé la place au brouhaha bon enfant.

– … Attention! Je réclame la vigilance de chacun d'entre vous afin que ces agissements criminels ne puissent se reproduire. Je compte sur vous, l'avenir des plantations Kardam, votre avenir à vous tous, ici réunis, et celui de vos familles en dépendent. Pour votre prochaine paye, vous toucherez trente *kouroushs* de plus par jour de travail!

En entendant ses mots, les travailleurs explosèrent de joie et scandèrent à l'unisson : *Tchok yasha, Tchorbadji*, longue vie au patron… longue vie au patron!

Les femmes rejoignirent leurs hommes en poussant des cris d'allégresse, et les bâtons tambourinèrent en rythme sur les barils d'huile vides. Longue vie à notre patron! Ils exultaient à l'idée de recevoir trente *kouroushs* de plus, ce qui leur permettrait d'acheter des miches de pain supplémentaires et des paquets de cigarettes.

Altan eut beaucoup de mal à se libérer de la foule et à descendre de son estrade improvisée pour rejoindre Érol, qui avait assisté à la conclusion de la scène avec soulagement.

Kénan, renfrogné sur le siège de la jeep, maugréait que la soirée allait leur coûter une fortune et que, s'il n'avait tenu qu'à lui, les choses se seraient passées bien autrement.

18

Nayiri ouvrit au garçon d'étage qui poussait le chariot du petit-déjeuner. Deux cloches en argent recouvraient les assiettes d'œufs brouillés, une magnifique corbeille de fruits frais, une batterie d'ustensiles rutilants, vaisselle en porcelaine de Limoges, elle n'en croyait pas ses yeux… Elle cria à Nour de se presser d'en terminer avec sa douche et, impatiente, se versa une tasse de café.

Elle feuilletait les pages du *New York Times*, lorsque son regard s'arrêta sur la rubrique des commérages de Lehman. Parfaitement reconnaissable sur la photo, elle regardait Nour qui lui tenait le bras, la conduisant vers la sortie du Waldorf Astoria, hier matin. Elle n'en revenait pas de se retrouver dans cette rubrique de commérages. Ils avaient été photographiés à leur insu, l'éclair du flash passant inaperçu au milieu de la foule des touristes qui se mitraillaient à qui mieux mieux. Elle jeta un coup d'œil sur le commentaire qui accompagnait la photo.

> *Nour Kardam, le play-boy millionnaire, a récemment consacré beaucoup de son temps à la jeune Nayiri Armen. Nour Kardam, avocat et homme d'affaires international, est considéré comme un des meilleurs partis d'Istanbul. L'apparition de cette nouvelle conquête dans sa vie devrait faire pâlir de jalousie certaines personnes de son entourage.*
>
> *Hier matin, ils sortaient bras dessus, bras dessous du Waldorf Astoria. Une nouvelle idylle est née…*

227

Le reste de l'article se poursuivait sur un ton et un contenu aussi stupides.

Nayiri avala lentement sa gorgée de café et grimaça en réalisant ce qui était en train de lui arriver. Se faire photographier au bras d'un bel homme, riche et célèbre, était plutôt flatteur, d'autant que sur ce cliché Nayiri se trouvait à son avantage. Défrayer la chronique d'un échotier tel que Lehman était cependant moins glorieux. Mais l'affaire allait devenir réellement délicate quand un membre de la famille découvrirait cet article. Des jours houleux se préparaient…

Elle relut et, perplexe, s'arrêta sur « play-boy millionnaire ». Il n'était donc pas un simple avocat comme il l'avait prétendu. Pourquoi cette discrétion? Nayiri n'en revenait pas. D'habitude, les gens se vantaient plutôt de leur situation et étalaient leur fortune. Une suite au Waldorf Astoria révélait un bon train de vie, mais « millionnaire »!

Nour sortit de la salle de bains, drapé dans un peignoir en éponge blanc qui rehaussait son teint mat et ses yeux verts. Dans sa courte expérience de séductrice, Nayiri se souvenait avoir connu deux ou trois réveils pénibles aux côtés de garçons qui s'étaient révélés de bien piètres amants, encore plus décevants dans la lumière crue des petits matins. Elle avait appris à se méfier des éclairages tamisés et de ces soirées en solitaire où le cœur flanche, à contre-sens, pour un inconnu trop ordinaire. Elle oublia d'un coup le passé, balaya les soucis à venir et savoura la magie de cet instant. Nour lui parut encore plus beau et plus attirant dans la clarté dorée qui filtrait à travers les persiennes, elle se leva et ne résista pas à l'envie de l'entraîner de nouveau vers le lit…

* * *

Nour replia le journal et regarda Nayiri en levant les yeux au ciel. Il était bien plus furieux qu'il ne voulait le laisser paraître. Cette intrusion dans sa vie privée lui était insupportable, et il trouvait complètement indécent cet étalage de sa vie personnelle. L'article précédent consacré à sa relation avec Nicole l'avait irrité, mais il avait fini par relativiser l'importance du désagrément, car il avait les arguments pour réfuter les révélations du journal. Nicole n'était rien d'autre qu'une collaboratrice qu'il avait engagée pour retrouver Maro Balian. Rien de plus. Cette fois, tout était différent. Nayiri comptait plus que toutes les autres femmes et il refusait de voir ses sentiments exposés de la sorte au voyeurisme malsain. La notoriété pouvait admettre certains dérapages, mais son amour pour Nayiri était un secret qu'il ne voulait partager qu'avec elle.

— C'est vrai que tu es un homme d'affaires très riche? lui demanda-t-elle en prenant un air inquisiteur.

— Ragots de journaliste. Je dirige une importante société dans mon pays.

— Pour ce qui est d'être un play-boy, cet article ne se trompe pas, dit-elle avec un sourire espiègle.

Agacé, Nour haussa les épaules.

— J'ai rendez-vous avec Nicole Ripert ce matin. Elle doit me présenter un rapport sur l'avancement de ses recherches et j'en profiterai pour lui demander si je peux attaquer ce foutu canard en justice. Cette fois, ils sont allés trop loin.

— La photo n'est pas truquée, et le commentaire qui l'accompagne ne trahit pas un bien grand secret. Je ne pense pas que tu puisses poursuivre le journaliste en justice. Et puis, le mal est fait, je crois que cela ne servirait à rien, sinon de relancer une nouvelle rumeur. Laisse tomber.

Nour acquiesça et, ayant retrouvé le sourire, embrassa Nayiri.

— Je crois que tu as raison. Je descends rejoindre Nicole dans le hall. Reste, si tu veux, jusqu'à mon retour.

– Tu as vu l'heure? Au journal, ils doivent se demander où je suis passée. Non, je m'habille et je file, je t'appellerai dès que possible.

Pendant qu'elle se préparait, Nayiri essayait de mettre de l'ordre dans sa tête et passait en revue les complications qui l'attendaient, en partant du principe que tout le monde avait lu le *New York Times* ce matin. «Voyons ça dans l'ordre d'arrivée. Je pousse la porte du journal et je tombe sur le sourire en coin de Perg, la secrétaire, en train de se dire que je n'ai pas perdu de temps pour sauter dans le lit de notre annonceur. Ensuite, maman qui va se précipiter au journal, si elle ne m'y attend pas déjà. Avec elle, je peux m'attendre à une telle avalanche de questions que je m'en tirerai avec les honneurs en répondant à une sur dix. En fait, son problème va se résumer à savoir comment se comporter quand elle va revoir Greg. Dix minutes de reproches au sujet de mon fiancé, dix minutes de lamentations sur le délabrement moral de sa fille… Mauvaise matinée! Mais le pire reste à venir. *Lui*, il ne lit pas les potins, mais on va s'empresser de le *lui* rapporter dès qu'il franchira la porte, puisqu'il doit venir déposer son éditorial. J'entends déjà les couplets et le refrain, les Turcs… le déshonneur… toute sa vie réduite à néant… ses convictions bafouées… l'ignominie sous son propre toit… Ça va me faire une rude journée!»

Dans la rue, le jour était devenu brumeux. Elle entrevit une épaisse couche de nuages sombres, presque palpables, qui s'étendait au-dessus des immeubles et admit que cette atmosphère était de circonstance. Elle prit un taxi pour arriver plus vite au journal. Autant aller au-devant de la tempête et en finir au plus vite.

* * *

Comme elle avait pris congé pour préparer son voyage à Istanbul, Maro s'accorda le temps de lire le journal. Pour une fois, elle négligea les articles politiques – au diable Eisenhower et la bombe à hydrogène – et s'attarda sur des rubriques plus distrayantes. Peinture… l'expressionnisme abstrait de Jackson Pollack faisait encore fureur, mais décidément elle n'y comprenait rien. Spectacles… Des artistes comme Elvis Presley et James Dean affolaient les adolescentes chaque fois qu'ils paraîssaient en public, et… Maro resta clouée par la surprise. Elle examina la photo de plus près. Nayiri, aucun doute possible! Avec un homme sortant du Waldorf Astoria. Son cœur accéléra quand elle lut le commentaire qui accompagnait la photo. «Comment est-ce possible?» Elle croyait rêver. Ses yeux passaient de la photo à l'entrefilet qui l'accompagnait. Nour Kardam! Maro prit une longue inspiration et essaya de retrouver son calme. En vain. Son cœur cognait. Son fils était à New York! Il était à deux pas, alors qu'elle le croyait au bout du monde. Elle était folle de joie. Fini le voyage à Istanbul, elle allait pouvoir le serrer dans ses bras dès aujourd'hui. Voilà trente ans qu'elle attendait cet instant. Elle ne parvenait pas encore à y croire. Elle regarda de nouveau la photo. «C'est vrai qu'il est beau!» se dit-elle, bouleversée par l'émotion. Elle sentait ses yeux se remplir de larmes. Quel bonheur de le retrouver. Tout attendrie, elle contemplait ce beau jeune homme. «C'est mon fils!» murmura-t-elle. Mais Nayiri? Que faisait-elle avec lui? Mais d'où le connaissait-elle? Elle relut : «… *Une nouvelle idylle est née…*» Ce journaliste est fou! C'est son frère! Maro sentait son estomac se crisper. «Mon Dieu! ils ne savent pas!» Elle se rua sur le téléphone pour appeler à son bureau. Ses mains tremblaient.

* * *

À dix heures du matin, Nayiri entra dans les locaux du *Free Press*. Affairée derrière son bureau, la secrétaire leva à peine la tête et la salua d'un geste de la main sans inter-rompre sa conversation téléphonique. «En voilà une qui ne lit pas le *New York Times*», se dit Nayiri, pas fâchée d'éviter un sourire entendu.

Plusieurs messages téléphoniques l'attendaient dont ceux de son frère Jake et de sa sœur Araksi. Comme ils n'avaient pas pour habitude de l'appeler au travail, elle comprit qu'ils avaient lu l'article de Lehman et qu'ils venaient aux nouvelles. Elle décida de laisser passer un peu de temps avant de leur parler.

Quand le téléphone sonna sur son bureau, elle sursauta et hésita avant de décrocher. La voix au bout du fil résonnait comme un écho dans une pièce vide.

— Nayiri, c'est moi.

— Salut, *mom*. Comment vas-tu?

— L'article du *New York Times*. C'est une véritable catastrophe, tu ne peux pas imaginer à quel point…

Nayiri était surprise par le ton dramatique de sa mère. Elle perçut que l'instant était grave, mais elle ne comprenait pas pourquoi cette affaire prenait une telle dimension. Elle poussa la porte du pied pour que les employés n'entendent pas la conversation.

— J'allais justement t'appeler…

— Il s'agit bien plus qu'une photo et un article de commérage. Je ne peux t'expliquer par téléphone. Tu ne bouges pas du bureau, j'arrive sur-le-champ. Tu ne réponds pas à ton père s'il t'appelle, pas avant que nous ayons pu parler de vive voix. Tu m'entends?

— Oui, *mom*.

— Fais ce que je te dis pour une fois!

Ce n'était pas la première fois qu'elle provoquait sa mère et qu'elle devait ensuite affronter ses reproches. Mais, à cet instant, elle ne comprenait pas quel cataclysme elle avait pu déclencher. D'ailleurs, sa mère ne lui avait rien reproché, ce qui était incompréhensible. Elle ne voulait pas en parler au téléphone, donc c'était très sérieux. Nayiri était complètement estomaquée par la réaction inattendue de sa mère.

* * *

Nayiri avait abandonné le fauteuil de sa mère et affectait une attitude nonchalante en posant une fesse sur l'angle du bureau, mais elle trahissait sa nervosité en balançant sa jambe outre mesure. En fait, elle avait envie de se faire la plus discrète possible.

Maro se donna le temps d'ôter sa veste à gestes mesurés, de déposer son porte-documents sur le bureau, et prit place dans son fauteuil. Elle n'avait pas encore prononcé un seul mot et fixait sa fille, droit dans les yeux. Nayiri était complètement glacée par le regard de sa mère qui, en d'autres circonstances, se serait déjà emportée mille fois. Elle se leva du coin de bureau, alla s'asseoir de façon plus conventionnelle sur le siège qui faisait face à Maro et commença sa défense.

— Excuse-moi, je ne pensais pas que ça ferait un cirque pareil! J'allais t'appeler pour te parler de lui. C'est un avocat d'Istanbul. Il recherche une Maro Balian afin de régler une histoire d'héritage.

— Quel héritage? Arrête de me prendre pour une imbécile!

— Je suis désolée, c'est la vérité.

— Et c'est pour ça que tu es dans le journal?

— Attends que je t'explique avant de te mettre dans tous tes états. Pour le journal, d'accord, c'est pas malin, mais on s'est fait piéger! Ce garçon est quelqu'un d'important dans son pays, c'est pour cela que ce journaliste l'a suivi et l'a photographié.

« Quelqu'un d'important, se dit Maro, c'est bien vrai! Bon Dieu! Pourquoi n'ai-je rien dit avant? »

Maro se sentait gênée d'avoir caché ce fils à ses autres enfants. Elle écoutait Nayiri sans grande attention.

— Apparemment, quelqu'un aurait légué un gros montant d'argent à une femme qui s'appelle Maro Balian, comme toi avant que vous ne changiez de nom. Cet héritage doit être réglé au plus vite, sinon le magot ira à d'autres. Monsieur Kardam cherche cette femme depuis une semaine ou deux. Il est venu au journal pour placer une annonce en arménien, afin de savoir où trouver cette Maro Balian. Je ne lui ai pas dit que tu t'appelais ainsi autrefois, il n'avait pas besoin de le savoir. Je voulais t'en parler auparavant. Entre-temps, il m'a invitée à dîner. Nous sommes allés au Waldorf. Et c'est là que ce type nous a photographiés.

Nayiri avait parlé si vite qu'elle en avait perdu le souffle. Elle trouvait qu'elle s'était assez bien tirée d'affaire. Puis, elle baissa les yeux. «Si elle savait que j'ai passé la nuit avec lui…»

Maro avait pâli. D'abord, la joie de savoir depuis ce matin que son fils était là, à New York, à portée de sa main et ensuite le choc, le cataclysme que sa présence allait causer dans la famille. Il fallait qu'elle réfléchisse.

— Il est comment ce monsieur Kardam, comme sur la photo?

Maro n'osa pas en demander plus.

— Mieux! La trentaine, bel homme, teint mat, élancé, très élégant. Des yeux verts. Il faut que tu voies ses yeux! Je n'ai jamais vu personne avec des yeux vert émeraude comme les siens. Renversant! Tu ne peux plus les oublier!

«Moi, pensa Maro, j'en ai déjà vu. Nourhan a les yeux de son père!» Elle se troubla et cacha son visage dans ses mains.

— Tu vas bien, *mom*?

Maro releva la tête en se mordillant les lèvres, ce qui trahissait chez elle un sentiment de profonde anxiété. Nayiri n'en revenait pas. Il se passait quelque chose dans la tête de sa mère qui dépassait le simple désagrément de voir sa fille exposée dans les potins du jour. Maro fixa sa fille un instant et prit son souffle.

— Sers-nous deux grands cafés et écoute-moi sans m'interrompre, s'il te plaît. Ce n'est pas facile à dire. Voilà! Eh bien… Nour Kardam, c'est mon fils.

Nayiri n'en crut pas ses oreilles.

— Ton quoi?

— Mon fils. C'est vrai! Une bien longue histoire. Complexe, comme toutes les histoires vraies qui se passent en Orient. Je ne sais comment te dire…

Nayiri, prise de vertige depuis quelques secondes, avait senti son estomac se nouer. Deux mots lui vrillaient le crâne : «Nour… frère…». Elle se retint pour ne pas hurler. Elle ferma les yeux. Elle entendait, comme venant de loin, la voix de sa mère qui poursuivait son récit.

— Tu en connais déjà une partie. L'autre, celle que ton père et moi avons toujours tenue secrète, commence au moment de l'exil sur les routes, quelque part entre Sivas et Aïntab. Ma mère venait de mourir de soif dans mes bras. J'étais perdue au milieu de tous ces gens qui hésitaient entre la vie et la mort. Les mauvais traitements des mercenaires, la soif, la faim. Beaucoup tombaient. J'étais au plus profond du désespoir, Tomas avait besoin de manger. J'étais en haillons, des soldats se sont jetés sur moi pour me violer. Il est arrivé…

Maro se tut, incapable de poursuivre son récit, tant l'émotion lui serrait la gorge. Elle revivait le passé avec une telle intensité qu'elle était incapable de pleurer. Le vent du désert qu'elle évoquait avait asséché ses larmes.

Nayiri, blême, ne parvenait pas à se remettre du choc. Maro attribua sa pâleur à la cruauté de son récit.

— Il a ordonné à sa garde personnelle de disperser les soldats. Il nous a conduits jusque chez lui, Tomas et moi. Il m'a sauvée, comprends-tu? Il nous a sauvés d'une mort horrible. Il m'a enfermée dans son harem, avec ses autres femmes. Il avait trois autres femmes, comme un musulman en a le droit. Il voulait m'épouser, que je sois à lui. Je lui ai expliqué que ton père s'était lancé à ma recherche et qu'il viendrait bientôt me reprendre. Il a ri et il a dit que je finirais bien par comprendre tout l'amour qu'il ressentait pour moi.

Maro ne s'adressait plus qu'à elle-même, elle avait entamé une sorte de confession à voix haute. Nayiri était prostrée sur son siège, les battements de son cœur s'amplifiant dans sa poitrine. Sa mère! Un autre enfant d'un père turc!

Seul le bruit de fond de la circulation troublait le silence qui s'était imposé aux deux femmes.

— Quand il a serré mes poignets dans ses mains et qu'il m'a allongée sur le sol, je n'ai pas lutté contre lui, je n'ai pas fait un geste, il ne m'a pas forcée, je me suis donnée à lui. Et j'y ai pris du plaisir. J'ai passé une nuit terrible entre honte et désespoir. Au petit matin, je voulais mourir, j'ai épuisé ma réserve de larmes… et, quand le soleil s'est caché derrière les magnolias du jardin, je me suis parée de ma plus belle robe et je l'ai attendu de nouveau en priant tous les saints qu'il ne m'ait pas oubliée.

Nayiri était incapable de prononcer un mot. Elle respecta le silence de Maro qui semblait submergée par ses souvenirs.

— Quelques mois plus tard, un beau garçon est né. Je l'ai baptisé en cachette en lui donnant pour marraine une jeune domestique arménienne comme moi. Je l'ai appelé Nourhan. Son père a transformé ce prénom arménien et lui a donné le nom de Nour. Je l'ai à peine vu grandir. Ton père est venu et il m'a enlevée sans savoir que je laissais derrière moi mon enfant. Des jours et des jours sont passés avant que je trouve le courage de lui avouer ma faute. La dernière fois que j'ai vu Nourhan, c'était un petit enfant qui faisait ses premiers pas dans le jardin. Son père était gouverneur de la province d'Aïntab, Riza Bey, l'aîné de la famille Kardam. Riza Kardam est décédé, il y a quelques semaines. Nour Kardam est son fils, Nourhan est le mien, c'est le même homme, c'est ton demi-frère.

Nayiri se pencha au-dessus du bureau et prit les mains de sa mère dans les siennes, pendant un long moment. Elles n'osaient se regarder. Maro était soulagée par l'aveu qu'elle venait de faire, mais s'inquiétait de connaître la réaction de sa fille.

* * *

Vartan poussa brutalement la porte du bureau, sans frapper. Il tenait le *New York Times* à bout de bras, comme si le contact du journal lui brûlait les mains et allait souiller son costume. Mâchoires serrées, il jeta le quotidien sur le bureau.

— Je ne pensais pas vous trouver toutes les deux ensemble à comploter. Décidément, mère et fille sont faites pour s'entendre!

Vartan se lança dans un discours violent, incontrôlé, haché d'invectives et d'injures. Visiblement, il avait perdu la tête. Il écumait littéralement de rage, toute la nation arménienne était trahie, la terre ancestrale pillée, la diaspora trompée et humiliée, l'honneur de la famille bafoué. Jamais il ne pardonnerait! Avoir fréquenté un Turc, qui plus est, le fils de Riza, une infamie! Vartan s'était mis à bafouiller, submergé par un raz-de-marée où se mêlaient la colère, la haine et, par-dessus tout, la jalousie.

— Ça suffit! cria Maro, sors de ce bureau. Ton discours est ridicule. J'ai honte de ton comportement, j'ai honte pour toi. Va-t'en d'ici!

Vartan sembla reprendre ses esprits et réaliser qu'il était dans le bureau de Maro, et, qu'en face de lui, sa femme et sa fille le regardaient, médusées. Ni l'une ni l'autre ne reconnaissaient le père ou le mari dans ce vieillard vociférant.

— Toi, dit-il en pointant son doigt vers Nayiri, tu n'es plus ma fille!

— Si un jour tu te demandes pourquoi j'ai quitté la maison, pourquoi Tomas, sa femme et ses enfants fuient les repas de famille, pourquoi tu te retrouves seul à vomir ton amertume et ta haine, pense à ce que tu viens de nous cracher à la face! Je ne suis plus ta fille? Soit! Sache que toi, tu n'es pas digne d'être un père!

Les mots cinglants de Nayiri avaient frappé Vartan de plein fouet, il sortit pâle de rage et s'enfuit dans la rue.

* * *

Nour et Nayiri s'étaient retrouvés chez *Aldo's*, un bar-restaurant toujours désert durant la journée. Ils étaient assis sur les tabourets tout au bout du comptoir. Nayiri avait avalé son whisky *sour* d'un trait, comme si sa vie en dépendait. Nour regardait avec étonnement les larges cernes qui soulignaient les yeux de Nayiri, comme si elle avait pleuré toute la matinée.

— Je sais qui est Maro Balian, dit-elle soudain.

— C'est nouveau, ça! Tu te moques de moi?

Nour lui adressa un sourire mécanique pour montrer son incrédulité.

— Je sais *qui* est Maro Balian et je sais *où* tu peux la rejoindre. Ça te va?

— D'accord, je te prends au mot! On va la voir, tout de suite!

— Ce n'est pas aussi simple que ça. Je prendrais bien un autre verre, j'en ai un sacré besoin! Il faut que je te raconte l'histoire depuis le début, et tu ne vas pas me croire…

— Je vais en commander deux, j'en aurai certainement besoin moi aussi.

— Bon, voilà… Maro Balian, c'est ma mère!

Nour ouvrait grand les yeux, parfaitement incrédule.

— Je sais, je n'ai pas été très franche avec toi, poursuivit Nayiri. Ne dis rien. Laisse-moi t'expliquer.

— Attends, je ne te suis plus, Nayiri. Qu'est-ce que c'est que cette histoire? Qu'est-ce que tu essaies de me faire croire? Toi aussi, tu veux toucher l'héritage? Tu te fous de moi?

— Ne t'énerve pas, je te demande seulement quelques minutes d'attention. Quand j'aurai fini, mais pas avant, tu pourras me juger.

Le ton de la conversation qui montait alerta le barman qui tourna la tête vers eux.

— Calme-toi, s'il te plaît, dit Nayiri à voix plus basse, je te dis que je t'explique. Ma famille a pris le nom d'Armen au moment où elle a dû émigrer aux États-Unis. À cette époque, mon père était sur les listes noires du gouvernement turc. Il a voulu se faire oublier et faire peau neuve, alors il a changé son nom de Balian en Armen. Quand tu es venu au journal, j'ai eu le coup de foudre pour toi. La seule chose qui m'importait était que tu ne repartes pas trop vite dans ton pays. C'est pour cela que je ne t'ai rien dit. Pour que tu continues tes recherches et que j'aie le temps de te revoir. Moi, l'héritage, je m'en fous complètement, c'était toi que je voulais. Je ne regrette rien. J'ai passé avec toi les plus beaux moments de ma vie.

Bouleversée, Nayiri s'arrêta de parler quelques secondes, puis reprit :

— Ce n'est pas tout. Mon histoire n'est pas finie. Ma mère a appris la mort de Riza Kardam. Quand elle a lu ton nom ce matin dans le *New York Times*, elle a réalisé que tu étais le fils de Riza Bey et…

— «Bey» n'était écrit nulle part. Qui t'a dit qu'on l'appelait Riza Bey? demanda Nour en coupant la parole à Nayiri.

Il avait crié en disant cela et le barman se tourna de nouveau vers eux.

Le cœur de Nour battait à tout rompre. Seule Maro, la vraie, pouvait connaître cette appellation coutumière de son père. «Maro, *Hanim*», lui avait dit Deniz, mais elle ne connaissait pas son nom de famille. La boucle était bouclée. Il avait retrouvé Maro. Tellement ému, Nour n'avait pas encore pris conscience qu'à cette femme qu'il appelait Maro il pouvait désormais dire «maman».

Pris par l'excitation de sa découverte, Nour n'avait pas réfléchi une seconde aux conséquences. Soudain, il se figea. Puis il regarda Nayiri, ferma les yeux et secoua la tête. Tout son être criait «non». Il finit par murmurer :

— Ce n'est pas vrai! Je suis maudit!

— *Nous* sommes maudits!

— Ma sœur, tu es ma sœur!

— Demi-sœur, précisa Nayiri.

Nour se replia sur lui-même comme une bête blessée et explosa :

— Mais pourquoi? bredouilla-t-il à l'adresse de Nayiri. Pourquoi n'as-tu rien dit?

Les larmes coulèrent doucement sur les joues de Nayiri... Muette, elle était transpercée de douleur, incapable de bouger. Nour, blafard, tentait vainement de se calmer.

— Laisse-moi. J'ai besoin d'être seul. Nous nous reverrons plus tard, dit-il en se levant.

Au passage, il jeta quelques dollars au barman médusé et sortit en chancelant, aussi abruti que s'il avait été battu.

«Deux mères, une de trop. Deux maîtresses, dont une est ma sœur. Deux familles qui se haïssent. Qu'ai-je donc fait pour mériter tout ça?» Les mots tournaient dans la tête de Nour, à lui en donner la nausée. Il se sentait souillé, humilié.

Il héla un taxi et se fit reconduire au Waldorf. «Je n'aimerai plus jamais personne», se promit-il. Nour resta prostré sous la douche, perdant la notion du temps. Cette femme pour laquelle il ressentait une passion charnelle incontrôlable était sa sœur! Elle l'attirait plus qu'aucune femme ne l'avait jamais fait. Mais, maintenant, il en avait honte. Épuisé, il se jeta sur son lit et poussa une longue plainte d'animal touché à mort.

19

Nour décrocha au premier coup de la sonnerie. Nayiri bredouillait d'excitation.

— Ma mère, je veux dire «ta» mère, notre mère, Maro. Je ne sais plus comment dire. Elle voudrait que tu viennes cet après-midi au journal, à cinq heures. Les employés seront partis, vous serez plus tranquilles.

— Tu es certaine qu'elle veut me voir si vite?

— Bon sang! Nour, voilà des semaines que tu la cherches et, maintenant, tu hésites? De quoi as-tu peur?

— Je ne sais pas, je suis ému. Surtout intimidé. J'ai tellement envie de la voir. Ça va être difficile…

— Explique-toi!

— Je ne sais comment t'expliquer. J'ai la frousse!

Nour se sentait partagé : sa mère était à la fois une parfaite étrangère et la personne à laquelle il était le plus intimement lié, puisqu'elle l'avait mis au monde. Il redoutait cette première visite, car il avait très peur d'être maladroit.

— Elle est aussi émue et sans doute plus embarrassée que toi. N'oublie pas, c'est elle qui est partie, elle s'en veut terriblement.

— Vous l'appelez comment, vous, les enfants américains? Maman? Mère? Ou un autre mot d'enfant?

— Chacun son style. Moi, je dis «mom», les autres, «maman», parfois *mayrig* pour honorer la tradition arménienne. Mais je suis certaine qu'elle se moque bien du nom que tu vas lui donner.

— Il y aura d'autres personnes?

— Non, elle et moi, et puis toi, c'est tout. La grande céré-monie de présentation à la famille, c'est pour plus tard. Allez, courage!

Nour ne répondit pas. Son esprit était trop préoccupé par l'idée de ses retrouvailles avec sa mère. Il avait pensé «mère naturelle», mais le terme était très laid. «Une chose à la fois. Tu voulais la retrouver, tu l'as fait. Tu régleras les problèmes avec Leyla quand le moment sera venu de le faire. Pour l'heure, tu t'occupes de Maro», se dit-il.

* * *

Nour s'était préparé en essayant de prendre son temps, car il avait encore deux heures à tuer avant le rendez-vous. Il avait refait dix fois le nœud de sa cravate, vérifié vingt fois sa tenue dans le miroir de l'entrée, tourné en rond avec fébrilité en se répétant les premiers mots qu'il lui dirait, tenté, sans succès, de lire la presse et, après avoir consulté sa montre pour la centième fois et constaté qu'elle n'était pas tombée en panne, il décida de se rendre à pied jusqu'au journal.

Cinq heures moins trois. Avant d'entrer au *Free Press*, il vérifia sa montre de nouveau, prit une longue inspiration et poussa la porte. Il se retint pour ne pas grimper les marches quatre à quatre. Nayiri l'attendait dans l'entrée. Ils se saluèrent de façon très empruntée, puis elle lui carressa la joue et esquissa un baiser. Il eut envie de l'embrasser, mais recula, effrayé qu'on les surprenne.

— Elle est dans le bureau, elle t'attend.

Nour vit une femme d'âge mûr, à peine maquillée, avec de grands yeux noirs en tous points comparables à ceux de Nayiri, et qui le fixaient intensément. Maro avait tiré ses cheveux en arrière, en un chignon bien trop sévère comparé à la douceur de ses traits, à la tendresse de son sourire. Elle se tenait droite, immobile, les mains posées à plat sur le bureau, comme pour garder son équilibre. Seul le rythme de sa respiration rapide et saccadé trahissait son émotion. Elle portait une jupe verte et un chemisier blanc. En une fraction de seconde, Nour, figé, revit la photo sépia dans l'album de sa grand-mère. Cette femme était toujours aussi belle, le temps avait glissé sur elle, ne laissant derrière lui que de fines rides au coin des yeux et de la bouche.

Maro l'observait. Elle avait beau se dire que cet homme était son fils, elle restait incrédule, ne parvenant pas encore à le réaliser. Puis, elle reconnut la fossette sur sa joue droite, elle revit le visage terrorisé du bébé qu'on lui arrachait des bras. Elle hurlait et implorait en vain. Une vague de chaleur la submergea soudain, incontrôlable, si puissante qu'elle aurait pu lui faire perdre les sens. Elle se sentit aveuglée par les larmes et, incapable de contenir son amour de mère qui venait de ressurgir, se précipita vers lui. Dans un élan commun, mère et fils brisèrent les barrières des distances et du temps.

Nour parvint à articuler un mot : « *Mayrig!* »

Maro restait muette, couvrant de larmes et de baisers le visage de son fils. Ils demeurèrent ainsi dans les bras l'un de l'autre, le temps ne comptait plus.

Maro prit son souffle pour rompre le silence. Sa voix tremblait.

— Depuis que j'ai lu la notice nécrologique sur ton père, j'ai su que c'était le moment de te revoir. Ne sois pas surpris, je te tutoie parce que tu es mon fils, et je t'appellerai Nourhan, car c'est le seul nom qui soit resté gravé dans ma mémoire. Pendant des années, je ne pouvais espérer qu'un miracle et, maintenant, merci mon Dieu, ce miracle s'est enfin réalisé.

— Grâce à mon père!

— Que veux-tu dire?

— Quelques jours avant de mourir, il a fait un dernier pied de nez aux convenances. Il vous a laissé un héritage important dont je suis l'exécuteur testamentaire. Il voulait que ce soit moi et personne d'autre qui vous retrouve. Inutile de vous décrire la fureur de la famille à la lecture du testament.

À mesure qu'il parlait, Nour aurait voulu qu'elle le prenne dans ses bras, mais elle le regardait, ne comprenant pas ce qui lui arrivait. Elle avait tant espéré, rêvé le retour de son enfant, qu'elle en était arrivée à ne plus y croire. Et, maintenant qu'il était devant elle, elle ne savait plus que faire.

Maro observait avec attendrissement ce grand garçon, cet homme qui était aussi son enfant. Elle avait une envie folle de le serrer tendrement contre elle.

— Je t'en prie, continue.

Nayiri apparut, tenant deux tasses de café fumant. Elle les déposa sur le bureau en frôlant volontairement Nour et s'apprêtait à ressortir.

— Reste avec nous, dit Maro, il ne se dit rien que tu ne puisses entendre.

— Nour et moi sommes de vieux amis, dit-elle en plongeant ses yeux dans les siens. Je connais déjà toute la saga Balian-Kardam. Je vais aider Perg à boucler le journal et j'attaque la revue de presse. Vous pouvez continuer sans moi.

Nour sentit qu'il la fixait avec trop d'insistance, et il s'empressa de poursuivre son histoire pour masquer son émoi.

— Je ne savais trop par où commencer mes recherches. Quand j'étais en Turquie, le problème me paraissait élémentaire. Je me voyais arriver ici, ouvrir l'annuaire du téléphone, appeler Maro Balian et régler l'héritage.

— Désolée d'avoir dû changer de nom, mais c'était pour la bonne cause, à l'époque.

— J'espère que vous avez encore tous les papiers qui prouvent que Balian est votre nom d'origine.

Maro trouva sa remarque attendrissante.

— Tu as vraiment envie de me donner cet héritage?

— C'était l'un des derniers souhaits de mon père, immédiatement avant sa mort. Je tiens à respecter sa mémoire en exécutant scrupuleusement ses dernières volontés. Cet argent doit vous revenir, dit Nour en hésitant. Il y a une autre raison. Si vous refusez l'argent, il ira à la faculté de médecine d'Istanbul.

— Et après? C'est une excellente cause.

— C'est hors de question, je ne ferai pas ce plaisir à mes frères. Je vous expliquerai plus tard. Je vous en prie, acceptez.

— Tu devrais commencer par le commencement, Nourhan. Dis-moi donc à combien se chiffre ce fabuleux héritage.

— Un million deux cent mille dollars!

Totalement abasourdie, Maro le fixait, bouche bée.

— Ton père, Dieu ait son âme, était un homme extrêmement généreux, déclara-t-elle en fixant intensément son fils. C'est une véritable fortune. Pardonne-moi cette question, Nourhan, mais avait-il toute sa tête quand il a rédigé ce testament?

— Aucun doute là-dessus.

— Je ne sais pas si je peux accepter!

Nour resta sidéré. Il n'avait jamais envisagé une telle éventualité.

— Mais pourquoi?

— C'est une question de principe. Je ne peux accepter.

Sa voix était mal assurée. Elle eut soudain une envie irrépressible d'éclater en sanglots. Les yeux embués, elle fixait son fils, réalisant qu'il était bien réel.

— Donnez-moi une seule bonne raison pour refuser cet argent.

— J'ai aimé ton père, mais j'ai toujours refusé de l'épouser. J'avais déjà un mari et c'était mon devoir de l'attendre. Riza était musulman, j'étais chrétienne. Je l'aimais et je ne pouvais accepter qu'il ait d'autres épouses. Je voulais qu'il soit l'homme d'une seule femme.

Maro avait retrouvé son calme. Les images défilaient dans sa tête. Elle ne se souvenait pas, non... elle revivait intensément son passé.

— Les Turcs réduisaient mon peuple à l'esclavage et le décimaient. Je sais que ton père n'était pas l'instigateur de ces massacres et j'espère que, au fond de lui, il les réprouvait. Son crime est d'avoir obéi aux ordres de son gouvernement. Cependant, sa position de gouverneur de la province faisait de lui un coupable. Je lui ai donné un enfant, je lui en ai voulu de me l'avoir enlevé, mais quand je te vois aujourd'hui, je ne regrette plus rien.

En voyant revenir Nayiri dans la pièce, Nour se sentit confus. «Pourvu qu'elle ne se doute de rien, ce serait trop moche.» Il n'osait plus regarder sa sœur. Il poursuivit, troublé :

— Lui aussi vous aimait. Vous devez accepter le cadeau de mon père pour ne pas trahir sa mémoire.

— Et si tu prenais cet argent à ma place?

— Je suis déjà très riche.

— Je ne pense pas qu'un million ou deux ajouteront quoi que ce soit à ma plus belle découverte : toi, Nourhan.

Nour recula et observa Maro en hochant la tête.

— Nourhan! Décidément, je ne m'habitue pas à ce prénom. Au fond, Nour ou Nourhan, qu'importe! Je suis un horrible mélange d'Arménien, de Turc, de chrétien, de musulman, et le tout américanisé!

Maro le regardait, mi-amusée mi-sérieuse, mais attendrie et prête à fondre encore en larmes. Elle se ressaisit et prit un ton résolu pour affirmer :

— Alors, vire l'argent dans un compte en fidéicommis à mon nom. Je vais organiser une réunion de famille. Nous déciderons tous ensemble ce qu'il y a lieu de faire. Je ne peux tout de même pas priver mes enfants d'une telle somme. J'en profiterai pour te présenter au reste de la famille.

Soulagé, Nourhan se leva et l'embrassa sur les deux joues.

Nayiri applaudit et, comme la tension des premiers instants était retombée, ils éclatèrent de rire.

— Parle-moi de toi.

— J'ai étudié ici. Ça me fait un curieux effet de savoir que, pendant toutes ces années, nous n'étions pas loin l'un de l'autre. Je n'étais pas tracassé par grand-chose à cette époque. J'avais un père, une mère, et des frères et sœurs qui m'ennuyaient plus qu'autre chose. J'étais insouciant, heureux de vivre. J'ai eu mes diplômes.

Maro était fière de son fils. Aussi fière que si elle l'avait elle-même élevé, choyé et conduit aux portes de l'université.

— Je ne vois pas pourquoi tu aurais fait autrement. Je t'avoue aussi que, moi-même, j'ai mené ma vie sans trop regarder en arrière. Non que j'aie eu peur d'être transformée en statue de sel comme la femme de Loth, mais par crainte de voir ressurgir mes anciennes douleurs…

Nayiri était toute retournée. Jamais, elle n'avait autant entendu sa mère se confier.

— J'avais ma famille, poursuivait Maro, mon journal, et je m'étais convaincue, une fois pour toutes, que cela suffisait à mon bonheur. Cependant, une fois par an, je commémorais en secret la cérémonie de ton baptême, dit-elle en refoulant ses larmes.

— Ma marraine, c'est Deniz, mais je crois que vous lui donniez un autre nom.

— Vartouhi… murmura Maro, soudain nostalgique. Mais comment sais-tu cela?

— C'est elle qui me l'a confié quand je suis allé la voir. Je voulais l'entendre me raconter le secret de ma naissance, secret que Leyla m'avait caché.

Le nom de Leyla rappela à Maro d'innombrables souvenirs plus ou moins douloureux.

— Leyla… dit-elle plongée dans ses pensées. Que devient-elle?

— Quand elle a su que je partais à ta recherche, elle est devenue comme folle. On était en train de lui arracher son enfant!

— Cela a dû être très dur pour elle d'apprendre que je revenais. Comme un fantôme. Que deviennent Safiyé et Makbulé?

— Safiyé se fait vieille… Tante Makbulé est morte, il y a quelques années.

Ces noms retentirent dans ses souvenirs. Elle revoyait les deux femmes devant elle. Elles étaient jeunes alors. Toutes les trois. Une vague de tristesse submergea Maro. Que le temps était passé vite!

— Je me souviens que je lui enseignais le français. Elle voulait aussi que je lui apprenne à jouer du piano. Je crois qu'elle m'aimait bien, ajouta Maro en réprimant un gros soupir.

— Tout a changé là-bas à Gaziantep. Mon père ne sortait plus beaucoup de la propriété. Il rêvait dans les jardins en fumant son éternel cigare. On disait qu'il écrivait ses mémoires. Il se satisfaisait de savoir que je dirigeais ses sociétés. Les dernières années, il ne regardait même plus les comptes.

— «Ses» sociétés?

– Oui, plantations de toutes sortes, participations dans bon nombre de sociétés, usines de conditionnement de tabac…

– Tu dirigeais tout?

– Oui, mais je n'en tire aucune vanité.

Nayiri alluma la lampe sur pied. Ni Maro ni Nourhan n'avaient prêté attention à l'obscurité qui avait envahi la pièce.

– J'en ai terminé avec le journal pour ce soir, dit-elle. Je ne voudrais pas interrompre vos confidences, mais je commence à avoir faim. Je vous propose de descendre manger quelque chose. Au fait, papa sait-il qu'il est ici?

– Certainement pas. Je lui en parlerai le moment venu. Descendez tous les deux, je ferme les bureaux et je vous rejoins dans cinq minutes.

– Tu viens? demanda Nayiri en lui tendant la main.

Gêné, il eut un mouvement de recul. S'il persistait à refuser ce geste d'amitié, Maro ne comprendrait pas. Il se força à prendre la main que lui tendait sa sœur, comme si elle allait le brûler ou l'entraîner vers on ne sait quel enfer.

Dehors, elle lui vola un baiser et se colla contre lui.

20

Altan avait retrouvé son bureau d'Istanbul sans enthousiasme. Il n'aimait pas se retrouver en ville après voir séjourné dans le manoir qu'il avait aménagé au milieu des plantations. Depuis qu'il avait, par intérim, pris les rênes de l'Empire Kardam, il se sentait moins libre qu'auparavant. Il assumait ses responsabilités avec beaucoup de sérieux et consacrait tout son temps à ses nouvelles fonctions. Trop de temps à son goût, car il délaissait ses chevaux et ne s'accordait plus le loisir de flâner, le nez au vent, sur les immenses domaines. Altan n'avait rien changé à l'ordonnancement du bureau de Nour. Certainement parce qu'il n'attachait aucune importance au décorum, mais bien plus parce qu'il espérait le retour rapide de son frère. Il se faisait fort de convaincre les héritiers de Riza Bey de confirmer Nour dans ses fonctions de dirigeant de la Société Kardam. Il avait commencé sa grande manœuvre de séduction auprès de ses frères Érol et Kénan, en les associant à la négociation avec les ouvriers agricoles en grève. Il avait expliqué au reste de la famille que c'était grâce à la présence de ses deux frères que les tractations avec les grévistes avaient connu une fin heureuse. En mettant Érol et Kénan de son côté, Altan constituait un bloc qui saurait s'opposer à Touran et à Ramazan. Il espérait ainsi éliminer les dissensions entre Nour et le reste de la fratrie. Alors, il s'en retournerait sur ses terres, au milieu des paysans qu'il n'aurait jamais dû quitter. «Les banquiers et les politiciens m'emmerdent! cria-t-il en tapant son bureau du plat de la main.» Soulagé par ce cri du cœur, il demanda à la téléphoniste de le mettre en communication avec son frère à New York.

* * *

Altan n'avait jamais entendu Nour parler avec autant d'excitation.

— Je l'ai retrouvée et je lui ai parlé, tu te rends compte. Je lui ai parlé!

— J'en connais deux à qui ça fera bien plaisir quand ils vont l'apprendre. Touran et Ramazan vont bien apprécier, je t'assure. Bon, on parlera d'eux plus tard. Comment est-elle?

— Une belle femme malgré sa soixantaine, plus que sympathique. Dès qu'on la voit, on a envie d'être son ami.

— Raconte-moi ce qu'elle t'a dit!

— Le plus incroyable, la fille de la photo sur le journal, c'est sa fille!

— L'avocate?

— Mais non, l'autre!

— Ah! parce qu'il y en a une autre?

Altan ne comprenait plus rien aux frasques de son frère et il leva les yeux au ciel.

— Oui! c'est vrai, tu ne peux pas encore être au courant.

— Tu alignes tes conquêtes avec une telle rapidité qu'ici nous ne pouvons plus suivre. Tu comptes rester et repeupler l'Amérique avec des petits Turcs ou tu reviens bientôt à la maison?

Altan avait beaucoup de mal à suivre les paroles décousues de Nour. Il comprit que son frère avait fait la connaissance d'une fille magnifique, avec laquelle il avait passé la nuit et que le lendemain, cette fille lui avait avoué que Maro Balian était sa mère. Soudain, il réalisa.

— Tu as couché avec ta sœur!

Altan se demandait quelle mouche avait piqué son frère de lui raconter pareilles sottises. «Il est devenu fou», se dit Altan en martelant son bureau du poing pour ponctuer la déraison de son frère.

— Mais on ne savait pas à ce moment-là, dit Nour d'un ton penaud.

Nour imagina Altan s'agitant sur son fauteuil.

— Et ça ne te fait pas plus d'effet que ça! Moi, je peux te dire que ça va faire l'effet d'une bombe, ici. Une sacrée grosse bombe, si jamais quelqu'un l'apprend!

Altan se demandait quelles pattes il allait devoir graisser pour que les journaux d'Istanbul étouffent l'affaire ou se bornent à un entrefilet insignifiant. Une fortune, voilà ce que ça allait coûter, ses conneries. Altan aboya dans le combiné :

— Nour?

— Ne crie pas, je t'entends!

— Arrête-toi là, d'accord?

— D'accord, plus de photos!

— Nour! gronda Altan, je veux dire plus de demi-sœur autrement que dans les réunions de famille. Pas à l'hôtel pour coucher avec!

— Altan, je te remercie.

— De quoi?

— De m'avoir épargné un sermon stupide.

Nour entendit un tel soupir de lassitude qu'il imagina son frère complètement abattu sur son siège.

— Et ta mère?

— Elle m'a tout raconté, papa, elle, moi, son enlèvement. Elle se souvient encore de toi. Elle m'en a raconté de belles à ton sujet. C'est bien elle, tu peux me croire!

Altan était rassuré par les affirmations de Nour.

— Je te crois. Et ensuite?

— Ensuite, elle ne veut pas toucher à l'argent. Une question de principe.

Altan ne comprenait plus très bien. Cette femme ne voulait pas toucher à l'argent de son père. Perplexe, il lança Nour sur un autre sujet.

— Voilà qui va plaire aux aînés! Et ta sœur avec qui tu as… comment s'appelle-t-elle?

— Nayiri. En fait, ma mère ne veut pas l'argent pour elle, mais pour le distribuer à des œuvres caritatives. Pour le moment, on le dépose dans un compte en fidéicommis. Elle réunit sa famille et ils décideront de la conduite à tenir.

— C'est très correct de sa part. Cette solution, cependant, ne plaira ni à Touran ni à Ramazan.

— Je m'en fous à la puissance mille!

— Belles disputes en perspective!

Altan raconta à Nour ce qu'il appelait «les gesticulations» des ouvriers dans les plantations de tabac et comment elles s'étaient terminées. Nour imaginait bien son frère en train de régler le problème : un coup de gueule, un beau discours démagogique, et une poignée de *kouroushs*. Altan avait cédé sur une prime, mais, en contrepartie, leur avait demandé d'ouvrir l'œil et de lui rapporter tous les mouvements louches. Il voulait remonter la piste jusqu'à la tête.

— J'ai eu tous les noms des ouvriers en question, ajouta Altan, fier de lui.

— Tu sais qui leur distribue les primes?

— Ça n'a pas été commode. Depuis que le contremaître s'est fait trancher la gorge, les langues ne se délient pas facilement. Il y a des intermédiaires sans importance, mais, à la fin, on parle de deux types louches qui distribuent les billets assez facilement pour peu qu'on leur obéisse et qu'on soit discret. Sabri et Özkoul Haydar, tu les connais?

Nour ne les connaissait pas. Altan, de plus en plus grave, poursuivit :

— J'ai remonté la filière grâce à un type qui a l'air d'en avoir gros sur le cœur. Il a pris discrètement contact avec moi et m'a déballé tout ce qu'il savait.

Altan n'avait pas envie d'entrer dans les détails ni le besoin de convaincre son frère qu'il tenait le bon bout. Pour une fois, son informateur ne lui avait pas demandé un seul *kouroush*. Ce type avait un problème personnel à régler — Altan se moquait de savoir lequel — et c'était cela qui le rendait plus crédible. Il avait quand même vérifié ce que cet homme lui avait dit, et tout concordait. Les lieux, les dates, les individus impliqués. Jusqu'au meurtre de cet imbécile de Bédir qui avait voulu jouer sur deux tableaux. D'un côté, il réclamait toujours plus d'argent aux commanditaires et, de l'autre, il arnaquait les ouvriers en ne leur versant pas la totalité du bakchich convenu. Dans le tas, il y en a un qui avait dû se fâcher et couic! il lui avait fait son affaire.

«Si les méchants s'éliminent entre eux, c'est autant de travail en moins pour la police», s'était dit Altan. À ce sujet, il s'était posé la question de savoir à quel moment il devait les avertir. Il avait estimé que c'était encore trop tôt. Il lui fallait un peu plus de preuves et il voulait être certain de soulever une grosse affaire et non un trafic minable. Parce qu'une grosse affaire sera confiée directement aux spécialistes anti-drogue de la capitale. «En principe, ils sont incorruptibles», supposait-il. Sinon, l'affaire allait être confiée aux flics locaux qui pouvaient se faire acheter pour une poignée de livres.

— Fais attention, répondit Nour, ne te tiens pas trop en marge de la légalité, sinon, aux yeux de la police, tu risquerais d'être amalgamé à ces brigands. N'oublie pas que tu es le patron de Kardam et Fils International. À ce titre, tu es censé tout savoir, tout voir et tout diriger. Le fait de garder pour toi ce que tu as découvert pourrait te faire désigner comme le commanditaire ou du moins comme celui qui veut dissimuler la vérité.

— Avec toi comme avocat, je m'en tirerai toujours. À condition que tu délaisses les filles qui te tournent autour, juste le temps de mon procès!

Altan lui raconta comment il avait mené son enquête. Il avait mis dans la confidence des serviteurs fidèles en qui il avait une confiance aveugle. Ces hommes, dévoués à la famille Kardam, avaient toujours servi Riza Bey. Ils suivraient son fils jusqu'au bout. Dès qu'il se passait quelque chose de louche, ils venaient le rapporter à Altan. Et, chaque fois, les frères Haydar étaient intervenus, ou avaient été vus ou bien étaient cités. Le problème d'Altan, c'est qu'ils opéraient uniquement sur les exploitations des Kardam, comme si ce terrain d'action leur assurait l'impunité. Interrogés, les propriétaires voisins n'en avaient jamais entendu parler. Sabri et Özkoul se conduisaient comme s'ils étaient employés par Kardam et Fils International!

Altan était d'autant plus furieux que les deux trafiquants semblaient prendre leurs ordres auprès de Ramazan. C'était ce qu'on lui avait laissé entendre avec beaucoup de ménagements, car personne n'osait montrer ouvertement du doigt un Kardam. Altan avait distribué pas mal d'argent pour en savoir plus, mais aucun bakchich ne lui avait permis de réunir les preuves suffisantes, et il avait dû se contenter de on-dit et de sous-entendus.

— Touran suit Ramazan comme son ombre, il est certainement dans le coup. Je suis dégoûté, soupira Altan.

Nour n'en croyait pas ses oreilles. Il se doutait que ses aînés n'étaient pas des saints, cependant il ne les voyait pas dans la peau de trafiquants de drogue. Il ne pouvait pas comprendre pourquoi ces deux-là se livraient à ce genre d'activité criminelle. Ce n'était quand même pas une question d'argent! Ils avaient leur solde d'officiers supérieurs, les dividendes, oh combien importants de la Société Kardam, plus des placements personnels dans d'autres entreprises. Sans parler des quelques arrangements occultes avec leurs solliciteurs. Tous ces revenus leur permettaient de vivre dans le luxe, ils auraient pu donner leur démission de l'armée et continuer de mener une vie de nababs.

Bien qu'intéressés par l'appât du gain, Touran et Ramazan avaient d'autres motivations que l'argent. Ils avaient été frustrés de tout ce qui faisait le bonheur des gens de leur acabit. Ils avaient fait des études longues et pénibles pour eux, dans une école militaire, pourtant ils n'avaient jamais été de vrais soldats. Ils commandaient une armée de scribouillards dont l'unique champ de bataille était la paperasserie administrative. Les médailles qu'ils portaient avaient été gagnées dans les couloirs des ministères à force de souplesse d'échine. Pauvre victoire! Ils étaient les aînés d'une lignée qui ne voulait reconnaître ni leur autorité ni leurs prérogatives. Kénan les écoutait, car sa cervelle était trop molle pour qu'il puisse se forger une opinion personnelle, alors il suivait l'avis du dernier qui avait parlé. Érol se flattait qu'ils le prennent en considération; il était tellement imbu de lui-même qu'il pensait être important quand il aboyait avec les loups. Les pauvres frères aînés! Leur père, le premier, les avait destitués de leur rang en nommant, à leur place, Nour, le bâtard honni, en tant que directeur général de la Société Kardam. Bien que l'aîné, Ramazan, demeurât l'éternel second. Touran, l'éternel troisième, briguait sa place. Les relations entre eux deux n'étaient qu'intrigues et querelles de préséance. Dans leur vie professionnelle, ils terrorisaient leurs subordonnés qui les raillaient derrière leur dos. Ils confondaient autorité et despotisme. Chez eux, ils régnaient sur des enfants insupportables et des épouses qui les méprisaient et compensaient leur vide sentimental en se gavant de loukoums dans les pâtisseries à la mode. Alors, ils avaient voulu se faire reconnaître comme des chefs indiscutables et indiscutés, à qui on obéit au doigt et à l'œil. Ils n'avaient trouvé, pour satisfaire leurs ambitions, que des nervis à leur solde. Pour assouvir leur besoin de commander, ils étaient devenus trafiquants.

* * *

— Je suis très peiné d'avoir de tels frères, je t'avoue que j'en ai honte, avait confié Altan à Nour. Encore une question. As-tu pu en apprendre plus au sujet d'Ebenezer?

— Pas encore. J'ai embauché un détective privé, Charles Burto, sur la recommandation de mon ami Irving Leonard. Il travaille pour leur cabinet. Je pensais te l'avoir dit, l'autre jour.

Nour avait mis Burto sur la piste d'Ebenezer. C'était un vrai professionnel de la filature et du renseignement privé. Pas le genre qui se cantonnait à suivre les maris infidèles et les femmes volages. Il avait un réseau d'informateurs qui allait des hautes sphères de la police aux truands des bas-fonds de la ville, ce qui, à New York, était parfois la même chose. «Je finirai bien par vous dégoter du solide à propos de cet Ebenezer», avait affirmé Burto à Nour. Pour l'instant, ses indicateurs en savaient très peu sur lui, sauf qu'il était du genre insaisissable. Ceux qui l'avaient déjà rencontré semblaient assez peu nombreux. En effet, Ebenezer traitait tout par téléphone, aussi personne ne savait à quoi il ressemblait. Toutefois, Burto était parvenu, dans les grandes lignes, à cerner son activité. On le disait négociant en produits orientaux, principalement du tabac, comme par hasard. Il grenouillait dans le milieu import-export new-yorkais, qui se révélait être un drôle de marécage! Personne ne connaissait sa véritable nationalité, il avait des antennes aussi bien chez les Arméniens, les Juifs, les

Napolitains, les Grecs, les Chinois et autres. Un monde cosmopolite qui créait des compagnies, les vendait, les liquidait, aujourd'hui sous un nom, demain sous un autre, toujours à la limite de la légalité, limite qu'Ebenezer semblait franchir assez souvent.

— Pour l'instant, je ne peux t'en dire plus, avoua Nour assez désabusé.

— Ce n'est pas beaucoup. Et l'adresse que je t'avais donnée?

— Des bureaux de courtiers qui servent de boîtes aux lettres à des sociétés fantômes.

Charles Burto avait expliqué à Nour, qui s'impatientait : «Une adresse renvoie à une autre, on te fait faire le tour des docks et des entrepôts pour, en fin de compte, revenir à la case départ. On peut leur téléphoner, leur écrire, mais jamais rencontrer une personne en chair et en os qui te fasse des réponses satisfaisantes. L'enquête prendra du temps. Dans cette ville, il faut de drôles d'accointances pour mettre la main sur quelqu'un qui ne veut pas qu'on le trouve.» Burto affirmait qu'il finirait par coincer Ebenezer, mais il fallait être patient.

Altan était déçu que l'enquête piétine. Il aurait voulu que tout soit réglé en un tour de main. Il préféra changer de sujet plutôt que d'exprimer sa déception à Nour, qui n'y pouvait rien.

— Avant de raccrocher, j'ai encore une ou deux petites demandes à te transmettre. Je leur ai promis de le faire dès que j'aurais l'occasion de te parler. Tu t'en doutes. Ésine et Leyla souhaiteraient avoir de tes nouvelles autrement qu'en lisant les rubriques à scandales des journaux. Tante Safiyé aussi voudrait être rassurée, elle croit que toutes les Américaines sont des *pinup* qui se baladent en bikini. Elle craint pour ta santé.

— Je te promets que je les appelle tout de suite, dit Nour, en s'allumant une Lucky Strike.

21

— C'est comme ça… je t'aime, avoua Nayiri, qui avait rejoint Nour dans son appartement du Waldorf Astoria. Je ne regrette rien. J'ai eu un coup de foudre. Je ne savais pas qu'une telle attirance pouvait être possible.

— Moi non plus, avoua Nour troublé. Mais pourquoi ne m'as-tu pas dit que Maro était ta mère?

— À ce moment-là, je ne savais pas que tu étais son fils… Qu'est-ce que cela aurait changé? Je voulais te séduire, je voulais aller au bout de mon désir de toi… Maintenant, plus rien n'a d'importance, je t'aime.

Nayiri avait perdu son assurance de femme indépendante et sûre d'elle. Nour la regardait, désorienté. Il se demandait si elle prenait réellement conscience de leur situation. Un court instant, coupable, il pensa à Ésine.

Le son de la voix de Nayiri l'interrompit :

— Quand tu es entré au journal, mon sang n'a fait qu'un tour. C'était un signe du destin, je t'avais retrouvé.

Elle maîtrisait son émotion à grand-peine.

— Je te veux. Toi. Rien que toi!

À ces mots, un désir charnel s'empara de lui. Un désir qui lui faisait peur, incontrôlable, violent, destructeur. Qu'allait-il leur arriver? Incapable de se contrôler, il ne voyait qu'elle. Peu importait qui elle était, il avait besoin de sa peau, de son odeur, de son corps. Il était en perdition sur une mer de passions, loin de la Turquie, loin de cette autre femme…

— Pourquoi n'aurions-nous pas le droit de nous aimer? dit-elle d'une voix sourde.

Nour était resté dans son fauteuil. Nayiri passa derrière lui, glissa les mains sous la robe de chambre et lui caressa la poitrine. Il renversa la tête, fermant les yeux. Elle trouva sa bouche et y colla la sienne. Elle descendit les mains vers son ventre et dénoua la ceinture de tissu qui entravait la progression de ses doigts. Il l'attira face à lui. Nayiri, à genoux, se blottit contre lui, continuant de toucher sa peau, la joue sur son torse. Elle l'embrassait, donnait de petits coups de langue en descendant vers son nombril. Il lui prit la tête entre ses mains et lui planta les doigts dans la chevelure. Elle poussa un soupir de satisfaction et posa les lèvres sur son sexe dressé.

Soudain, la sonnette de l'entrée retentit, les faisant sursauter.

— Oh non! Ce doit être le garçon d'étage, soupira Nour.

— Laisse tomber, souffla Nayiri.

Les coups frappés à la porte se faisant plus insistants, Nour se réajusta et alla ouvrir. Un jeune homme assez fluet et soigneusement habillé le fixait avec un regard affolé. Nour allait lui claquer la porte au nez, lorsqu'il entendit le ton suppliant du visiteur. Dressé sur la pointe des pieds, il essayait de regarder à l'intérieur.

— Nayiri, bredouilla-t-il, je sais qu'elle est là. Je suis son fiancé, Gregory Danielian. Laissez-moi lui parler.

Pris au dépourvu, Nour le laissa entrer.

Greg, médusé, observa la robe de chambre entrouverte de son hôte et les cheveux ébouriffés de Nayiri. Il devint cramoisi et bafouilla :

— Mais vous étiez en train…

— En train de quoi? lança-t-elle, reprenant ses esprits.

Greg n'en revenait toujours pas. Pour toute réponse, il désigna Nour d'un geste vague et murmura :

— Vous faisiez… vous faisiez…

Sous le choc, les mots restaient coincés dans sa gorge.

Nayiri s'approcha et lui planta son index dans la poitrine en l'apostrophant.

— Mais qu'est-ce que tu t'imagines? C'est ignoble! Tu nous prends pour qui? C'est mon frère!

Voyant Nayiri ulcérée, Greg se ressaisit et tenta de retrouver son calme habituel. Il agita les bras en signe d'impuissance.

— J'ai perdu la tête. Excuse-moi.

— D'abord, que fais-tu ici?

— Je t'ai suivie, avoua-t-il d'un air piteux.

— De quel droit?

— Tu m'as plaqué sans explication. Je me suis senti humilié. Je voulais savoir avec qui tu couchais. Maintenant, je ne sais plus… J'ai honte. Bon Dieu, que je me sens mal!

Nayiri le prit doucement par l'épaule et le reconduisit vers la porte. Elle le fixa, attendrie par sa détresse :

— Je ne veux pas te faire de mal. Nous ne sommes pas faits l'un pour l'autre, et tu n'y es pour rien.

Greg eut un sursaut de révolte.

— Mais nous étions comme fiancés, je ne comprends plus. Je t'aime, moi.

— Greg, je t'en prie, séparons-nous. C'est mieux pour tous les deux, essaya-t-elle de le persuader.

Au bord des larmes, il secouait la tête, ne pouvant y croire. Puis il passa la porte, la tête basse, et fila dans le couloir.

Nayiri, peinée de le voir aussi malheureux, ferma doucement derrière lui en poussant un soupir.

Tout en se félicitant que le sang-froid de Nayiri les ait tirés d'embarras, Nour se disait que cette irruption du fiancé faisait planer une menace. Désormais, ils devraient se montrer prudents. Il n'osait imaginer la réaction de leur famille si jamais…

— Je n'aime pas faire mal aux gens, lui dit Nayiri comme pour s'excuser.

Il espéra que Greg, déboussolé, avait bien été dupé par l'affirmation de Nayiri, et il la remercia pour son esprit d'à-propos. Cependant, Nour était encore sous le choc. « Ce genre de choses, ce n'est pas bon pour les affaires. Ce serait la catastrophe si ça se savait à Istanbul. »

— Nous devrons être prudents…

— Je m'en fous que tout le monde soit au courant. Je t'aime, dit-elle en le poussant vers la chambre.

Cette déclaration d'amour l'inquiéta.

* * *

Maro et Vartan s'affrontaient du regard, attendant que l'autre ouvre les hostilités.

— Tu sais que mon fils est ici à New York et qu'il m'a recherchée. Je veux que tu saches aussi pourquoi.

Vartan jouait l'indifférent.

— Son père m'a légué une fortune. J'ai tout d'abord pensé que cet héritage ne concernait que moi. À la réflexion, il nous concerne tous.

— Si tu gardes cet argent, je te quitte sur-le-champ et pour toujours.

La menace de Vartan n'ébranla pas Maro.

— Demain soir, j'ai invité tous les enfants chez moi. Je leur présenterai Nourhan. Je leur demanderai leur avis sur le sort qu'il y a lieu de réserver à cet héritage. Un conseil de famille en quelque sorte. Je souhaiterais que tu sois présent.

— Plutôt crever!

— La jalousie t'étouffe, tu perds le sens des choses et de toutes les valeurs que tu défendais naguère. Je te plains.

— Tu te ranges dans leur camp.

— Quel camp? Moi, je choisis le camp des vivants, de mes enfants, de l'avenir. Toi, tu luttes contre des fantômes que tu es le dernier à entrevoir. Il faudra bien, un jour, que tu te mettes à regarder la réalité en face, Vartan. Le monde a changé, nous ne sommes plus dans notre province d'Anatolie, nous habitons la plus grande ville du monde libre, nos enfants sont américains et ne se passionnent plus beaucoup pour tes vieilles lunes. Ils écoutent poliment tes sermons, par respect pour toi plus que par intérêt pour tes idées cent fois serinées.

Vartan mit un terme à la dispute en claquant la porte. Il marchait droit devant lui, souhaitant que l'agitation de la rue l'aide à endiguer cette fureur qui montait chaque fois que l'on évoquait Riza Bey. Il ne parvenait plus à dissocier ses convictions politiques de ses sentiments personnels. Il ne suffisait donc pas que le destructeur de son peuple, l'amant de sa femme, soit mort d'une banale crise cardiaque sans expier ses fautes : il fallait qu'il renaisse sous la forme d'un jeune homme, qui plus est le fils de sa propre femme, débarquant avec son cadeau!

* * *

Nour avait décidé d'arriver en avance à la soirée chez Maro. L'idée de se retrouver en tête-à-tête avec sa mère lui plaisait. Il avait eu envie de serrer Maro dans ses bras, mais il s'était contenté d'un baiser sur la joue de sa mère. Il avait même failli lui dire un stupide «bonjour, madame», tant il se sentait gauche et emprunté.

Maro avait vite compris que cette retenue trahissait l'émotion de son fils. Elle l'avait invité à se rendre au salon pour y attendre ses frères et sœurs, mais Nour avait préféré l'accompagner à la cuisine et bavarder avant que les autres n'arrivent.

Avec une rare maladresse, il tâchait de l'aider aux derniers préparatifs du repas.

— On dirait qu'un homme ne peut pas faire deux choses à la fois, lui avait dit Maro en plaisantant.

— J'ai eu une éducation qui ne permet pas aux garçons de traîner dans la cuisine, qui reste le domaine réservé des femmes. Mais dans ce territoire interdit aux hommes, c'est là que se trouve le vrai pouvoir, que se font et se défont les empires. Un complot bien monté dans le secret du harem trouvera un prolongement insidieux dans le lit de celui qui se croit le maître. Pour diriger le monde, il n'est pas nécessaire de siéger au gouvernement, il suffit aux femmes qui maîtrisent les plaisirs de l'alcôve de souffler quelques bonnes idées, à l'heure des confidences sur l'oreiller.

Maro regarda Nour pour savoir s'il était sérieux ou s'il plaisantait. Il avait pris un air pincé, mais ses yeux pétillaient. Il éclata de rire.

— Réflexion bien cocasse et bien amère, jeune homme, dit Maro tout attendrie par ce grand enfant qu'elle découvrait. As-tu souffert à cause des femmes?

— Pas encore, mais je sens que cela ne saurait tarder.

— Je n'ai pas eu, sur ton père, le pouvoir dont tu parles.

— Mais vous avez eu l'avantage de rester sa maîtresse de cœur jusqu'au bout de sa vie. Aucune de ses autres femmes et, sans aucun doute, bien peu de femmes, en général, ne peuvent en dire autant. Comment s'est passée notre séparation?

— Comme je te l'ai dit, Vartan a kidnappé ton père et, en échange de sa liberté, a obtenu la mienne. Les tractations ont eu lieu hors de ma présence. Il s'agissait d'une négociation d'hommes : chacun d'eux me voulait pour femme, aucun n'a envisagé un instant que j'étais aussi une mère. Ils m'ont traitée comme un colis. Mon mari trop heureux de récupérer son épouse légitime, mon amant te gardant en otage, par dépit.

— Et ensuite?

— À mon tour, j'ai songé à te faire enlever. Ton père te surveillait de près. Vartan m'a emmenée aux États-Unis pour éviter les poursuites de la police politique turque et vivre dans un pays où la liberté est reine. Que faire une fois rendue de l'autre côté de l'océan?

— Vartan, qu'en pense-t-il? Je le verrai, ce soir?

— Vartan est un homme meurtri. Il vit dans sa bulle. En Turquie, il était quelqu'un. Pharmacien et chimiste contre son gré, pour satisfaire aux exigences de son père, il est entré en politique comme on entre en religion. Défendre les opprimés, la liberté, le droit de vivre debout dans toute la dignité de l'être humain. Voilà son credo. Tu connais les misères de notre peuple dans les années troubles de l'histoire de la Turquie. Vartan a souffert dans sa chair le martyre de ses concitoyens. Je crains que, encore jusqu'à ce jour, certaines de ses blessures ne soient restées ouvertes.

Il a perçu notre exil comme une fuite. À peine débarqué de Ellis Island, il a repris son combat pour faire connaître aux populations des pays libres la lente agonie des Arméniens exterminés en Turquie. Cent fois repoussé, cent fois il revenait à la charge, inlassablement, avec une passion jamais éteinte.

— Vous l'avez beaucoup aimé.

— Le Vartan que j'aimais a beaucoup changé.

— C'est dommage.

— Les enfants supportent poliment les discours de leur père, mais aucun ne prendra la relève. Cela le blesse.

— Et Tomas?

— Il a tellement été brinquebalé qu'il ne sait plus où il se trouve. Il a côtoyé la mort sur les routes de l'exil, bâtard et «incroyant» au milieu des frères Kardam, enlevé par des brigands kurdes, il a passé une partie de son enfance comme esclave d'un fermier iranien et a terminé sa jeunesse, échoué dans un orphelinat suisse parmi d'autres déracinés. À peine nous avait-il retrouvés que nous le conduisions vers un autre monde. Bien sûr, nous pouvons être fiers de lui, c'est un bon médecin. Sa femme est américaine, une fille de protestants de la côte est. Ils ont deux enfants blonds à l'accent yankee.

En écoutant cela, Nour aurait voulu que les Balian oublient sa nationalité turque.

— Je le verrai ce soir?

— Je ne sais pas. Depuis quelques mois, il traverse une crise. La quarantaine, son couple, son emploi à l'hôpital, son frère, ses sœurs, et surtout son père qu'il ne supporte plus. Parfois, il se confie encore à moi. Il ne veut plus entendre parler du passé, il trouve sa vie sinistre et craint l'avenir. Tomas est la bouteille jetée à la mer, il renferme un message périmé qu'il veut oublier et ne sait vers quel rivage les courants le poussent.

— J'ai peur de lui évoquer de mauvais souvenirs.

Nour se sentait confus devant sa mère. Il aurait voulu s'excuser, mais de quoi au juste? Il était inocent du passé. Il chassa cette idée.

— S'il vient ce soir, ce sera le signe qu'il est prêt à les affronter.

— Quand j'y pense, dit-il, j'ai un nombre incroyable de frères et de sœurs, mais ce ne sont que des moitiés.

— Espérons qu'à eux tous, ils se complèteront pour faire des entiers! s'exclama Maro en riant. J'ai entendu la jeep de Nayiri. Va lui ouvrir, tu ne seras pas trop intimidé, celle-là, tu la connais déjà.

Le sourire entendu de Maro lui fit craindre, un instant, qu'elle ait découvert le sens de ses relations avec Nayiri. Il accueillit sa sœur d'un baiser chaste sur le front.

Il tournait en rond dans le salon, il avait le trac.

Jake arriva le premier. La franchise de son sourire et ses mots de bienvenue calmèrent les appréhensions de Nour. Jake lui parlait comme un bon copain. Il amena la conversation sur des sujets futiles, le base-ball, le climat de Manhattan, et expliqua à Nour ses dernières acquisitions à l'épicerie en gros comme s'il poursuivait une vieille discussion, interrompue la semaine précédente.

Nour lui en sut gré, puis il aperçut le *Financial Times* qui dépassait de la poche de son veston de tweed.

— La Bourse t'intéresse? demanda Nour en désignant le journal.

— J'essaie de voir plus haut que l'épicerie de l'oncle Noubar. J'ai fait des études de commerce et le monde des affaires m'attire.

Ils poursuivirent sur le sujet et précisèrent leurs intérêts réciproques : la vie des entreprises, les grands courants commerciaux internationaux, les finances.

Pour une fois, Jake avait un interlocuteur de choix, un homme d'affaires averti. Ses sœurs n'entendaient rien à toutes ces questions et son père ratiocinait sur le passé. Jake était heureux, un complice s'était introduit dans la famille.

Grâce à lui, le trac de Nour avait disparu.

Araksi signala son arrivée en criant : «Où il est? Où il est?» jusqu'à ce qu'elle découvre Nour avec Jake qu'elle repoussa pour contempler son nouveau frère.

— C'est bien vrai qu'il est beau! Mon Dieu, qu'il est beau! Elle l'embrassa sur les deux joues sans lui lâcher les mains qu'elle avait prises dans les siennes. Nour rougit en bredouillant un vague «salut!».

— Je me présente, Araksi, je suis la petite grosse de la famille. Célibataire par conviction, faute de pouvoir faire autrement. Les garçons préfèrent toujours Nayiri. Mon rêve est qu'elle se case pour que je puisse avoir le champ libre. Bienvenue parmi nous. Je vois qu'on ne t'a pas encore offert à boire. Ils sont nuls! Je te laisse avec ce pauvre Jake, je vais rejoindre les femmes à la cuisine.

— N'aie pas peur, elle est toujours comme ça, dit Jake. Cette fille est une bonne nature. Toujours le cœur sur la main, elle meuble sa solitude en aidant les autres. Elle a raison, je manque à tous mes devoirs. Allons nous servir un whisky en attendant les autres.

— Elle me fait penser à ma demi-sœur Chahané. Elle aussi se dévoue pour la cause des femmes et, chez nous, ce n'est pas une mince affaire. Le féminisme est inconcevable dans un pays musulman. Je pense qu'elles feraient un beau duo toutes les deux.

— Mon autre sœur, Azniv, se prend au sérieux et elle a des idées sur tout. C'est parfois n'importe quoi. Elle n'est pas méchante, tu verras, juste un peu imprévisible. Ne t'en formalise pas. Elle joue souvent l'impertinente, elle a l'impression que ça la rajeunit. Elle adore passer pour une intellectuelle. Azniv espère prolonger son adolescence en s'habillant comme une collégienne. Mais je te laisse la découvrir, je ne voudrais pas influencer ta première impression.

— Je n'ai pas osé demander à Maro si votre père venait ce soir.

— Il ne viendra pas. C'est mieux ainsi.

— Je suis en train de mettre la pagaille dans votre famille.

— Qui est aussi la tienne, je te le rappelle. Pour Araksi, Nayiri et moi tu es notre frère. Le cercle de famille s'agrandit, on se serre pour te faire une place à table.

Jake prit un air solennel et ajouta :

— Dans certaines familles, on mettait un couvert supplémentaire pour l'invité de la onzième heure. Ces familles-là étaient plus prévoyantes que nous.

Jake se mit à rire. Il posa la main sur l'épaule de son demi-frère.

— Pour moi, Nour, tu as toujours été parmi nous.

— Merci. Je te remercie pour ces paroles, Jake, de tout cœur. N'empêche que j'ai bouleversé pas mal de choses, ici. Maro…

— Tu peux l'appeler maman, si ça te fait plaisir. Je ne serai pas choqué.

— J'ai un peu de mal avec ça.

Azniv était en tous points conforme à la description de Jake. Une collégienne menacée d'embonpoint, petites lunettes cerclées d'écaille, jupe plissée marine et chemisier blanc. Elle détailla Nour comme s'il s'agissait d'un animal exotique. Intéressée mais prudente, elle se tenait à bonne distance. Son visage ne trahissait aucun sentiment. Visiblement, elle faisait un gros effort pour paraître neutre. Azniv prononça quelques paroles de bienvenue tout à fait conventionnelles, tourna les talons sans plus se soucier ni de Jake ni de Nour et s'en fut rejoindre les autres femmes à la cuisine.

— Pas chaleureuse, ce soir, notre Azniv. Tout ce qui est nouveau ou étranger l'inquiète. Je devine qu'elle est vexée, car elle a été la dernière à être informée de ton arrivée. Maman l'avait mise en fin de liste. Dommage que son mari n'ait pas été convié. Lui, il est drôle. Roberto est un Italien jovial et plantureux qui tient une pharmacie. En dehors de l'huile d'olive et des pâtes, il a une véritable passion pour l'horlogerie.

En attendant l'arrivée de Tomas, Maro et ses trois filles s'installèrent au salon pour boire un verre.

— Il est grand temps, maman, que tu nous dises toute la vérité. Pourquoi nous as-tu caché aussi longtemps l'existence de ce beau garçon qui est notre frère? demanda soudain Araksi à sa mère.

273

— Demi-frère, corrigea Azniv, en fixant la pointe de ses chaussures.

— Tu as raison de baisser le nez en disant ça, répondit Araksi, ta remarque est stupide! Je continue. Maman, quelques explications, s'il te plaît.

Maro expliqua à ses filles et à Jake. Elle surveillait la pendule du coin de l'œil en se demandant si, ce soir encore, Tomas n'allait pas faire faux bond. Elle essayait de se persuader qu'il était retenu par une urgence à l'hôpital.

— Mais pourquoi n'as-tu rien dit? Pourquoi te taire depuis tant d'années?

— Votre père me l'avait interdit.

— Notre père est un fanatique, un stupide bigot! dit Nayiri.

— Ça suffit, Nayiri! Reste correcte avec ton père, à plus forte raison quand il n'est pas là pour se défendre, lui dit Maro d'un air peiné.

— C'est lui le responsable de ce gâchis.

Aucun des enfants Balian n'avait quoi que ce soit à ajouter. Pensifs, ils restèrent un bon moment à écouter le tic-tac de la pendule.

— Comment nous as-tu retrouvés? demanda Jake à Nour pour détourner les pensées moroses de chacun.

— Il y a quelques jours, j'ai essayé d'aborder plusieurs personnes qui assistaient à un banquet au Waldorf. Si je ne me trompe pas, c'était en l'honneur d'un écrivain ou d'un historien arménien.

— Quelle coïncidence! s'exclama Azniv de sa petite voix, c'était la soirée de papa.

— Les gardes ne m'ont pas laissé approcher. Pendant qu'ils me forçaient à réintégrer le hall, j'ai remarqué une paire d'yeux qui me dévisageait.

Nayiri éclata d'un rire joyeux.

— Ne me dis pas que c'était toi, Nayiri, dit Maro. Tu ne m'as parlé de rien.

— Oui, c'était moi. Il y a plein de choses encore que je ne t'ai pas dites.

Nour leur raconta sa rencontre avec Nayiri au journal, puis l'épisode fâcheux dans le hall du Waldorf, où ils avaient été pris en photo à leur insu.

— Comment se fait-il que tu n'aies pas essayé d'entrer en contact plus tôt avec ta mère? demanda Araksi.

— J'ignorais que j'avais une mère aux États-Unis. Mon père est mort récemment et il a légué…

— Nourhan! cria Maro. Attendons Tomas pour dévoiler la suite.

— On risque d'attendre longtemps, il y a six mois qu'on ne l'a pas vu, dit Nayiri.

— Attendons au moins une demi-heure. Ensuite, Nourhan pourra nous dire pourquoi il est ici.

* * *

Tomas avait les cheveux poivre et sel, coupés court. Malgré son ton enjoué, il était fatigué. Il avait embrassé son frère et ses sœurs et s'était retrouvé très gauche devant Nour à qui il avait finalement tendu la main, d'un air embarrassé.

— Je quitte l'hôpital à l'instant. Notre manque de personnel est chronique, il faut sans cesse faire le travail des postes vacants. Papa n'est pas là?

— On ne te suffit pas? demanda abruptement Araksi.

Tous se tournèrent vers elle, interloqués par sa réaction.

— Ce n'est pas ce que je voulais dire, répondit Tomas. Je me disais que l'événement était suffisamment important pour que nous soyons tous ici. Mais je comprends.

— Tu comprends quoi? demanda Nayiri.

— Qu'il ne soit pas là. Certes, l'occasion est exceptionnelle, ce n'est pas tous les jours qu'un frère nous tombe du ciel,

275

et pas n'importe lequel. Je suppose que maman vous a mis dans la confidence. Vous savez donc de qui il est le fils.

Tomas arrêta de parler pour observer Nour et tenter de percer les sentiments de son demi-frère.

— Pardonne-moi, Nour. Ce n'est pas toi qui es visé. C'est ce que tu représentes. Tu es le symbole vivant de ce que nous tentons vainement d'oublier. Y serions-nous parvenus que tu aurais quand même surgi de nulle part pour nous brandir à la face notre foutu passé! J'aurais aimé ne pas avoir à te rencontrer. J'aurais préféré que tu n'existes pas. Papa et moi aurions fini par trouver le sommeil à force d'user nos souvenirs. Tu arrives et tu nous dis que nous n'avons pas rêvé ces mauvaises années.

Il y eut un long silence. Aucun des enfants Balian ne songeait à interrompre Tomas qui semblait beaucoup plus troublé qu'il ne l'aurait voulu. Il reprit son souffle et poursuivit d'une voix ferme.

— Tu n'as pas choisi ta famille. Si tu avais pu le faire, sans doute ne serais-tu pas parmi nous aujourd'hui. Oublie mes paroles amères. Je suis maladroit, je souhaitais justifier l'absence de mon père. Si je t'ai blessé, ce n'était pas mon intention.

Tomas avait l'air sincèrement navré. Il se tut et baissa les yeux un moment, dans l'attente des réactions.

Maro leva la main pour interrompre toute tentative de réponse de la part des autres enfants.

— Tomas a dit ce qu'il avait sur le cœur. Tout commentaire de votre part serait superflu. Nous ne sommes pas réunis pour polémiquer à l'infini. D'autant que personne ne saurait convaincre l'autre. Nourhan avait commencé à nous dire pourquoi il était venu à New York. Écoutons-le jusqu'au bout.

— Mon père, Riza Kardam, a légué une grosse somme d'argent à votre mère, dit Nour. Il se reprit : je voulais dire à *notre* mère.

Puis, il laissa à chacun le temps d'assimiler la bonne nouvelle.

Incapable de réfréner sa curiosité, Azniv formula la question que tous se posaient.

— Une grosse somme, c'est combien?

— Un million deux cent mille dollars.

Tous les visages exprimèrent de la stupeur à l'énoncé du montant. Azniv battit des mains jusqu'à ce qu'elle se rende compte des regards désapprobateurs de ses sœurs.

— Pas croyable, dit Jake. Je me doutais que tu ne t'étais pas déplacé pour rien, mais une telle somme, c'est énorme!

— Tu pourras changer ton canapé, maman, celui-là nous pince les fesses avec ses vieux ressorts, plaisanta Araksi pour masquer son trouble.

— Peut-on savoir d'où vient tout cet argent? demanda Tomas à Nour.

— Ma famille est fortunée. Mon père était propriétaire de plantations de thé, de coton, et surtout de tabac. Il a complété cette partie agricole par des usines de conditionnement de tabac et lancé une activité d'import-export. Avant sa mort, il a constitué un *holding* qu'il a réparti entre ses enfants.

— J'ai entendu dire que certains propriétaires fonciers n'hésitaient pas à cultiver le pavot pour en extraire l'opium. Est-ce que cet argent a aussi été gagné grâce à ce trafic?

Tomas n'avait pu s'empêcher de lancer cette question qui ouvrait la porte à bien des querelles.

— Tout à fait, répondit Nour, sans se laisser démonter par le sous-entendu de Tomas. La Turquie a longtemps été l'un des grands producteurs de pavot dans le monde. L'opium produit était utilisé à des fins médicales. Je crois savoir que ta famille a largement pratiqué le commerce de l'opium avant l'interdiction de son exportation par la Turquie. Sans le savoir, nos deux familles avaient des activités qui se complétaient. Pour répondre plus crûment à ta question, non, mon père n'a jamais trafiqué de la drogue.

Maro se sentait mieux : ses enfants savaient tout.

— Cet héritage, je l'accepte ou pas? demanda-t-elle à ses enfants, médusés par la question.

Ils voulaient tous donner leur avis à la fois et s'interpellaient. Maro fut obligée de calmer tout son petit monde.

— Je ne veux pas que vous me répondiez ce soir. Réfléchissez, parlez-en à vos conjoints.

— Cet héritage est une grande responsabilité pour toi, dit Jake, j'imagine que tu en as parlé à papa. Qu'en dit-il, lui?

— Sa réponse a été lapidaire : «Si tu acceptes, je te quitte pour toujours.»

— Toujours aussi futé, le paternel! dit Nayiri.

— Une précision encore, dit Nour. Si notre mère refuse cet héritage, il sera transféré à l'Université d'Istanbul pour la recherche. En aucun cas, il ne profitera à notre famille. Je n'ai donc aucun intérêt personnel dans cette affaire. Je tenais à ce que vous sachiez cela avant que vous ne preniez votre décision définitive.

Le brouhaha reprit de plus belle. Nour, sourire au coin des lèvres, les observait avec un détachement amusé.

22

Juste après l'incident des grévistes, un ouvrier plus futé que les autres avait mis Altan sur une piste. Il avait alors suivi le conseil de Nour et s'était adressé directement au service de la répression des fraudes. Par chance, Altan avait un ami qui connaissait un haut responsable de la police, et il l'avait introduit jusqu'à lui. C'était une équipe de purs et durs, des incorruptibles, disait-on.

Ces policiers d'élite étaient plus ou moins au courant de ce trafic, mais les commanditaires semblaient bénéficier d'appuis dans les hautes sphères, aussi ils menaient leur enquête avec précaution. Ils manquaient surtout de renseignements concrets : Altan leur en avait fourni. Ensuite, tout était allé très vite. Ils avaient même déniché le laboratoire de transformation d'opium, qui se trouvait à Samsun, dans un vieil entrepôt à moitié désaffecté. Manque de chance, cet entrepôt appartenait à la Société Kardam.

Altan était consterné par cette découverte. Il ne supportait pas de voir sa famille impliquée dans un trafic de drogue et avait fait en sorte que la presse reste en dehors de cette histoire. Heureusement pour le clan Kardam, Altan avait des alliés. Un journaliste lui avait fait remarquer : «Il ne faut pas oublier que tu as eu la chance de te trouver où il fallait, au bon moment, sinon tu n'en aurais jamais rien su. Ou alors trop tard, quand la police aurait fait irruption sur le domaine et vous aurait mis le nez dans votre cloaque.»

Altan se félicitait d'avoir pris contact avec cet ouvrier qui s'était manifesté fort à propos au moment de la grève. Il avait gardé le souvenir d'un type tout maigre, en haillons, mais avec la langue bien pendue. Il avait fini par lui reparler. Altan avait alors appris avec stupeur que de tels trafics existaient depuis des années. Une sorte de confrérie des ouvriers truquait les emballages, une confrérie qui savait se taire.

Quand le gouvernement turc avait interdit le commerce de l'opium, «en 1923, si je me souviens bien» avait précisé le délateur, des filières parallèles s'étaient constituées. Les producteurs et les négociants n'avaient pas plié boutique du jour au lendemain. Ils s'étaient organisés. Dans l'illégalité. Quelques bonnes enveloppes aux responsables de la police locale, et le tour était joué. Ce qui se passait au grand jour se faisait, depuis lors, très discrètement. Les intervenants étaient restés les mêmes qu'au début, et le commerce, devenu illégal, avait prospéré dans l'indifférence des autorités.

Altan supposa que, comme chez les autres planteurs, des ouvriers avaient effectué des expéditions frauduleuses au départ de leurs entrepôts. À cette époque, il n'y avait, chez Kardam, qu'une seule personne susceptible d'élaborer une telle organisation. Mais Altan ne pouvait se résoudre à une telle conclusion. Tout son être se révoltait à cette pensée. Et pourtant! Qui d'autre? C'était lui le maître incontesté, unique. Qui aurait été assez fou pour oser jouer dans son dos, sur son territoire. Altan était effondré. «Pas lui, pas mon père», avait murmuré Altan, honteux et meurtri.

Il avait fouillé, questionné, et chaque fois les pistes convergeaient vers Riza Bey. Les frères Haydar, par exemple. Ils n'avaient pas été parachutés. Comme par hasard, ils se trouvaient être les fils d'un certain Métine Haydar, natif de Bafra, un ancien contremaître. Ou plus exactement un homme à tout faire que Riza Bey avait engagé. Altan avait bondi en l'apprenant. Engagé pour s'occuper du conditionnement du tabac. Il semblait que, à l'époque, c'était sa spécialité. Dans ces années-là, les ballots étaient énormes et partaient sur des barges pour traverser la mer Noire. Les anciens racontaient que les gêneurs ou les bavards faisaient leur dernier voyage entre les feuilles de tabac et que Métine Haydar se chargeait de ficeler les colis.

Longtemps, Altan s'était demandé s'il pouvait faire confiance aux dires de cet homme, car il trouvait étonnant que cet ouvrier taciturne se transforme tout à coup en délateur. Mais il n'était pas un délateur ordinaire, il ne demandait pas d'argent. Il avait même refusé les billets offerts. Altan avait deviné qu'il avait un compte à régler avec la famille Haydar. Cet ouvrier vivait comme un ermite dans une cabane abandonnée. Jeune, il avait eu des démêlés avec la police à la suite d'une dénonciation. Son temps de prison accompli, il s'était retiré du monde et vivait plus de charité que de son travail.

Altan n'était plus capable de garder ça pour lui. Il fallait qu'il se libère, que quelqu'un lui dise qu'il faisait fausse route, que son père n'était pour rien dans ce trafic.

* * *

Le téléphone réveilla Nour de très bonne heure.

— Altan, tu n'as encore rien compris au décalage horaire. Je dormais.

— J'ai du sérieux, et c'est confirmé. Depuis janvier dernier, nous avons expédié des tonnes d'opium à Independant Tobacco Company, ce nouveau client dont nous avons parlé.

— Je t'écoute. Je me prépare au pire.

La mort dans l'âme, Altan lui fit part de ses découvertes et de ses soupçons. Sa voix sourde glaçait Nour.

— Ainsi notre père serait à l'origine du trafic?

— Malheureusement, mon frère, tout porte à le croire.

— Altan, une question encore! Tout cet argent dans un compte à la Société de banque suisse! L'argent du trafic? Ce serait le prix du crime?

— Il y a de fortes probabilités.

Les deux frères n'ignoraient pas que la livre turque avait connu pas mal de déboires dans le concert des devises et qu'il était prudent, à une époque, de convertir ses économies dans une monnaie forte, mais ils savaient aussi que les comptes ouverts en Suisse avaient une réputation sulfureuse. Il n'était pas certain que cet argent vienne directement du trafic d'opium, mais c'était plus que probable. Une telle somme!

Autant percer l'abcès jusqu'au bout. Nour posa la question qui lui brûlait les lèvres.

— Ramazan et Touran, que viendraient-ils faire dans cette galère?

— En ce qui les concerne, j'en suis réduit aux suppositions. Je me dis que, à un moment donné, papa leur a refilé le bébé. Mais je n'y crois pas, répondit Altan.

Il avait envisagé toutes sortes d'hypothèses, mais aucune ne le satisfaisait réellement. Il lui avait fallu remonter dans le temps. Nour était trop jeune pour s'en souvenir, il était encore au lycée et n'avait pas connu cette période où tous les militaires se plaignaient de toucher des soldes de misère. Ramazan et Touran étaient seulement capitaines, ils tiraient, soi-disant, le diable par la queue. Ils auraient pu prendre la relève de leur père dans le trafic, pendant ces années-là. À moins qu'ils n'aient obtenu cette compensation lorsque Nour, revenu de Chicago, avait pris la direction de la société, sur ordre paternel. Il héritait de la gestion des affaires, en échange, Touran et Ramazan récupéraient les profits du commerce de l'opium. Cette version pouvait être la bonne.

En laissant à Nour la responsabilité du consortium, il cautionnait, sans le savoir, toutes leurs combines. Ainsi, en cas de pépin avec la police, il se retrouvait seul à porter le chapeau en tant que signataire unique des licences d'import-export. C'était tout à fait le style de magouilles de leurs chers aînés, se planquer dans l'ombre et faire endosser les problèmes par les autres. Mais que Riza trempe dans cette combine, Altan ne l'envisageait pas une seconde.

En quelques mots, il fit part de ses craintes à Nour.

— Tu penses vraiment que papa aurait délégué ses pouvoirs à ces deux gros crétins?

— Comme toi, je suis perplexe. Je reconnais que c'est tiré par les cheveux mais, pour l'instant, je n'ai pas d'autre théorie à te proposer. Penses-y de ton côté. J'ai encore pas mal de choses à faire, je te laisse.

Nour restait sceptique. Il n'arrivait pas à croire à la culpabilité de son père dans cette affaire. Riza était loin d'être un enfant de chœur, mais il n'était pas homme à se compromettre dans des combines résolument illégales. À une certaine époque de sa vie, son père avait utilisé des stratagèmes assez peu reluisants pour obtenir le pouvoir, il s'était enrichi aux dépens de ses concitoyens, il avait certainement abusé des services de fonctionnaires corrompus, mais il ne le voyait pas se lancer dans le gangstérisme professionnel. «Suis-je trop naïf?» se dit-il en se recouchant.

* * *

Nour commençait à être excédé par les jérémiades de Leyla. Sans cesse, elle lui coupait la parole, lui reprochant son silence, son manque de reconnaissance pour tout ce qu'elle avait fait pour lui et toute une litanie de griefs qu'il écouta en éloignant le récepteur de son oreille. Elle accusait Maro de vouloir lui enlever son fils, refusant d'entendre la logique des arguments de Nour.

— Que voulez-vous au juste que je fasse? lui demanda-t-il, excédé.

— Que tu laisses cette femme où elle est et que tu reviennes tout de suite chez nous!

— C'est bien ce que je compte faire. Mais j'ai encore quelques détails à régler ici. Que croyez-vous donc? Ma place est en Turquie, auprès de vous et de la famille. J'ai rempli la mission que m'avait confiée mon père dans son testament. Je n'ai plus rien à faire à New York.

Nour mentait pour une bonne cause. Il réalisait qu'il était beaucoup plus attaché à New York qu'il ne voulait le croire. Ce lien s'appelait Nayiri avec laquelle il aurait un mal fou à rompre.

— Je ne veux plus que tu revoies cette femme, jamais!

— Soyez raisonnable! Que diriez-vous si Maro me faisait la même demande?

Décidément, cette mère lui rendait la tâche encore plus difficile avec ses états d'âme. Il avait cru un moment qu'elle lui avait caché l'existence de Maro pour lui épargner des souffrances mais, aujourd'hui, il se rendait compte que c'était par pur égoïsme.

— Je ne veux pas te partager! cria Leyla.

— Je ne suis pas un objet dont vous êtes la propriétaire.

— Quand reviens-tu? lui demanda-t-elle d'un ton plus calme.

— Je vous l'ai dit, j'ai encore des problèmes administratifs à régler. Prenez patience, je reviens dès que j'ai terminé.

Nour était vidé. «Sale journée! D'abord ma mère et, ce soir, ce Vartan qui a autant envie de me voir que de se pendre. Vartan l'Arménien défie encore Riza Bey, le gouverneur turc. Il agit comme s'il voulait se mesurer à lui dans un ultime duel à la fois politique et sentimental. En définitive, ces deux hommes se seront battus jusqu'à la fin de leur vie pour posséder Maro. Quelle ironie du sort! Me voici pourvu de deux mères dont l'une me dispute à l'autre. Deux maîtresses partagent mon cœur. Il eut une pensée pour Ésine qui devait être chez elle.

* * *

Cumhuriyet et *Milliyet*, les deux journaux d'Istanbul, étaient sur le sol. Les photos où l'on voyait Nour et Nayiri, souriants, étaient déchirées. Ésine se leva en reniflant, les yeux rougis, et froissa le tas de papiers en une grosse boule.

— Salaud! cria-t-elle.

Oui, il l'avait bien eue avec ses yeux verts et son sourire. Sa *yali*, son fric, sa belle assurance, ses déclarations à peine voilées. Et son histoire d'héritage! «Débile, j'ai été débile de croire à toutes ses sornettes», lança-t-elle. Il avait eu ce qu'il voulait, il avait couché avec elle et s'était envolé pour New York. Une fois là-bas, il continuait! Au point que ça faisait le bonheur des gazettes.

Elle s'en voulait de s'être laissé embobiner comme une collégienne par ce bellâtre baratineur. Elle avait compris, un peu tard, le pourquoi des sourires entendus que s'échangeaient ses collègues à l'hôpital. Une saine colère fit place à la honte. Ésine commençait à reprendre ses esprits.

Dans le vestibule, le téléphone se mit à sonner. Ésine regarda sa montre : c'était l'heure à laquelle il l'appelait d'habitude. Il ne manquait pas de culot! Il pensait à quoi? La garder en réserve pour qu'elle accoure et saute dans son lit dès son retour d'Amérique?

— Va te faire foutre! cria-t-elle au téléphone, et elle claqua la porte pour ne plus entendre la sonnerie.

* * *

Maro n'avait laissé à personne d'autre le soin d'accueillir Nour chez elle. Pour la circonstance, elle avait choisi une tenue classique, chemisier blanc et pantalon de soie noir. Une petite émeraude scintillait à son doigt. Cette bague ne la quittait pas, depuis que Vartan l'avait glissée à son doigt à son retour d'Antep. Mère et fils se regardèrent un long moment avant de se serrer tendrement. «Bonsoir, mon fils», murmura Maro. Nour l'enferma dans ses bras et, à son tour, lui glissa «Bonsoir, *mayrig*» à l'oreille. Ils seraient restés ainsi sans bouger s'ils n'avaient entendu Nayiri qui dévalait l'escalier. Elle se précipita vers lui et, profitant que Maro leur tournait le dos, elle l'embrassa sur les lèvres, s'y attarda, rendant Nour mal à l'aise.

Un verre de vin à la main, Azniv et son mari discutaient avec un homme à la stature imposante qui se tenait à l'entrée du salon. À ses cheveux blancs, son complet gris prince de galles qui accentuait l'autorité de son regard, Nour comprit que c'était Vartan. Par discrétion, Azniv et Roberto avaient fait deux pas de côté.

— Je te présente mon mari, Vartan, dit Maro en regardant son époux. Vartan, voici Nourhan, mon fils.

— Heureux de faire votre connaissance, dit Nour en lui tendant la main.

— C'est donc vous, parvint à articuler Vartan.

Voilà donc le fils de son rival qui personnalisait plus de trente ans de jalousie refoulée. Riza qu'il avait rêvé d'anéantir. Il avait les mêmes yeux que son père. «Des yeux de serpent, froids comme la mort», avait dit Vartan à l'époque où Riza Bey était son prisonnier. Le regard du fils était indéniablement plus chaleureux, d'un vert émeraude profond. Vartan dut en convenir, malgré lui.

Nour s'était raisonné durant tout le trajet qui le conduisait chez les Balian. Il avait décidé qu'il ne répondrait à aucune provocation et s'était programmé une batterie de réponses neutres qui lui permettraient de se tirer d'affaire. Il redoutait une réaction violente de la part de Vartan, que sa mère et Nayiri lui avaient décrit belliqueux.

— Il me fait penser au présentateur de CTV, David Koshoff, dit Araksi, en se glissant entre les deux hommes.

— Exactement, s'écria Nayiri.

Vartan grimaça un sourire poli.

— Ne vous inquiétez pas, jeune homme. On vient de vous comparer au plus beau parti de la ville de New York.

Nour lui adressa un sourire désarmant, alors que Maro l'entraînait vers le buffet, où Jake se régalait des yeux, attendant le repas avec impatience. La longue table était recouverte d'assiettes d'aubergines frites, de friands au fromage et aux épinards. Azniv et Araksi allaient et venaient de la cuisine à la salle à manger en apportant le *bastourma*, les tranches de bœuf séché à l'ail et son accompagnement de cœurs d'artichauts à l'huile d'olive et farcis.

— J'ai à te parler seul à seul, dit Jake à son demi-frère.

— Charmants! À peine ensemble, ils veulent comploter. C'est bon, je vous laisse.

— Merci. Sans toi, je n'aurais jamais rencontré Nicole.

— Comme sa mission était terminée, j'ai pensé qu'elle aurait besoin d'un nouveau client. Elle m'avait paru compétente. A-t-elle accepté de prendre les dossiers du négoce?

— Elle a aussi accepté de dîner demain soir avec moi. Il a fallu que j'ose lui faire cette invitation. Pas facile pour moi!

Roberto, le mari d'Azniv, appliqua une grande claque dans le dos de Nour.

— *Per Bacco!* Nous nous connaissons déjà! cria-t-il d'une belle voix de ténor.

Les conversations s'arrêtèrent à l'instant. Azniv se précipita vers son mari pour éviter qu'il ne commette l'une des innombrables bourdes dont il était coutumier dès le deuxième verre d'ouzo.

Roberto avait appliqué à Nour un coup de coude complice dans les côtes.

— Dans le hall du Waldorf Astoria, lors du congrès des amis de l'horlogerie. Voilà où je l'ai vu. Et je lui ai parlé.

Puis, s'adressant à Nour :

— Tu sais bien, voyons, je t'ai expliqué d'où venait la grande horloge!

— Oui, ça y est, je m'en souviens, l'horloge!

Nour n'osa avouer qu'il se rappelait davantage de cet Italien bedonnant qui l'avait happé avec une familiarité déconcertante.

Tout le monde était rassuré. Les conciliabules familiaux reprirent leur cours. Faisant mine de s'intéresser à la conversation entre Nour et Roberto, Vartan s'était rapproché. Il profita d'une accalmie dans le flot de paroles de l'Italien pour lancer au fils de Maro une question qui le tenaillait.

— À quel moment votre père s'est-il retiré de la scène politique?

— Après la guerre, répondit Nour, qui se tenait sur ses gardes.

— Je présume que la vieille garde n'a pu survivre à la purge de Kemal.

— En effet, beaucoup d'anciens ont disparu, souvent de mort violente. Mon père a jugé plus sage de se retirer de la vie publique et de se consacrer à la gestion de son domaine.

Nour soupesait le moindre mot de ses réponses.

— Je crois savoir qu'il était très riche.

— À l'échelle de la Turquie, certainement. À celle des États-Unis, beaucoup moins. Votre pays abrite les plus belles fortunes de la planète.

— Savez-vous pour quelle raison il a légué cette somme si importante à ma femme?

Vartan avait posé la question d'une voix ferme qui plut à Nour.

— Il m'a semblé que mon père avait quelque chose à se faire pardonner, que, d'une manière ou d'une autre, il offrait une réparation de ses actes.

— L'argent permet beaucoup, y compris de s'offrir ce que l'on croit être une absolution, annonça Vartan d'une voix doucereuse.

Nour restait méfiant. Il choisit ses mots avant de répondre.

— Mon père n'accordait pas un tel pouvoir à l'argent. Je ne crois pas qu'il ait vu ce legs comme un moyen d'assurer le repos éternel de son âme. Pour moi, c'était un cadeau d'adieu, sans autre sous-entendu. Mais il avait sûrement une idée derrière la tête en me désignant comme exécuteur testamentaire.

— Vous renvoyer à votre mère? s'enquit Vartan, avec une pointe d'amertume.

— En quelque sorte. Je pense qu'il voulait que je sache que j'avais une mère autre qu'adoptive. Des liens de sang avec une communauté autre que celle dans laquelle j'ai grandi.

Jake et Roberto, évincés de la conversation, n'en perdaient pas un mot, même s'ils feignaient de ne s'intéresser qu'au buffet. Maro était soulagée de voir les deux hommes s'entretenir calmement. «Il commence à l'accepter», se dit-elle en adressant un sourire à son mari.

— Il a beaucoup attendu pour vous mettre sur cette voie, n'est-ce pas?

Nour fut surpris par l'accent de sincérité de Vartan qui semblait vraiment déplorer ce temps perdu.

— Je ne devais pas être assez mûr à son goût.

— Il aurait pu faire ces recherches lui-même.

— Mon père avait contacté un cabinet d'avocats pour cela, les recherches n'ont pas abouti et il n'a pas persisté. Il a dû se rendre compte que cela n'était pas son rôle. Il m'a indiqué la voie.

Nour avait remarqué que Vartan ne l'avait pas appelé une seule fois par son prénom, se contentant du terme «jeune homme» comme pour lui faire comprendre qu'il le tenait à distance. Par crainte d'une familiarité excessive, sans doute, Vartan n'avait pas plus nommé Riza. Vartan avait employé le mot «il» tout au long de leur conversation.

— Passons au buffet. Tout le monde meurt de faim, annonça Araksi.

Nayiri se glissa entre les deux hommes et suivit sa sœur vers la table aux bras de son père et de Nour. Elle enlaça furtivement ses doigts aux siens.

Maro leur désigna les plats.

— J'ai pensé qu'un buffet ferait moins guindé. Que chacun se serve! Je descends ouvrir à Tomas, j'ai entendu sa voiture.

— Commençons, dit Araksi qui mourait de faim, ils n'avaient qu'à arriver à l'heure. Et puis il y en aura pour tout le monde, maman a encore prévu pour tout un régiment!

Les enfants de Tomas se précipitèrent dans les bras de leurs grands-parents en poussant des cris de joie. Sa femme, Anna, remit à Maro un cadeau. Anna était une grande fille blonde, qui avait dû passer son après-midi entre esthéticienne, coiffeuse et manucure. Lors des présentations, Nour eut du mal à ne pas plonger le regard dans son décolleté vertigineux.

— *Ma!* lui confia Roberto, on dirait Marilyn dans *Les hommes préfèrent les blondes*, tu ne trouves pas?

Nour sourit, l'horlogerie n'était donc pas l'unique centre d'intérêt de Roberto. Les deux hommes s'échangèrent des clins d'œil complices.

Plus tard dans la soirée, l'atmosphère était parfaitement détendue. Vartan et Nour n'avaient pas eu d'autres échanges que ceux imposés par la stricte courtoisie. Les conversations allaient bon train, quand Maro réclama un peu d'attention.

— Je vous ai demandé de réfléchir à l'héritage et de m'aider à résoudre un cas de conscience. Chacun d'entre vous m'a fait part de son opinion à ce sujet. J'ai tenu à ce que nous soyons tous réunis pour vous communiquer ma décision.

Tous étaient pendus aux lèvres de Maro.

— Je vais accepter cet héritage, mais pas pour mon usage personnel, ni celui de la famille. Vous êtes tous d'accord avec moi pour que cet argent serve à une cause humanitaire et, prioritairement, à la communauté arménienne qui en a grand besoin. Nous n'avons pas encore eu le temps d'approfondir la question et de désigner les futurs bénéficiaires. Une clause du testament prévoit que Nourhan a trois mois pour me retrouver et me remettre l'héritage. Passé ce délai, il serait transféré à l'Université d'Istanbul. Je demande donc à Nourhan de faire verser le million deux cent mille dollars dans un compte en fidéicommis. Ainsi notre famille ne touchera pas à cet argent, car certains d'entre vous ont jugé ce don immoral. Il m'a semblé que, nous, Arméniens, n'avions que trop souffert des exactions commises par les Turcs pour refuser une telle manne en réparation des préjudices subis.

Elle se tourna alors vers Nour et lui adressa son plus beau sourire.

— Pardonne-moi, Nourhan, de ces paroles crues à l'égard de tes concitoyens et de ton pays. Mais il fallait que ce soit dit. La génération de mes enfants est innocente des crimes commis par leurs aînés. Cependant, nous, les anciens, avons le devoir de mémoire et le devoir de faire en sorte que, dans la conscience de tous, se grave une seule maxime : plus jamais ça. Je suis désolée de vous avoir infligé ce discours pompeux un soir de fête, mais je voulais vous associer, tous, à ma décision.

Pour donner le ton, Jake poussa un « hourra! » et tout le monde se mit à applaudir. Nour se disait qu'il n'avait pas trop mal réussi sa mission. Sa mère acceptait l'argent et sauvait les apparences en n'en faisant pas son profit personnel, Ramazan et Touran perdaient la partie. Le vainqueur était Riza Bey qui devait sourire dans sa barbe s'il pouvait les observer depuis le royaume des ombres. Pendant le discours de Maro, Nour avait tout de même remarqué quelques mines déconfites. Roberto ne toucherait pas un sou pour rénover sa pharmacie et Anna ne pourrait s'offrir la Cadillac décapotable de ses rêves. Il est vrai qu'aucun des deux ne se sentait le moins du monde concerné par les rivalités turco-arméniennes d'un autre âge et d'un autre continent.

Maro était enchantée, entourée de ses trois filles, de ses deux fils qui la congratulaient. Ils étaient heureux de sa décision. Ils avaient une bonne situation et n'avaient pas un besoin vital d'argent. Maro fit signe à Nour de venir les rejoindre.

— Rendez-vous compte, j'ai six enfants! Pour la première fois de ma vie, tous réunis. Quel miracle! Je n'ose encore y croire. Qui aurait pu prédire un tel bonheur? Avec tout cet argent, je vais pouvoir faire le bien autour de moi. La roue a tourné, j'ai beaucoup souffert, je suis beaucoup récompensée. Merci à tous de partager ma joie!

Roberto brandit son appareil photo, exigea de pouvoir immortaliser l'événement. Nayiri alla chercher Vartan, plutôt réticent, et l'entraîna vers le groupe. Puis elle se plaça à côté de Nour et posa la tête sur son épaule.

* * *

La file d'attente était si longue devant le Roxy's qu'ils renoncèrent au patinage artistique.

— Je te laisse le choix, lui dit Nayiri. Frank Sinatra, Sarah Vaughan, Perry Como…

Nour opta pour Frankie Lane dont le show précédait *À l'est d'Éden*, un film qu'il souhaitait voir depuis longtemps.

Avant de s'asseoir, il scruta le public.

— Tu cherches quelqu'un?

— Je croyais avoir aperçu ton ex-fiancé.

— Et puis après? Il a le droit d'aller au cinéma! Assieds-toi, dit-elle en lui prenant la main.

Nour craignait une réaction excessive du jeune homme qui sèmerait le doute dans la famille Balian. Ça tomberait mal, juste au moment où il venait de pactiser avec Vartan. Il avait horreur de ce genre de situation. Le spectacle commençait. Comme Nayiri se nichait contre lui, il repensa au journaliste et se dit qu'ils devraient adopter une attitude plus convenable en public.

* * *

La chambre du Waldorf était plongée dans une demi-obscurité. Les draps en désordre témoignaient des ébats amoureux. À la fin du film, Nour avait proposé à Nayiri de l'emmener au Copacabana, le night-club le plus en vogue de la ville.

— Je préfère que tu me fasses l'amour. Rentrons, lui avait-elle répondu.

Elle était allongée sur le ventre. Nour releva sa chevelure et l'embrassa sur la nuque. Il descendit la main le long de son dos et lui effleura les fesses. Elle se cambra et poussa un soupir de satisfaction en ouvrant les jambes, prête à toutes les caresses. Comme il avait arrêté son geste, elle le devina soucieux.

— Nour, que se passe-t-il?

— Je dois bientôt repartir en Turquie.

— Je m'en doutais. Tu as été bizarre toute la soirée.

— J'ai beaucoup de problèmes à régler là-bas.

— Je ne pensais pas que ce serait si vite.

Dans la chambre, le silence se faisait plus pesant. Nayiri s'assit et lui prit les mains.

— Comment vais-je faire sans toi? Tu ne peux pas…

— Il le faut vraiment. Moi non plus, je ne sais pas comment vivre sans toi. J'ai besoin de ta présence, de ton sourire, de ta peau.

— Tu ne peux pas me laisser seule ici.

La bouche de Nayiri tremblait. Jamais elle n'avait ressenti un tel désespoir. Elle sentait son corps se glacer. Elle se jeta dans ses bras, désemparée.

— Tu ne peux pas me quitter, c'est impossible, je t'aime trop.

Les sanglots l'étouffaient. Sa réaction inquiétait Nour, car jamais aucune femme n'avait montré, du moins devant lui, un si grand besoin d'amour.

— Je reviendrai très vite.

— Je n'ai pas le courage de t'attendre. Je te veux avec moi.

Nayiri était secouée de frissons. Nour lui caressait les cheveux, essayant de la calmer. Son désespoir le gagnait.

— Mon Dieu! dit-elle, effondrée dans les bras de Nour.

Pour la calmer, il la serrait tendrement, lui embrassant le front et les yeux. Elle semblait inconsolable. Il ressentit une détresse si profonde que ses yeux s'embuèrent.

23

Nour Kardam débarqua à l'aéroport de Yechilköy d'Istanbul, heureux à l'idée de revoir sa famille, ses amis et sa ville qu'il avait quittés depuis plus d'un mois. En cette fin de matinée, le ciel d'encre laissait présager un gros orage. «Mon pays me souhaite la bienvenue, se dit-il en mettant le pied sur le tarmac. Une belle ambiance de tempête, comme dans la famille Kardam!» Dès qu'il aperçut Altan, il pressa le pas pour dépasser la file des voyageurs et atteindre, le premier, le comptoir du contrôle de l'immigration. Sitôt qu'il eut terminé les formalités, ils se donnèrent une longue accolade.

— Ça fait du bien de rentrer!

— Heureux que tu sois de retour!

Altan prit l'autoroute, happé par le flot du trafic qui dévalait vers le centre-ville. Il se tourna vers son passager.

— Tu m'as fait peur avec ta Nayiri. Je ne te fais pas la morale, mais là, tu t'es mis dans un sacré pétrin.

— Je n'arrête pas de penser à elle. À peine dans l'avion, je regrettais déjà de l'avoir quittée.

— À ce point?

— Je sais, ça paraît insensé.

Altan était sincèrement désolé pour son frère qui ne semblait pas mesurer toutes les conséquences de ses actes. Il y avait déjà assez à faire avec Ramazan et Touran. Ne voulant pas accabler Nour, il garda ses réflexions pour lui. Embarrassé, il hésitait à poursuivre.

— Ésine m'a appelé pour me demander quand tu rentrais.

— Je n'ai pas envie de la voir. J'ai besoin de rester seul. Je ne sais plus très bien où j'en suis. Tu lui as dit?

— Sans préciser le jour exact.

— Sincèrement, j'ai un grand besoin de solitude. Je vais aller me réfugier à la *yali*, dit Nour d'un ton presque implorant.

Altan eut l'air accablé.

— Leyla t'attend à la *yali*, avoua-t-il avec peine.

Nour eut un soupir de lassitude et marmonna :

— Oh non, pas maintenant! Pourquoi si vite?

Son frère prit une mine désolée et haussa les épaules en signe d'impuissance.

— Je n'ai pas pu faire autrement. Mais ma femme est là avec le petit. Ils feront diversion.

— Comment vont-ils? Ça me fera du bien de les voir.

— En parfaite santé. Ilhan a grandi. Maintenant c'est un vrai garçon.

— Et Leyla?

— Égale à elle-même. Les toilettes, les réceptions. Elle ne parle plus de rien. Ni de Maro ni de papa.

* * *

Riza était mort depuis bientôt trois mois, et il lui manquait bien peu. Pendant quelques semaines, Leyla n'avait pu lui pardonner son fameux testament qui lui avait enlevé l'exclusivité sur son fils. Elle se remémorait parfois la mort de son mari dans ses bras, ce qui lui causait un pincement au cœur. Peut-être était-ce simplement un soupçon de culpabilité à l'idée que leurs ébats amoureux effrénés l'aient conduit à sa dernière extrémité. Elle ne ressentait l'absence de son mari qu'à l'occasion de rares désirs charnels, qui, remarquait-elle, l'importunaient de moins en moins souvent.

En l'absence de Safiyé, Leyla régnait sur la *yali*, comme une véritable première épouse. Ce soir, elle attendait Nour avec impatience pour entendre le récit de toutes les péripéties de son enquête. Comme elle craignait d'entendre certaines révélations, elle avait demandé à Altan, de passage à Istanbul, de se joindre à eux avec sa famille.

Leyla avait demandé à la cuisinière de préparer des langoustes, le plat favori de Mèlek, la femme d'Altan. La trentaine, les yeux noisette et le visage en longueur, celle-ci n'était pas d'une grande beauté, ce qui rassurait Leyla; ainsi, elle ne serait jamais une concurrente malgré leur différence d'âge. Certains membres de la famille, et surtout Safiyé, n'appréciaient pas le franc-parler de Mèlek. C'est pourquoi elle restait à l'écart et ne voulait jamais participer aux grandes réunions du clan Kardam. Lorsque Altan insistait pour qu'elle s'implique davantage, elle lui répondait qu'elle attendait que les membres de la famille soient capables d'entendre ses remarques sans prendre chaque fois de grands airs offusqués.

— Je suis épuisée! Il faut dire que je n'avais pas couru les magasins d'Istanbul depuis longtemps! lança Mèlek avant d'embrasser Leyla.

Ilhan baisa la main de Leyla et la porta à son front.

— Allah bénit toujours les bons garçons comme toi, Ilhan. Montre-moi si tu as grandi depuis la dernière fois.

Ilhan se tint droit, presque sur la pointe des pieds, pour paraître aussi grand que possible. Mis à part ses yeux gris-bleu, c'était le portrait de son père avec toutes les caractéristiques de la lignée Kardam.

— Eh bien! tu deviens un vrai géant, lui dit tendrement Leyla en le serrant dans ses bras.

— Oncle Nour n'est pas encore arrivé? demanda l'enfant.

— Nous l'attendons d'une minute à l'autre.

Leyla, entourée de Mèlek et d'Altan, discutait de la prochaine soirée donnée à l'ambassade de France et à laquelle ils étaient tous trois invités. Ilhan, qui jouait avec les chats, fut le premier à entendre les pas de Nour sur les dalles de marbre de la terrasse.

— *Annedjiim*, ma chère maman.

Leyla se précipita vers Nour.

— Je suis si heureuse que tu sois de retour sain et sauf, dit-elle en le serrant dans ses bras. Il me semble que tu as maigri. Ils ne t'ont donc rien donné à manger, ces Américains?

En entendant «maman», Leyla se sentit fondre de tendresse et elle reprit courage. Son fils cessait enfin de l'ignorer. Combien de fois ne lui avait-il pas raccroché au nez pendant son séjour à New York? Elle redoutait l'instant où il aborderait le chapitre Maro.

— Qui est dans la *yali* en ce moment? demanda Nour.

— Seulement moi.

— Nous avons entendu parler de tes prouesses avec les belles Américaines, enchaîna Mèlek. Raconte-nous tes exploits. Ici, nous n'avons eu que des articles de journaux de seconde main.

En pensant à Nayiri, un voile de tristesse couvrit le regard de Nour. Elle lui paraissait si loin, il avait tant à faire ici qu'il se demanda combien de temps il devrait attendre avant de la reprendre dans ses bras. Mais, pour le moment, la réalité était tout autre.

— Tu ne vas pas te lancer dans ces commérages de bonne femme, toi aussi, intervint Altan, mi-souriant, mi-sérieux. Je vous l'ai dit à Leyla et à toi, c'était plus une entreprise de déstabilisation que du journalisme à sensation. Le but était de faire passer Nour pour un vulgaire play-boy plus attiré par les femmes que par les affaires sérieuses. On veut l'écarter de la direction du groupe Kardam par tous les moyens, c'est net.

– Qui c'est, ce « on »? demanda Leyla en fronçant les sourcils.

– Celui ou ceux qui ont intérêt à ce que Nour soit mis à l'écart, répondit Altan sèchement.

Un silence suivit cette déclaration. Leyla refusait d'en entendre plus. Elle voulait ignorer tous les problèmes de succession engendrés par la disparition de Riza. Le pouvoir et ceux qui le détenaient ne l'intéressaient pas. Elle avait déjà suffisamment de soucis avec sa collection de chaussures et le renouvellement de sa garde-robe.

– Comment as-tu trouvé ta mère? demanda soudain Leyla.

– Cela m'a pris du temps et j'ai dû…

– Je ne te demande pas ça. Dis-moi, l'as-tu trouvée belle?

Nour comprit que Leyla n'était inquiète que de l'apparence physique de Maro. Elle voulait juste savoir s'il était possible qu'elles soient encore rivales. Nour haussa les épaules, navré par la vanité des préoccupations de sa mère.

Pour signifier qu'elle se désintéressait finalement de la réponse, elle avait sonné sa domestique pour qu'elle serve les jus de griottes glacés. Ayant deviné que Nour et son mari avaient besoin de discuter ensemble, Mèlek retint l'attention de Leyla en l'entretenant du prochain défilé de mode.

Le soleil amorçait sa plongée dans la mer. À cette heure, la fièvre du jour s'apaisait et le détroit scintillant d'or miroitait de couleurs cramoisies et de reflets pourpres. La tombée du jour amenait l'heure la plus sereine de Yeniköy. Seules résonnaient encore dans le silence les cornes des ferry-boats qui s'entrecroisaient. Une à une s'allumaient les lumières de la côte anatolienne, fenêtre par fenêtre, et le trafic se transformait en ruban ondoyant de points lumineux. Les deux frères se laissaient gagner par la quiétude du soir.

– Je te rappelle que nous rencontrons Touran et Ramazan demain à mon bureau. Qui redevient le tien. Tu le retrouveras exactement comme il était à ton départ. Tu sais, ce ne sera pas une partie de plaisir. Ils t'en veulent plus que jamais depuis qu'ils savent que tu l'as retrouvée.

— Dommage, la soirée s'annonçait douce, répondit Nour contrarié par ce retour à la réalité. Rien que leur nom me hérisse le poil. Malgré tout, ça me fait mal que ce soient des crapules.

— Quelle honte quand ça va éclater!

— Salir la famille à ce point. Ils auront tout gâché.

— Viens, Nour, allons rejoindre les femmes, demain est un autre jour.

* * *

Le bureau du directeur général, au dernier étage de l'immeuble Kardam, était inondé d'un soleil matinal aux reflets de fin d'automne qui lui donnait un air de fête. Mais l'entrevue qui allait s'y dérouler s'annonçait houleuse.

Les quatre frères se saluèrent fraîchement et prirent place dans les sofas qui entouraient la table basse. Ils attendaient que le café leur soit servi, sans prononcer un mot, sans se regarder, assis bien droits, ils ruminaient leur haine. Ramazan profita de son droit d'aînesse pour prendre la parole le premier.

— Altan, la famille t'a confié les rennes de la Société Kardam pour défendre ses intérêts, pas pour aller dilapider son argent en gavant les ouvriers. Ta méthode pour mater cette grève ne me convient pas. Touran est de mon avis. Lors de notre entretien avant ton départ pour Bafra, je t'avais, me semble-t-il, fait la recommandation d'être ferme. Sans nous consulter, tu as pris des décisions qui influencent l'avenir. Je te fais part de mon profond mécontentement.

Il leva la main pour arrêter Altan qui se préparait à répliquer.

— Je n'ai pas terminé. Nour, contre notre avis, tu as retrouvé cette maudite femme et tu lui as donné notre argent. Aucun d'entre nous ne comprend ton stupide entêtement à vouloir nous ruiner. Tu as failli à ta mission qui était de préserver les intérêts de la famille et non d'en faire à ta tête. Nous ne souhaitons plus que tu assistes, à l'avenir, à nos réunions de famille. Tu n'es pas des nôtres et tu le sais. Dans sa grandeur d'âme, notre pauvre père s'est laissé berner par sa catin et son rejeton. Soit. Nous n'avons, quant à nous, plus à supporter les errements de notre bien-aimé père, que nous mettons sur le compte de l'âge et de la maladie. Tu peux sortir, nous avons à parler à Altan. Entre musulmans turcs, puisqu'il faut mettre les points sur les «i». Va jouer avec tes putes américaines!

La voix de Ramazan tremblait de colère.

Altan et Nour s'étaient préparés à une attaque en règle, avec injures et menaces. Ils étaient servis. «On ne bronche pas, avait dit Altan. On laisse passer l'orage, on souffle bien fort et on répond point par point. Comme des grands. On ne se dispute pas comme des chiffonniers. Ils n'attendent que ça.» Les deux frères avaient blêmi sous le flot d'insultes. Altan avait fermé le poing.

— Nour ne sortira que quand je le lui permettrai. Ramazan, si tu as un problème avec ça, tu peux prendre la porte. Je n'ai pas l'habitude de discuter sous la menace. Va boire un verre d'eau, nous attendrons que tu sois en mesure de te maîtriser. Touran? As-tu une observation?

— Je suis d'accord. Calmons-nous, il s'agit d'une discussion entre frères, n'est-ce pas?

Nour resta de marbre et nota que, déjà, Touran se désolidarisait de son aîné. Ramazan avala sa salive, surpris du peu d'écho de sa diatribe.

— Bien, je vois que nous sommes d'accord, poursuivit Altan. Je commencerai par le plus simple. L'héritage. Je vous rappelle que ce sont les dernières volontés de notre père et, à ce titre, sa décision est sacrée. Il a pris soin d'écrire que tout ce qui serait entrepris contre son souhait le plus cher serait une offense à sa mémoire. L'un d'entre vous a-t-il l'intention de s'opposer à ses ultimes dispositions?

Altan se délectait du silence glacial qui répondait à sa question.

— Parfait. Je vois que nous partageons le même avis. Conformément au testament, les fonds ont été versés à leur bénéficiaire, dans un délai inférieur à trois mois. Je vous précise que Maro Balian a demandé l'ouverture d'un compte en fidéicommis. En effet, elle ne souhaite pas utiliser ces fonds pour son usage personnel. Le million deux cent mille dollars sera distribué à des œuvres humanitaires arméniennes de son choix.

En citant une fois de plus le montant du legs, et surtout les Arméniens comme bénéficiaires, Altan savait qu'il fouaillait les tripes de Ramazan et de Touran avec un fer rouge. L'un avait encaissé chaque mot comme autant de gifles. L'autre se taisait, effondré. Ses plans avaient fait long feu, il se sentait ridiculisé.

Intérieurement, Altan avait retrouvé le sourire.

— Je ne vois aucune raison de revenir sur cette affaire rondement menée, je dois dire. Le sujet est clos. Pour vous détendre, je vais vous raconter une anecdote amusante. Figurez-vous que Nour a découvert qu'une personne était intervenue très discrètement auprès du cabinet d'avocats que papa avait, en son temps, mandaté pour retrouver Maro Balian. Fred Goldwater, l'avocat marron, avait déniché une Maro Balian tout ce qu'il y a de plus morte et enterrée, puis avait transmis cette mauvaise information à papa pour qu'il cesse ses recherches. C'est drôle, non?

— Et cette personne, qui aurait influencé l'avocat, on sait qui c'est? bredouilla Ramazan.

— Oui, bien sûr!

Altan prit un temps infini pour déguster son café, laissant ses deux aînés, de plus en plus mal à l'aise, se perdre en conjectures. Nour commençait à apprécier la situation.

— Nour, comment s'appelle donc ce bonhomme de New York, tu sais, ce gros sac, ce trafiquant?

— Ebenezer. Jonathan Ebenezer. Négociant en tabacs de nationalité indéterminée, ancien client de la Société Kardam, gérant d'une boîte connue sous le nom de Independant Tobacco Company. Actuellement recherché par les douanes et la police américaines pour trafic de stupéfiants. Je pense qu'il n'ira pas bien loin et que ses jours de liberté sont comptés.

— Sais-tu pourquoi ce sinistre individu était venu fourrer son nez dans nos affaires privées? Je veux dire par là, soudoyer un avocat peu scrupuleux pour faire échouer les recherches de papa? demanda Altan, feignant de découvrir les révélations de Nour.

— Non, ça, je ne sais pas. Mais si j'en crois les renseignements recueillis par Charles Burto…

— Qui est ce Burto? tonna Ramazan.

— Un détective privé qui m'a donné un coup de main pour retrouver Maro Balian, ma mère. Il a découvert un joli panier de crabes. Courtiers en transport maritime, ex-avocats révoqués pour malversations, adresses de complaisance, avocats douteux et, au beau milieu, notre ami Ebenezer déjà repéré par la police. Sa plus grosse activité consisterait à importer de l'opium de contrebande depuis la Turquie. Nous en saurons davantage dès qu'il aura été appréhendé.

— Que viendrait-il faire dans les affaires de papa? Allons! c'est ridicule! s'exclama Touran qui jouait les offusqués comme s'il n'en croyait pas ses oreilles.

— Altan et moi avons supposé qu'il avait reçu des instructions de la part de ses commanditaires turcs, mais nous ignorons encore le motif. Il sera interrogé à ce sujet par la police, mon avocat sur place s'en occupe. J'ai bien insisté pour que l'on sache le fin mot de cette histoire, car je pense que vous êtes aussi soucieux que moi de connaître la vérité, n'est-ce pas? dit Nour avec le plus grand sérieux.

Ramazan donnait l'impression d'être assis sur un nid de guêpes tant il se tortillait sur son siège. Nour se demanda un instant s'il n'allait pas prendre la fuite. Touran serrait les dents et songeait de quelle manière il allait pouvoir se tirer de ce mauvais pas. Altan se donna le temps de sonner son assistant pour réclamer de l'eau fraîche.

— Puisque nous en avons provisoirement terminé avec cette affaire, passons à votre autre sujet d'inquiétude : la grève.

Ramazan se tassa dans son sofa et Touran esquissa un geste vague signifiant que ce n'était plus son principal sujet d'inquiétude. Altan reprit la parole.

— Je résume. Certains ouvriers touchaient des primes substantielles pour des travaux commandés par un contremaître assassiné entre-temps.

— Rocambolesque! grogna Touran.

— Pas tant que ça. Ces braves gens emballaient de l'opium dans nos ballots de tabac en partance pour l'Amérique du Nord.

— Il faut leur couper le cou! cria Ramazan, à demi levé de son siège.

— Pas avant de connaître ceux qui tirent les ficelles en haut de la pyramide, ce qui est en très bonne voie. Le bureau de la Sécurité nationale d'Istanbul est sur les dents.

Ramazan inspira bruyamment et s'épongea le front. La police du Bureau, plus connue sous le nom de Deuxième Division, avait la triste réputation d'arracher des aveux aux criminels les plus endurcis par des méthodes peu conventionnelles. On racontait que certains de leurs pensionnaires préféraient se jeter par la fenêtre plutôt que de subir un interrogatoire.

— Des résultats? parvint-il à articuler.

— Pas mal, mais tu sais, ils aiment bien garder leurs petits secrets pour eux. Ils m'ont dit qu'ils connaissaient le nom de deux des principaux commanditaires qui opéraient dans cette région. Un peu d'eau, Ramazan?

— … Ah! Et toi, tu connais leur noms?

— Oui, dit Altan.

— Allez! dit Nour, raconte ce que tu sais, ne nous fais pas languir.

Avec Ebenezer, il avait planté les banderilles, maintenant, il avait hâte de voir Altan porter l'estocade.

— Ce sont deux frères, articula Altan pour avoir le temps de regarder le visage de Ramazan, complètement décomposé. Sabri et Özkoul Haydar. Leur arrestation est une question d'heures. Si ce n'est déjà fait.

— Oh! dit Nour, j'en ai seulement entendu parler! Mais, dis-moi, Ramazan, ils ont l'air de bien te connaître!

— Dans ma position, je rencontre beaucoup de gens sans savoir qui ils sont ni ce qu'ils font au juste. Tu ne vas pas m'accuser de…

Ramazan était devenu blême. Depuis quelques minutes, sa colère faisait place à la peur. Ne trouvant plus ses mots, il ne termina pas sa phrase.

— Personne ne t'accuse de rien, Ramazan, entre frères nous devons nous entraider. Ce qu'il voulait dire, c'est que tu devrais mieux choisir tes relations, certains esprits mal intentionnés de la Deuxième Division pourraient s'en inquiéter, répliqua Altan. Tu les connais, ils sont comme des chiens affamés, ils ne lâchent pas leur os. Bien. Je vous remercie de vous être déplacés jusqu'ici. Ça m'a fait plaisir de vous recevoir, pour une fois. Vous vouliez des éclaircissements, vous en avez. Je ne sais pas si cela vous convient, mais pour l'instant nous n'en savons pas plus. Nous vous tiendrons informés de tous les rebondissements de l'affaire. Vous pouvez compter sur nous.

Les deux aînés ne souhaitaient pas en entendre plus. Pendant la longue déclaration, ils avaient pris conscience de la situation : l'étau se refermait sur eux. Ils ne se doutaient pas que la police les cernait d'aussi près. Ils remarquèrent à peine que le «je» d'Altan s'était transformé en un «nous» qui incluait Nour. Ils n'avaient plus envie d'accuser, de palabrer inutilement, de perdre du temps. S'ils étaient à ce point découverts, il leur fallait faire vite et filer sans tarder.

La porte était heureusement assez large pour que Touran et Ramazan s'empressent d'y passer tous les deux à la fois. Quand ils les entendirent dévaler l'escalier, Nour et Altan poussèrent, à l'unisson, un long soupir de soulagement et s'échangèrent un regard complice.

24

Nour releva la tête, les yeux rougis par le manque de sommeil. Il avait passé une nuit pénible à lire les mémoires de son père. Quand Altan lui avait remis un épais cartable contenant les cahiers reliés de maroquin rouge, il l'avait prévenu.

— Lis ou ne lis pas, fais comme tu l'entends, avait dit Altan d'un ton sombre. Tout ce que je te demande, c'est de mettre tout ce tas de papiers au feu, et vite. Je ne veux plus jamais en entendre parler. Promets-moi de les brûler.

Nour avait promis et, revenu à la *yali*, s'était enfermé dans sa chambre en donnant ordre qu'on ne vienne le déranger sous aucun prétexte.

Le rôle qu'avait joué Riza Bey en tant que chef de région responsable de la déportation des Arméniens restait pour Nour un épisode honteux dans la vie de son père. Alors gouverneur d'Aïntab, il était chargé de veiller à l'exode de ces pauvres gens pudiquement désignés comme «réfugiés» par le gouvernement de l'époque. Que pouvait espérer le gouvernement ottoman en se servant d'un homme comme le gouverneur Riza Bey aimé et respecté de tous dans sa province? Un appui indéfectible? Une caution morale? De son côté, quel avantage pouvait tirer Riza Bey en acceptant de se faire le complice de l'élimination de tout un peuple? Fermes convictions politiques ou culturelles ou bien religieuses? Avantages pour le clan Kardam? Profit personnel?

Nour avait de la difficulté à croire que son père ait prémédité son crime par intérêt. Au bénéfice du doute. D'autant qu'à la fin de cette sinistre période Riza avait joué les Ponce Pilate et s'était dégagé de toute responsabilité, accusant au contraire le gouvernement d'avoir tout orchestré et de l'avoir contraint, sous la menace, d'exécuter les ordres.

Pourquoi concentrer l'accusation sur une seule personne, alors que tous ces actes criminels avaient été commis dans l'indifférence générale, avec la complicité muette de la communauté internationale?

Si Maro avait eu l'ombre d'un doute sur le rôle joué par Riza, jamais elle n'aurait pu l'aimer. Nour se disait que l'amour de sa mère pour Riza lui offrait une sorte de caution morale et qu'il n'y avait pas lieu de douter de son père. «Je n'irai pas jusqu'à le déclarer innocent, se disait Nour. Coupable, certainement, mais pas responsable.»

Riza Bey avait commencé à écrire ses mémoires quelques semaines seulement après avoir remis ses lettres de créance à son successeur. Pourquoi avoir laissé derrière lui des preuves aussi compromettantes de son implication au lieu de chercher à étouffer les horreurs dont il avait été le témoin passif? Était-ce sa façon de se racheter ou de se punir? Une expérience cathartique peut-être… ou simplement le passe-temps coupable d'un criminel endurci?

Nour se souvint des paroles de son père : «Celui qui sauve une vie sauve le monde.» Croyait-il vraiment à ce qu'il disait? Sauver la vie de Maro et celle de son fils suffisait-il à l'absoudre de ses autres crimes? Nour lisait en s'imprégnant de chaque mot du manuscrit relié de cuir couleur sang, pour mieux se plonger dans les mystères du passé de son père.

Il se versa une nouvelle tasse de café et alluma sa dixième cigarette avant d'entreprendre la lecture de la seconde partie de l'autobiographie paternelle. Lorsqu'il aborda l'histoire d'amour de Riza et de Maro, il avait réussi à oublier la tristesse de l'épisode relatif à la déportation des Arméniens et la souffrance humaine que le manuscrit révélait.

Les pages consacrées à leur histoire étaient vibrantes d'amour. Le récit se déroulait de 1915 à 1918, année du départ de sa mère à Constantinople. À partir de cette date, il n'avait plus rien écrit, comme si sa vie ne méritait plus d'être rapportée. Nour parcourut distraitement certains passages qu'il trouvait parfois embarrassants quand son père entrait dans les détails intimes de ses ébats amoureux.

Quand il tourna la dernière page du manuscrit, il eut le sentiment d'avoir vu se dérouler la vie de deux hommes qu'aucun trait de caractère ne reliait. Riza, le bon fils, le bon époux, le bon père de famille ignorait Riza Bey le gouverneur maudit de la province d'Aïntab.

Le jour se levait, Nour ferma à double tour le coffre-fort mural et replaça la toile de maître qui le dissimulait aux yeux des visiteurs. Nour n'eut pas un regard pour les nymphéas bleutés tant le rouge du manuscrit était gravé au fond de ses yeux.

Il pénétra dans la galerie de cristal qui donnait sur le jardin où son petit-déjeuner l'attendait. En l'accueillant, Kérim se plia dans une de ses courbettes dont il avait le secret et lui servit le café.

Devant la mine défaite de Nour, le vieux serviteur était tenté de lui demander s'il se sentait bien. Mais il s'interdit de briser le code de respect et de manifester une curiosité déplacée à l'endroit de son maître.

Le regard absent, celui-ci entrevoyait à peine un pétrolier à la coque rouillée qui voguait vers la mer Noire. Les premiers rayons du soleil pénétraient par les portes à la française et venaient se refléter dans les immenses miroirs qui avaient donné leur nom à la galerie de cristal. Il jeta un coup d'œil rapide aux journaux. Le président Eisenhower s'engageait à construire l'arsenal nucléaire de l'Amérique; Adnan Mendres, le premier ministre de Turquie, avait convoqué une réunion extraordinaire de son cabinet; et on avait retrouvé le corps d'un inconnu sur la plage. Aucune information ne retint l'attention de Nour.

Kérim se présenta devant lui.

— Bey Effendi, mademoiselle Ozan est là, elle insiste pour vous parler.

Nour sursauta. Ésine! Il était à Istanbul depuis plus d'une semaine et il ne lui avait pas donné signe de vie. Il était vaseux et trouvait sa visite importune.

— Fais-la entrer, dit-il avec un soupir de lassitude.

Jupe plissée, chemisier échancré, maquillée plus que de coutume, elle semblait déborder d'énergie. Elle s'arrêta à quelques pas de lui en lui adressant son plus beau sourire.

— Je viens voir ce que tu deviens. Ton silence est assourdissant.

— Désolé, j'ai eu beaucoup à faire, la famille, des problèmes avec la Société… s'excusa-t-il.

Il l'invita à s'asseoir.

— C'est vrai, tu as l'air crevé. Tu te couches trop tard sans doute.

Nour n'aima pas son ironie. Il était furieux qu'elle l'amène à se sentir coupable. «Pas pour ce que tu crois», pensa-t-il. Elle devança sa prochaine question.

— C'est Altan qui a vendu la mèche. Il m'a dit que tu étais rentré et que je pourrais te trouver ici. Ne lui en veux pas, j'ai tellement insisté!

Nour sourit. «Sacré Altan! Le voilà qui joue l'entremetteur», se dit-il. Une pensée fugace pour Nayiri lui traversa l'esprit.

Ésine se pencha et prit la main de Nour. Elle le fixa longuement et reprit ses aises dans le fauteuil, dans une pose plutôt séduisante.

— Quand j'ai vu les photos et les articles dans les journaux, j'ai été follement jalouse. Je t'en ai beaucoup voulu. Mais nous n'avions été amants qu'un seul jour, et tu ne m'avais rien promis. Vraiment, ce qui m'a le plus chagriné, c'est que tu me caches ton retour.

Nour se troubla. Il n'avait pas voulu lui faire de peine, il voulait juste être seul.

— Contrairement aux apparences, ce n'était pas un voyage d'agrément. C'est une histoire bien compliquée à raconter, répondit-il d'un ton agacé.

— J'ai tout mon temps, dit-elle d'une voix douce.

— C'est-à-dire que… J'ai pas mal de soucis avec la Société, et j'ai passé une très mauvaise nuit. J'ai promis à ma mère de déjeuner avec elle, je ne suis pas encore prêt et… Laisse-moi régler mes problèmes. Revoyons-nous dans quelques jours. Je promets de t'appeler très vite.

— Bien sûr! C'est de ma faute, je débarque sans crier gare. Tu as raison. Remettons à plus tard.

Ésine était moins enjouée qu'à son arrivée, mais ne voulait rien laisser paraître.

— Je ne t'embrasse pas, tu n'es pas rasé. Je connais le chemin. *Ciao!*

Nour avait l'impression de s'être fait piéger. Il n'avait pas envie de voir une autre femme. Nayiri lui manquait. Il ne parvenait pas à se satisfaire de leurs conversations télé-phoniques quotidiennes au cours desquelles ils évoquaient leurs étreintes. Elle lui racontait le feu qui traversait son corps quand ils faisaient l'amour. Il la revoyait devant lui, soumise à tous ses désirs. Elle avait même devancé certains de ses fantasmes. Jamais auparavant il n'avait connu une telle passion charnelle.

En quittant le jardin où il avait reçu Ésine, il se reprocha d'avoir été aussi distant. Il se souvint aussi que, un instant, il avait eu envie d'elle.

Il était trois heures de l'après-midi lorsque Nour reçut un appel de New York. Irving Leonard l'informait des derniers rebondissements de l'enquête policière qui ciblait le trafic de stupéfiants en provenance du Moyen-Orient.

Le chargement de tabac expédié par la Société Kardam et pisté de loin par la police était arrivé à destination après un arrêt à Marseille, à bord d'un navire hollandais. L'opération avait été menée de main de maître par le féroce inspecteur Mat Herrera, en collaboration avec les autorités douanières et le FBI. Les balles de tabac avaient d'abord été placées sur des péniches spéciales ancrées au quai 47, facile à surveiller. La compagnie Independent Tobacco Company les avait ensuite transportées par camion vers un entrepôt du New Jersey. En fin de journée, pendant le déchargement des camions, une vingtaine de voitures de police avaient encerclé les lieux et les agents avaient aussitôt effectué une descente. La fouille permit de saisir plus de cent caisses d'armes et cinq tonnes de haschich. En tentant de s'enfuir, les employés, cachés à l'intérieur du bâtiment, avaient ouvert le feu sur la police, des tirs causant deux blessés graves, un policier et un chauffeur de camion. Dans l'entrepôt, on avait découvert un laboratoire sophistiqué de fabrication d'héroïne, drogue destinée aux marchés nord-américain et canadien. Un communiqué de presse avait éventé la nouvelle juste après la rafle. Ebenezer, le principal responsable d'Independent Tobacco Company, trois agents de douane corrompus et les techniciens du laboratoire avaient été mis sous les verrous.

Les agents du Narcotic Bureau, qui étaient en train d'interroger Ebenezer, pensaient pouvoir remonter la filière dans toutes ses ramifications du Moyen-Orient, particulièrement en Turquie. Irving Leonard put rassurer Nour en lui affirmant que les trafiquants cesseraient d'utiliser la Société Kardam pour un bon bout de temps.

Les événements se précipitèrent. Ramazan et Touran, prenant les devants, avaient remis simultanément leur démission et disparu. La soudaineté de leur décision prit de court l'état-major des armées et ouvrit la porte à toutes sortes de suppositions. Malgré les efforts de Nour et d'Altan pour sauver la réputation des Kardam, le scandale commençait à s'étaler dans la presse.

Sans informer qui que ce soit parmi ses proches, Touran avait pris le large tandis que Ramazan choisit de filer quelque part en Europe, en espérant bénéficier, un jour, de l'asile politique en France.

Safiyé fut horrifiée d'apprendre les motifs de la démission de ses fils et jugea scandaleuse leur décision de fuir le pays pour se soustraire aux poursuites judiciaires. «C'est de la haute trahison pour des militaires de haut rang de ne pas assumer leurs responsabilités et de décamper comme de vulgaires malfrats. Je ne veux plus jamais qu'ils se présentent devant moi», dit-elle avec des sanglots dans la voix. À compter de ce jour, Safiyé se retira dans ses appartements de Gaziantep et n'accepta plus aucune visite.

Leyla ne décolérait pas depuis qu'elle avait pris conscience de la culpabilité et de la lâcheté de Ramazan et Touran. Ses amis boudaient ses réceptions, elle se sentait observée comme une bête curieuse dans les cocktails où elle était encore invitée. Elle s'enferma dans la *yali* et se consacra à ses chats en attendant des jours meilleurs. Mais elle souffrait de devoir abandonner sa vie mondaine et de se retrouver seule, sans une amie à qui confier sa peine.

* * *

Les pigeons envahissaient la cour de la division de la Sécurité nationale. Ils étaient si nombreux que leurs roucoulements couvraient le brouhaha du trafic dans l'avenue.

Les trois hommes buvaient du thé dans un petit verre et fumaient.

Renversé dans son fauteuil, Altan regardait en l'air fixement, aussi absorbé que s'il comptait les innombrables chiures de mouche au plafond. Il était heureux d'en avoir terminé avec son interim de directeur général et de pouvoir enfin passer plus de temps avec sa famille. Malgré tout, l'inculpation de ses deux frères l'humiliait. Il ne leur pardonnait pas d'avoir entaché l'honneur de la famille pour de l'argent dont ils n'avaient nullement besoin.

La police était au courant de la contrebande d'opium qui sortait du pays, dissimulé dans des balles de tabac. Depuis quelque temps déjà, les entrepôts de la Société Kardam faisaient l'objet d'une surveillance discrète. Le fait qu'Altan ait informé à temps le Bureau au sujet du trafic avait permis à la police de concentrer ses enquêtes sur Ramazan, Touran et leurs complices.

— Messieurs, nous ne vous remercierons jamais assez pour votre étroite collaboration, dit le commissaire d'un air satisfait. Malheureusement, nous allons devoir émettre un mandat d'arrêt international contre vos deux frères. Croyez bien que j'en suis peiné pour vous, mais…

— La loi doit être la même pour tous, compléta Nour qui sentait l'embarras du commissaire.

— J'ai lancé une équipe aguerrie pour intercepter les deux Haydar. J'attends son compte rendu d'une minute à l'autre.

— Je pensais que c'était déjà fait, remarqua Altan.

— Ils nous ont filé entre les mains lors de leur interpellation. Cette fois, cela ne se reproduira pas, je vous le promets. J'ai aussi hâte que vous de les voir derrière les barreaux, sans compter que j'ai quelques questions à leur poser.

Ils prirent congé du commissaire.

Une fois dans la rue, Nour se tourna vers son frère et le prit par le bras.

— C'est sûr, tu es décidé?

Oui, il quittait Istanbul. Meurtri, écœuré et se promettant de ne plus y remettre les pieds avant longtemps. Bien déterminé à finir ses jours dans les plantations.

— Je te l'ai dit, je ne suis pas fait pour la ville. Je pars sur mes terres. Crois-moi, c'est un des plus beaux jours de ma vie!

Altan donna l'accolade à son frère et cacha son émotion en tournant les talons brusquement. Nour, le cœur serré, le vit s'éloigner d'un pas vif, sa haute stature un peu voûtée, les deux mains enfoncées dans les poches de sa veste. Il ravala son émotion et se sentit soudain complètement perdu.

* * *

Le départ d'Altan lui laissait un grand vide. Il monta dans sa voiture et se dirigea vers l'hôpital de Nichantach où travaillait Ésine. Il ne l'avait toujours pas appelée, malgré sa promesse.

— Vous avez de la chance, lui dit la réceptionniste du service de pédiatrie, après avoir consulté le tableau de présence. Le docteur Ozan termine son service dans une heure. Vous pouvez l'attendre ici, ou près de sa voiture en bas.

Il terminait sa troisième cigarette quand il vit Ésine, encore en blouse blanche, s'approcher d'un pas vif. Ses yeux s'arrondirent quand elle aperçut Nour appuyé à sa vieille Studebaker noire.

— Toi ici? Tu es malade?

Pour toute réponse, il l'embrassa sur les joues.

— Je voulais t'inviter à dîner ce soir et, soudain, j'ai préféré venir te chercher.

— Oh! tu as vu ma tenue? J'ai eu une journée épouvantable. J'aimerais passer chez moi me remettre à neuf.

Elle s'attendrit devant son air déçu.

315

– Accompagne-moi, nous en profiterons pour parler.

À cette heure-là, la circulation était dense et Nour eut le temps de lui raconter ses aventures new-yorkaises. Ésine n'en revenait pas. « Deux mères ! »

Arrivés au bas de son immeuble, elle regarda Nour avec un sourire narquois, le trouvant bien embarrassé.

– Tu ne vas pas m'attendre dans la voiture. Monte !

* * *

Alors qu'elle sortait de la salle de bains, enroulée dans un drap en éponge, il l'arrêta en lui prenant la taille. Elle sursauta, mais se laissa faire quand il promena sa bouche sur ses épaules et remonta le long de son cou. Tout en la serrant plus fort contre lui, il chercha sa bouche. Ils échangèrent un long baiser.

– Non, pas là, souffla-t-elle quand il voulut l'entraîner sur le sofa. Viens dans la chambre, c'est plus sombre.

Nus et enlacés, leurs corps se redécouvraient doucement. Nour avait besoin d'effacer sur sa peau les traces de son amour lointain. La passion n'était pas au rendez-vous, il était simplement attiré par ce corps superbe. Couchée sur le dos, Ésine se laissa prendre, réservée et mesurée. Sur le moment, Nour prit cela pour de la réticence, mais il dut s'avouer tout simplement sa nostalgie de Nayiri, plus dissipée sous la couette, dont il avait aimé l'audace et la folie.

Plus tard, Ésine se cala dans les oreillers et lui annonça qu'elle avait quelque chose d'important à dire.

– L'année dernière, j'ai envoyé une demande d'emploi à l'hôpital Bellevue de New York. Elle vient d'être acceptée et la direction m'offre un poste d'internat en pédiatrie.

– Félicitations ! répondit-il. C'est une chance unique.

– Je sais. Mais je me demande si je ne vais pas refuser. Maintenant que tu es de retour, je ne veux pas me séparer de toi pendant aussi longtemps.

Les choses allaient trop vite au goût de Nour. Cette décision de refuser un poste dont rêvaient bien des diplômés de médecine était lourde de conséquences, car cet hôpital était l'un des plus grands centres de médecine moderne. Elle refusait uniquement pour lui! Au début de leur liaison, il n'avait pris aucun engagement, le temps de réfléchir à son avenir. Après cette déclaration, il se rendit compte que les sentiments d'Ésine avaient évolué pendant son absence. En d'autres temps, il s'en serait réjoui, mais il y avait Nayiri. Pour l'instant, sa passion pour sa demi-sœur prenait toute la place.

— Tu m'en voudrais si je refusais une telle aubaine à cause de toi? continua-t-elle, chagrinée par le silence de Nour.

— Ce serait stupide de refuser. Mais j'ai une idée qui pourrait t'enlever tous tes doutes.

Ésine hésita un instant.

— Je sais très bien ce que je veux. C'est toi!

Elle alla se blottir dans ses bras. Nour s'écarta d'elle et la fixa dans les yeux avant de prendre sa tête entre ses mains. Il ne s'attendait pas à se retrouver aussi rapidement face au dilemme.

— Ne dis pas non à New York, finit-il pas avouer.

Sa remarque inquiéta Ésine.

— Tu veux que je m'en aille, c'est ça?

— Non, laisse-moi t'expliquer un peu plus avant de dire oui ou non. Je te l'ai dit, je traverse une crise et je ne sais pas encore où je vais poser mes valises. J'envisage de fonder une entreprise à New York. Ce serait une bonne raison de m'installer là-bas.

Les yeux d'Ésine s'illuminèrent.

Depuis son retour, Nour réfléchissait à son avenir et à celui de son pays. Il était convaincu que concéder à l'OTAN des emplacements pour ses bases militaires ne suffisait pas à faire de la Turquie un pays moderne. Il constatait que les pays européens, autrefois ennemis mortels, se regroupaient et surmontaient leurs anciennes inimitiés pour fonder une sorte de club auquel il serait bon d'appartenir un jour. Un moment, il avait envisagé une carrière politique. «Il me semble que notre pays a besoin d'hommes neufs pour le sortir de ses traditions ottomanes», disait-il. Et il s'était senti capable de relever ce défi. Mais, depuis les démêlés de ses frères avec la justice, il avait abandonné cette idée.

— L'Amérique est le pays où je développerai mes affaires. L'industrie explose, Wall Street domine le monde de la finance. New York signifie esprit d'entreprise, richesse, expansion.

Il n'ajouta pas que, là-bas, Nayiri l'attendait.

— Accepte la proposition. Partons tous les deux.

Ésine resta bouche bée. Au moment où elle allait lui répondre, il posa les doigts sur sa bouche.

— Je suis curieux de savoir si tu épouserais une famille au passé équivoque, au présent scandaleux, et si tu viendrais avec moi oublier tout cela aux États-Unis.

Ésine était si bouleversée que ses mains tremblaient. Il lui fallut quelques secondes pour retrouver son calme et rassembler ses pensées.

— C'est avec toi que je souhaiterais me marier, pas avec ta famille. Je me moque de ce que tes frères ont fait ou pas. Que tu sois turc, arménien, chrétien ou musulman, je ne sais qu'une chose, j'irai jusqu'au bout du monde pourvu que ce soit avec toi.

Profondément émue, elle se jeta dans ses bras et l'embrassa avec fougue. Elle sentit les larmes lui monter aux yeux.

«Comme c'est facile de faire une proposition de mariage, se dit-il. Est-ce que je tiens assez à elle pour en faire ma femme ou est-ce juste une façon de m'éloigner de Nayiri?» Il avait rencontré Ésine avant Nayiri. Les sentiments qu'il éprouvait pour les deux femmes étaient si dissemblables qu'il ne pouvait se risquer à les comparer. Son mariage avec Ésine conviendrait à la société dans laquelle ils évoluaient, sa relation avec Nayiri, si elle était divulguée, le ferait clouer au pilori.

— Maintenant, il faut que j'en parle à Leyla. Officiellement, il me faut son consentement, dit-il avec un sourire complice. Mais je devine qu'elle va accepter. En attendant, secret absolu.

Pour sa part, Ésine était comblée. Elle entrevoyait la réalisation de ses deux souhaits les plus chers : épouser l'homme qu'elle aimait et poursuivre sa carrière professionnelle.

— Tu as vraiment le don de me faire plaisir… Je ne sais comment te remercier, dit-elle en se serrant contre lui comme une chatte amoureuse. Je t'aime, Nour.

Elle attendait qu'il prononce les mêmes mots. Il le savait, mais préféra se taire et l'embrasser. Dans sa tête, il devait encore lutter pour effacer l'image de Nayiri. Il attira violemment Ésine vers lui, lui faisant presque mal, et l'embrassa avec fougue. Elle laissa échapper un cri de plaisir et ils se retrouvèrent dans les bras l'un de l'autre.

25

En lisant son courrier, Nour eut la surprise de trouver une courte lettre manuscrite provenant d'Howard Lehman, le journaliste du *New York Times* qui lui avait tant causé d'ennuis. De passage à Istanbul, il sollicitait rien de moins qu'un entretien. Sans autre explication, le mot griffonné à la hâte mentionnait les coordonnées de l'hôtel Divan où il était descendu. Dans un geste de mauvaise humeur, Nour chiffonna la lettre, la jeta dans la corbeille puis, sa curiosité l'emportant, il se ravisa et appela Lehman. Les deux hommes convinrent d'un rendez-vous au bar de l'hôtel Divan pour le jour même, le journaliste se bornant à remercier Nour d'accepter de le rencontrer.

Vêtu d'un jeans et d'une chemise en flanelle grisâtre, le reporter était perché sur un des tabourets du bar, désert à cette heure. Nour le rejoignit et les deux hommes se dévisagèrent sans aménité.

— Merci d'être venu, monsieur Kardam, lança Lehman en ponctuant les mots d'un hochement de tête approbateur.

— Vous êtes drôlement culotté, vous! répliqua Nour d'un ton glacial.

— À vrai dire, je m'attendais à ce que vous me balanciez votre poing dans la gueule. Vous pourrez toujours le faire plus tard. J'ai pris le risque d'une correction, mais ce que j'ai à vous raconter, je devais vous le dire en face.

Lehman lui expliqua qu'il tenait la rubrique des commérages uniquement pour s'assurer un revenu, modeste précisa-t-il, et surtout pour bénéficier de tous les privilèges que lui conférait sa carte de presse.

Deux ou trois jours avant l'arrivée de Nour à New York, un personnage curieux, un Turc sans aucun doute, avait pris contact avec lui au journal. Il voulait que Lehman écrive un article sur une personnalité connue en Turquie mais absolument pas à New York. Son but était de démolir la réputation du type en question dans son pays. Le Turc voulait le grand jeu, photos, révélations sulfureuses, intrigues, tout ce qui pouvait contribuer à mettre sa cible plus bas que terre dans un pays où les mœurs étaient, d'après lui, bien coincées. Lehman avait reçu par la poste une fiche avec les renseignements sur son «client».

— Avec ça, j'en savais plus long sur vous que sur ma propre mère, ajouta le journaliste.

— Vous connaissez le nom de ce Turc?

— Je ne lui ai pas demandé. Il m'en aurait donné un faux. Sûr!

Lehman s'était étonné qu'un type le paie plusieurs billets de cent, rien que pour faire son boulot habituel. «Celui que je fais avec les célébrités», précisa-t-il. Le journaliste devait, en outre, veiller à ce que l'information soit transmise aux journaux d'Istanbul.

— Et c'est pour me raconter ça que vous avez traversé l'Atlantique, monsieur...? demanda Nour hautain, en faisant mine de ne pas se souvenir du nom de son interlocuteur.

— Lehman. Mais, appelez-moi Howard. Lorsque les flics ont arrêté à coups de pétard cette bande de trafiquants turcs à la Tobacco Company, j'ai reconnu sur une photo celui qui m'avait payé pour vous faire des embrouilles. Alors, je me suis dit que je vous devais des excuses. Pas pour avoir pondu cet article, non, ça c'était mon boulot normal, mais pour avoir été à la solde d'une saloperie de trafiquants. J'ai pas aimé.

— Décidément, monsieur… heu… Howard, vous me surprendrez toujours!

— La suite, c'est que mon patron m'a proposé de faire une grosse enquête sur le trafic d'opium avec la Turquie. Je suis ici pour ça et j'en profite pour régler mes petits problèmes de conscience avec vous. Voilà, c'est fait. Maintenant, j'ai des tuyaux à vous demander.

Nour était estomaqué par le cynisme et la candeur de Lehman. Ce type l'avait traîné dans la boue pour toucher un pot-de-vin, il venait de maugréer quelques vagues excuses, il s'octroyait l'absolution et, maintenant, il lui demandait des « tuyaux »!

Sans se démonter, Lehman poursuivit.

— J'ai des copains aux narcotiques. J'ai jeté un coup d'œil sur les carnets du patron de la Tobacco Company, Ebenezer, vous connaissez, non?

Nour acquiesça de la tête. Cette fois, il était intéressé.

— Il y avait des noms sur un des carnets, des noms qui vous touchent de près. Je voulais vous prévenir de ça. Je sais que vous êtes un type honnête. Vous n'avez pas mérité cette merde!

Le journaliste commanda une autre tournée pour laisser à Nour le temps de se remettre de ses émotions, puis se pencha vers lui :

— Vos deux frangins, Touran et Ramazan, tirent les ficelles à partir d'Istanbul. Sale coup pour vous, mon vieux, désolé!

Les mots de Lehman se bousculaient dans la tête de Nour, lui donnant la nausée. Le journaliste venait de lui déballer ce qu'il savait sans prendre de gants. Il se demandait…

— Seuls les gars des narcotiques sont au courant. Puis vous et moi. Pas un de plus. Remettez-vous, monsieur Kardam, je ne fais plus dans les potins, ça restera entre nous. Je vous le dois, dette d'honneur!

Nour se souvenait de ses longues conversations téléphoniques avec Altan. Leurs soupçons au sujet de l'instigateur du trafic. Maintes fois, ils en étaient arrivés à suspecter leur père mais, chaque fois, ils avaient écarté cette éventualité. Pas lui, le grand Riza Bey ne pouvait avoir trempé dans de telles magouilles. Et pourtant! Les deux frères ne savaient plus que penser et tacitement avaient convenu, sauf s'il y avait du nouveau, de ne plus aborder le sujet, tant il faisait mal. Nour attendait que cesse son vertige avant de s'adresser de nouveau à Lehman qui fixait le fond de son verre.

— Un mot, Howard, y aurait-il d'autres membres de la famille dont les noms apparaissent sur ces carnets?

— Non, pas que je sache.

Nour se sentit débarrassé d'un poids énorme. Il reprit confiance, même en se disant que les renseignements de Lehman étaient fragmentaires. Le nom de Riza n'y figurait pas. Il en parlerait à Altan sitôt qu'il aurait terminé cette discussion.

— Savez-vous depuis combien de temps durait ce trafic? Plus exactement, les gens de ma famille, depuis combien de temps?

— Quatre ans, cinq maxi.

Lehman ne comprenait pas pourquoi Nour semblait soulagé et soudain moins replié sur son siège. «Cinq ans, ça veut dire que notre père n'est pas dans le coup, se disait-il. Il ne mettait plus les pieds en dehors de Gaziantep.»

— De quelle sorte de tuyaux avez-vous besoin, Howard?

— Je voudrais pouvoir traîner mes guêtres dans vos plantations et avoir deux ou trois recommandations qui m'ouvriraient les portes dans cette ville.

— Faisons un marché, Howard. Je vous facilite la vie pour mener à bien votre investigation, en contrepartie, vous n'écrivez pas une ligne sur ma famille sans m'en parler avant.

Je ne vous demande pas de taire quoi que ce soit. Si c'est la vérité et si des preuves irréfutables existent, je vous demande, comme un service, de m'avertir avant toute publication.

— Bingo! cria Lehman, hors de propos, tellement il était excité.

* * *

Nayiri avait laissé tomber son job chez Macy's. Elle se chamaillait sans cesse avec ses collègues, puis elle s'était disputée avec son chef. «Ça me payait juste les fringues et le maquillage. À quoi bon maintenant?» s'était-elle dit un matin de déprime. Et elle n'y était plus retournée.

Elle avait remisé sa jeep et se déplaçait en métro. Les repas en famille étaient devenus plus ternes. «Elle va vraiment mal, elle ne se dispute même plus avec papa», avait constaté Araksi. Azniv attribuait la morosité de sa sœur au fait qu'elle avait plaqué Greg et avait conclu : «On n'a plus jamais entendu parler de lui. Maintenant, elle doit le regretter.»

Maro était inquiète. Elle n'avait jamais vu sa fille dans un pareil état. Elle voyait bien qu'elle ne riait plus, qu'elle négligeait sa tenue. Elle lui trouvait très mauvaise mine et le lui avait dit. La façon dont Nayiri s'était emportée était sans commune mesure avec sa réflexion. Elle avait hurlé : «Foutez-moi la paix», et avait claqué la porte de la maison. Depuis elle boudait les réunions familiales.

Quant à Jake, il avait d'autres préoccupations. Depuis sa rencontre avec Nicole, ils se fréquentaient assidûment, tellement amoureux que le monde se restreignait à eux. D'un naturel optimiste, il avait persuadé sa mère de ne pas s'alarmer. «Elle est parfois fantasque. Dès qu'elle reprendra ses cours, elle ira mieux.»

Ce que personne ne savait, c'est que Nayiri ne s'était même pas inscrite pour la rentrée universitaire. Elle traînait jusqu'à l'heure de sa communication quotidienne avec Nour, puis fumait cigarette sur cigarette en attendant la sonnerie. Les premiers jours, ils s'étaient remémorés leurs moments heureux et leurs ardeurs érotiques, évoquant leur prochaine rencontre. Rien que d'en parler, elle se sentait tout émoustillée et passionnément amoureuse.

Mais à mesure que les jours avaient passé, elle s'était aigrie. Désormais, lui parler ne suffisait plus. Aux Lucky Strike qu'elle fumait pour l'imiter, elle ajouta quelques bonnes rasades de bourbon qui trompaient mieux son attente.

De son côté, Nour ne comprenait pas bien ces comportements excessifs. Il était absorbé par ses fonctions de président du comité exécutif, ses obligations sociales et sa vie mondaine. Il ne percevait pas la fragilité de Nayiri et était souvent agacé de la sentir aussi dépendante de lui. Un jour, il lui avait reproché assez sèchement de ne plus fréquenter l'université, ce qui avait déclenché un flot de larmes. Elle souffrait terriblement de le voir prendre des distances et de ne pas répondre à son amour autant qu'elle l'aurait souhaité.

* * *

Pendant deux ou trois mois, à chaque repas de famille, ses enfants revenaient à la charge. Mais Maro avait tenu bon et refusé de faire le voyage à Istanbul pour la pose de la première pierre de l'hôpital arménien du Saint-Sauveur de Yedikulé. Elle disait qu'elle avait donné l'argent et que cela suffisait. Elle n'avait aucune envie de festivités et de cérémonies officielles. Vartan avait ajouté qu'il n'irait pas non plus.

Maro prit prétexte des ennuis de santé de Nayiri et proposa que ce soit elle la représentante de la famille Armen-Balian. «Ce voyage la sortira de sa déprime», avait-elle ajouté pour finir de convaincre ses enfants.

Elle n'en était pas vraiment persuadée, car elle avait deviné de quel mal souffrait sa fille. «Au retour ce sera sans doute pire», avait-elle pensé. Mais pour l'instant, elle n'imaginait pas d'autre solution.

Un soir, Tomas avait alerté sa mère.

— Je suis passé chez elle. Elle m'a mis à la porte. C'est dur à dire, mais elle sentait l'alcool.

— Je m'en doutais. Elle refuse que j'aille la voir. Ces derniers temps, au téléphone, elle n'était pas dans son état normal.

— Je ne peux tout de même pas la faire hospitaliser de force.

— À moins que tu saches soigner le mal à l'âme.

— Elle?

— Tu sais, elle est comme tout le monde, je crois qu'elle ne sait plus trop où elle va, ni ce qu'elle veut. Je vais téléphoner à Nour pour qu'il lui envoie un billet d'avion. Elle a besoin de changer d'air au plus vite.

Nour était tombé des nues, lorsque sa mère l'avait appelé. «Nayiri est bien malade», avait-elle dit. Loin de se douter à quel point elle était dépressive, il eut peur. Il promit de s'en occuper.

* * *

Comme tous les matins à Istanbul, des files de voitures et de fourgonnettes encombraient l'avenue Rihtim, juste après le pont de Galata, qui longeait les quais. Le chauffeur de la Société stationna la Mercedes noire devant l'immeuble des bureaux de Kardam et Fils International et ouvrit la porte à Nayiri.

Elle portait un tailleur en coton beige et une blouse en soie noire. À la voir aussi fraîche, nul n'aurait deviné qu'elle avait voyagé pendant dix-huit heures d'affilée. La réceptionniste la conduisit dans la grande bibliothèque et la pria de patienter quelques instants. «Monsieur Kardam ne sera pas long, il termine sa conférence avec le président de la Banque ottomane et il vous rejoindra aussitôt», dit-elle dans un anglais impeccable. Nayiri fit le tour des vitrines exposant des échantillons des différentes qualités de tabac et se laissa tomber dans un fauteuil de cuir noir. Le décalage horaire faisant son effet, elle ne tarda pas à s'assoupir.

Immobile, Nour la regardait dormir. Il était aussi ému qu'aux premiers jours de leur rencontre, quand il la découvrait reposant à ses côtés après une longue nuit d'amour. Pourtant, cette fois, un sentiment qu'il ne parvenait pas à s'expliquer le dérangeait. Elle poussa un soupir et s'éveilla, mystérieusement alertée de sa présence.

— C'est merveilleux que tu sois enfin venue, lui glissa-t-il à l'oreille.

— Tu m'as tellement manqué.

Il lui prit la main et la conduisit dans son bureau dont il verrouilla la porte. Ils s'étreignirent et s'embrassèrent un long moment. Elle déboutonna sa chemise et le caressa.

— Ça fait des mois que j'ai envie de toucher ta peau.

— Cela fait si longtemps que je n'ai pas respiré l'odeur de vanille dans tes cheveux.

Nayiri se déshabillait fébrilement en lui chuchotant : «Fais-moi l'amour.» Mal à l'aise, il vérifia d'un coup d'œil le verrou et ôta ses vêtements en admirant le corps offert de sa maîtresse étendue. Il la voulait vite, là, tout de suite. Le sexe dressé, il se coucha sur elle et la pénétra violemment. Elle poussa un cri en fermant les yeux et s'abandonna au plaisir sans retenue. Leur jouissance fut rapide, aussi forte qu'aux premiers jours, les entraînant ailleurs.

— Je t'aime. Je ne pourrai plus jamais me passer de toi.

Elle détourna la tête pour masquer ses larmes de joie.

Puis ils reprirent tant bien que mal leurs esprits et se rhabillèrent à la hâte. Pendant que Nour déverrouillait la porte, Nayiri s'approcha de la grande baie vitrée.

— Quelle vue fantastique! Ce doit être l'Asie et, là-bas, la Corne d'Or? s'exclama-t-elle.

Le bureau de Nour occupait la largeur du bâtiment comme une immense vitrine, s'ouvrant sur une vue panoramique de la ville, sept étages plus bas. Des tableaux impressionnistes originaux ornaient les murs en acajou.

— J'ai organisé tout un programme pour toi. Je tiens à ce que ta première visite à Istanbul soit aussi mémorable que le jour où je t'ai rencontrée.

— Ne sois pas idiot! Je n'ai pas besoin de chichis pour que ce soit mémorable. Je veux juste être avec toi. Pendant longtemps.

— Tu habiteras dans la *yali*. J'y ai fait préparer un appartement. Il communique avec le mien, ajouta-t-il comme une confidence.

Une fatigue apaisante enveloppait le corps de Nayiri. Elle s'affala dans un fauteuil en relevant ses jambes et en se déchaussant, le regard attiré par Nour. Très élégant, il portait un complet d'été gris clair, une chemise foncée et une simple cravate rouge. Il s'assit près d'elle, la main sur son épaule.

— Leyla habite aussi dans la *yali*. Quand je lui ai annoncé que tu allais venir, elle était un peu gênée, au début. Mais deux minutes plus tard, elle était tout énervée à l'idée de rencontrer la fille de Maro. Elle veut voir si tu es aussi belle que ta mère.

— La beauté a une si grande importance pour elle?

— C'est une de ses hantises. Que veux-tu, je ne peux pas la changer après toutes ces années. Mais laissons tomber le sujet pour le moment! Je te conduis à Yeniköy, tu dois avoir besoin de te reposer.

La promenade à travers la ville se révéla une expérience étourdissante pour Nayiri. Comparé au système de transport compliqué et perturbé d'Istanbul, le trafic de Manhattan était un jeu d'enfant. En traversant le quartier des affaires et les rues commerçantes, elle fut fascinée par le flot continuel de la foule qui semblait noyer la ville, au milieu des cohortes de voitures, de camions, de carrioles à cheval et de charrettes à bras.

Ils franchirent bientôt le quartier résidentiel moderne de la ville, Harbiyé, où les parents de Nayiri avaient vécu avant d'émigrer en Amérique. Ensuite, ce fut le fameux cimetière arménien, où Vartan avait achevé sa longue et folle course pour retrouver sa femme. Là s'était déroulé l'échange Maro contre Riza.

Nayiri vivait dans un rêve. Son esprit sautait constamment du passé au présent. Nour lui servit de guide, lui expliquant avec volubilité l'historique des sites qu'elle traversait, tout en la divertissant avec des anecdotes amusantes. Ils longèrent les campements militaires de la cavalerie, puis le sanatorium et se retrouvèrent bientôt à proximité des docks d'Istinyé.

Une fois sur la route de Maslak, Nour appuya sur l'accélérateur. Nayiri se penchait vers lui, enivrée par sa présence, et écoutait battre son cœur. Elle pouvait le toucher, sentir le contact de sa peau, l'aimer. Elle se laissa bercer par le chuintement de l'air chargé d'arômes. Il y eut un long moment de silence entre eux, jusqu'à ce qu'ils arrivent à Istinyé et descendent vers les quais. Le Bosphore s'offrit à leurs regards dans toute sa splendeur.

— Je n'aurais jamais pu imaginer une telle beauté, souffla Nayiri, émerveillée.

***

Le lendemain, lorsque Nayiri descendit prendre son petit-déjeuner avec Nour dans la chambre de cristal, Leyla les attendait déjà, tourmentée par deux questions :

«Nayiri va-t-elle me trouver belle? Va-t-elle me rappeler Maro?» Elle s'était habillée spécialement pour l'occasion. Elle avait choisi une tenue qu'elle estimait «américaine» : un bermuda chic pour mettre en valeur le galbe de ses jambes et une blouse ajustée pour souligner sa poitrine. Malgré l'heure matinale, elle portait un épais maquillage pour dissimuler les rides imaginaires et réelles de son visage.

Leyla s'était éveillée fiévreuse, elle avait rêvé de Riza Bey. Dans son rêve, il parlait d'amour, mais la femme à laquelle il s'adressait n'était pas elle. Elle avait alors ressassé des mauvais souvenirs de défaites face à Maro et s'était sentie très seule.

L'apparition de Nayiri atténua sa douleur et sa solitude, malgré un léger pincement d'envie devant l'éclatante jeunesse de son invitée.

— Vous voilà enfin, ma chère enfant, s'exclama-t-elle.

Nayiri se précipita vers Leyla et l'embrassa affectueusement.

— Il est enfin temps que je fasse votre connaissance, ajouta-t-elle.

Elle s'exprimait avec lenteur, cherchant ses mots en anglais.

— Je ne sais pas combien de fois Nour m'a parlé de votre gentillesse et de votre beauté!

Sans attendre la réponse de Nayiri, elle poursuivit :

— Je vois qu'il avait raison. Vous êtes ravissante. Le genre de femme qui a tout pour séduire et captiver une foule d'hommes. Vous êtes le portrait frappant de votre mère. Est-elle toujours aussi belle?

Nayiri en profita pour intervenir, de crainte de ne pas pouvoir glisser un mot.

— Pas aussi pétillante de jeunesse que vous, Leyla *Hanim*. J'avais beaucoup entendu parler de votre beauté légendaire par ma mère. Je vois qu'elle avait tout à fait raison.

Elle était ravie des pieux mensonges dont elle gratifiait Leyla. Muet de stupeur devant autant de toupet, Nour la regardait en ébauchant un vague sourire.

Brusquement soulagée, Leyla poursuivit la conversation, très en veine de confidences.

– J'ai toujours été inhibée par votre mère. Elle était beaucoup plus instruite que moi. Elle m'a enseigné le français et l'anglais. Elle parlait avec éloquence, se comportait avec grâce comme si elle était née pour la séduction. Je la détestais autant que je l'admirais. Certains jours, j'étais tellement jalouse d'elle que je me réfugiais dans ma chambre pour pleurer pendant des heures.

– Maman, vous exagérez, interrompit Nour en s'adressant à elle en turc.

Leyla poursuivit en anglais :

– Je n'exagère pas. Les femmes Balian sont dangereuses. Je vois dans les yeux de Nayiri qu'elle peut voler un homme à n'importe quelle femme. Fais attention.

Elle sourit d'un air entendu en dévisageant tour à tour son fils et Nayiri.

– Je n'ai pas l'intention de voler un homme à quiconque, répondit Nayiri avec bonne humeur.

Refusant l'aide de Kérim, Leyla servit elle-même le thé. Ce n'était pas dans ses habitudes de reconnaître les qualités de Maro, elle venait de se livrer comme elle ne l'avait jamais fait avec une autre femme. Excepté Safiyé. En général, ses conversations portaient sur la mode, l'élégance, la beauté féminine et les conquêtes amoureuses.

– Vous devez comprendre, mademoiselle, expliqua-t-elle lentement, je suis encore sous le choc d'avoir perdu mon fils Nour après tant d'années passées à m'occuper de lui comme s'il avait été mon propre enfant.

– Maman, je vous en supplie, arrêtez. Vous ne m'avez pas perdu. Vous voyez bien que je suis près de vous, en train de prendre mon petit-déjeuner. Que voulez-vous d'autre?

– Tu me connais, mon fils, je n'aime pas partager. Je suis égoïste quand il s'agit de toi.

— Qu'est-ce que c'est cette idée de partage? Avez-vous l'impression que je vous aime moins?

Nour avait fait mine de prendre un ton furieux, et il adressa un clin d'œil discret à Nayiri.

Leyla hésita, elle s'assit plus confortablement au fond de son fauteuil et changea de conversation, comme si de rien n'était, en parlant des anciens *konaks* qu'ils devaient aller visiter après le petit-déjeuner. Elle était devenue une tout autre personne, maintenant qu'elle avait joué sa scène de jalousie. Elle se mit à raconter son enfance, ses servantes, les odalisques…

D'un côté, elle voulait faire plaisir à Nayiri et faire oublier ses confidences maladroites et, d'un autre, elle jugeait la présence de la jeune Américaine comme une menace pour son fils. Ses longues années d'expérience en intrigues sentimentales lui avaient appris que la passion pouvait vous entraîner dans de folles aventures. Finalement, elle se demanda pourquoi elle se posait des questions aussi idiotes. Nayiri et Nour n'étaient-ils pas frère et sœur?

* * *

Durant la cérémonie de pose de la première pierre à l'hôpital du Saint-Sauveur, Nayiri s'était montrée tout à fait à la hauteur dans son rôle de représentante de la famille Armen. Dès le lendemain matin, la presse arménienne avait repris l'intégralité de son discours.

Nour se tenait de côté, tandis que Nayiri lançait une pelle plaquée argent dans l'excavation du site de construction, comme le voulait la coutume. Ésine, prise par une urgence au service médical, n'avait pu assister ni au déjeuner officiel ni aux discours enflammés en l'honneur des familles Armen et Kardam.

Lorsque Nour se rendit au troisième étage de la *yali*, pour chercher Nayiri, il n'eut pas à frapper à la porte restée entrebâillée. Il passa la tête pour voir si elle était déjà prête. Elle sortait de la salle de bains, totalement nue. Il s'arrêta net, aussi stupéfait que s'il ne l'avait jamais vue auparavant. Elle était d'une beauté saisissante, séduisante à souhait. Sa peau hâlée accentuait la blancheur des parties de son corps habituellement cachées sous son maillot deux-pièces. Nour entra et ferma la porte derrière lui sans quitter des yeux les seins ivoire aux mamelons rosés. Il s'attarda sur le ventre plat et son regard se porta sur la toison frisée, noire comme du jais sur son triangle de peau blanche. Ils s'approchèrent l'un de l'autre et s'embrassèrent. Les mains de Nour se posèrent sur les hanches de la jeune femme, il la pressa contre lui.

Nayiri avait perçu le désir dans son regard et, maintenant, sa peau nue ressentait toute sa virilité. Elle glissa une main derrière la nuque de Nour et, de l'autre, s'employa à le dévêtir. Sans reprendre leur souffle et sans que leurs lèvres se soient séparées un seul instant, les vêtements de Nour tombèrent par terre.

— Viens, le supplia-t-elle, et elle s'allongea sur le dos, offerte, parmi les coussins du sofa.

Ils firent l'amour sans reprendre haleine, brutalement, accrochés l'un à l'autre comme s'ils étaient en perdition. Nayiri gémit de plaisir, son corps se souleva et retomba, secoué de frissons. Nour lui caressait les cheveux en lui murmurant à l'oreille des mots qu'elle ne comprenait pas.

Allongé près d'elle, il la regardait avec tendresse, émerveillé du plaisir qu'ils avaient partagé. Elle entrouvrit les paupières et vit qu'il l'observait. Elle aima la lueur qu'elle découvrit dans le regard de son amant. Elle prit le visage de Nour dans ses mains et lui murmura amoureusement :

— Je t'aime, Nour, plus que n'importe qui au monde.

— Je t'aime aussi, Nayiri. De toute mon âme.

Un long silence s'ensuivit.

— Je n'aurai pas le courage de te quitter une seconde fois. J'ai eu trop mal là-bas. Garde-moi pour toujours près de toi.

Il fut surpris par sa détermination. Jamais il n'avait envisagé une telle situation. En une fraction de seconde, bien des questions se bousculèrent dans sa tête. Sa vie était bien réglée à Istanbul. Ses relations, ses amis, toutes ces conventions sociales auxquelles elle ne comprendrait rien. «Que vais-je faire d'elle?» se demanda-t-il.

Plongée dans son rêve, Nayiri poursuivit sans se rendre compte de son silence.

— Je vivrai cachée dans ta *yali*. Et je t'aimerai.

Cette passion dévorante effrayait Nour. Son amante ne se rendait pas compte qu'à New York il était parfaitement libre et qu'à Istanbul il n'était plus le même homme. D'autant qu'elle ignorait tout d'Ésine.

— Leyla te découvrirait…

«Il faut que je lui avoue, maintenant», se dit-il. Il pressentait une réaction violente et n'était pas très rassuré.

— J'ai quelque chose d'important à te dire.

Elle le dévisagea, surprise par le changement de sa voix.

— J'ai une amie, ici, une femme qui…

— Salaud! hurla-t-elle en sautant en bas du lit.

Elle avait pâli. Ses lèvres tremblaient. Nour vit passer un éclair de haine dans ses yeux. Un instant, il regretta sa confidence.

— Je serais morte si je ne t'avais pas revu. Pendant ce temps, monsieur baisait tranquillement. Dans ce lit, sans doute. Vas-y, dis-le! Tu me dégoûtes, fous le camp de cette chambre!

— Ce n'est pas ce que tu crois…

Sa réponse avait mis Nayiri en fureur.

— Parce que, en plus, tu l'aimes? Tu es plus pourri que je pensais, Nour Kardam. Tu les aimes toutes, n'est-ce pas? Moi à New York, elle ici… qui d'autre encore?

Elle eut du mal à reprendre son souffle et poursuivit :

— Ça t'arrange, hein, salaud, une dans chaque ville!

— Calme-toi, je vais t'expliquer.

— Sors immédiatement ou je me mets à hurler.

Il préféra céder le terrain et referma doucement derrière lui. À travers la porte, il l'entendait hoqueter. Il se rendit compte alors que ses jambes flageolaient.

Il venait de se rendre à l'évidence : elle lui causerait des ennuis et un jour, il devrait la quitter. Ésine ferait une épouse parfaite. Elle était calme, élégante, cultivée, elle pourrait l'accompagner dans les soirées mondaines… Nour se dit qu'il était grand temps qu'il en parle à sa mère.

26

Vartan pénétra dans le bureau de Maro, le journal à la main. Pour la première fois depuis bien des semaines, il avait l'air calme et serein. Maro décela même une ébauche de sourire sur son visage et en fut tout attendrie.

— Tu as lu? demanda-t-il d'une voix douce.

Elle avait dévoré le compte rendu qui relatait dans les moindres détails la pose de la première pierre à l'hôpital arménien. Puis elle avait relu l'article plus lentement pour savourer chaque mot. Fière d'être l'instigatrice de cette opération humanitaire, elle était aussi heureuse que Nayiri ait représenté dignement la famille. Elle avait encore une fois parcouru les meilleurs passages et avait senti les larmes monter. Lorsque Vartan était entré dans le bureau, elle contemplait avec ravissement une photo de Nayiri et de Nourhan devant le palais de Topkapi. « Dommage, avait-elle pensé en regardant ses deux enfants, ils auraient pu faire un beau couple. »

Elle soupçonnait Vartan d'avoir partagé des sentiments identiques et eut soudain envie de se jeter dans ses bras pour y oublier la cruauté des jours précédents. Elle se retint pour ne pas céder à cette impulsion, se disant qu'elle ne pouvait rendre les armes aussi facilement.

— Tu permets que je m'assoie un instant? demanda-t-il à sa femme, de plus en plus surprise par cette courtoisie inhabituelle.

— J'étais convaincue que nous avions fait le bon choix. Si j'avais eu encore des doutes, ces articles de presse auraient achevé de me rassurer. Mais toi, qu'en penses-tu?

— Je pense que j'ai mis trop longtemps à me faire une raison. Avec les années, j'avais enterré tous ces mauvais souvenirs. La mort de Riza et l'arrivée de son fils m'ont complètement déstabilisé en ravivant mes anciennes blessures.

Elle se garda bien de répliquer tant il semblait perdu dans ses pensées. Un long silence suivit.

— Ton fils représentait une partie de ta vie pendant laquelle tu ne m'avais plus appartenu. Pire encore, tu étais à un autre au point de lui donner un enfant. Après t'avoir arrachée à lui, je n'ai jamais trouvé le repos que j'imaginais, au point de me demander si j'avais bien fait de t'enlever. Quand Nour a débarqué ici, il a réveillé tous ces sentiments aussi violents que contradictoires.

Elle était attendrie et émue par le monologue de son mari. Comprenant qu'il s'adressait moins à elle qu'à lui-même, elle attendit la suite.

— Je me suis emporté. Souvent, mes paroles ont dépassé ma pensée. J'avais mal et je voyais les enfants qui prenaient parti pour toi. Je me suis retrouvé désemparé et…

— … solitaire, je sais, compléta Maro. Je comprenais, je te plaignais, mais je ne pouvais te laisser me traiter comme tu le faisais.

Vartan hochait la tête en signe d'assentiment. Il se pencha en avant sur le bureau et prit la main de Maro entre les siennes. Ils étaient aussi émus l'un que l'autre. Les coups frappés à la porte du bureau les firent sursauter. Tomas passa la tête par l'entrebâillement.

— Toi! ici? lança Maro qui n'avait pas vu son fils venir au bureau depuis plusieurs années.

— Je passais dans le coin. Je vois que vous en savez autant que moi, dit-il, en désignant les journaux posés devant eux.

Il se laissa tomber dans l'autre fauteuil, face à sa mère. Je vous dérange?

— Pour une fois que tu me fais le plaisir de venir jusqu'ici, certainement pas, répliqua-t-elle en regrettant tout de même que son irruption ait interrompu les confessions de Vartan.

— Je me sens un peu coupable, pourtant, maman. Surtout quand je lis ça, dit Tomas en montrant le journal.

— Pourquoi dis-tu ça? s'étonna son père.

— Parce qu'on l'a abandonné pendant si longtemps sans jamais s'inquiéter de savoir ce qu'il était devenu. Et, maintenant qu'il arrive les mains pleines, on l'accueille à bras ouverts. Je me demande si nous en aurions fait autant s'il n'avait été qu'un pauvre bougre démuni à la recherche d'une famille qui veuille bien lui venir en aide.

Maro eut un pincement au cœur en entendant les paroles de Tomas. La remarque de son fils lui rappelait douloureusement ce qu'elle s'était maintes fois reproché en secret.

— À ce compte-là, nous sommes tous coupables. Ta mère de n'avoir pas tenté de le retrouver, moi de l'en avoir empêchée, toi d'avoir gardé le silence jusqu'à ce jour. Nous aurions pu mieux faire, être plus charitables, que sais-je encore? Nous ne l'avons pas fait. Personne n'est parfait, mon pauvre Tomas. Désormais, faisons tous en sorte de nous comporter correctement les uns envers les autres. Ce que, moi le premier, je n'ai pas toujours fait et reconnais volontiers.

— C'est vrai, poursuivit Maro, nous avons fait preuve de beaucoup d'agressivité. Conflits de générations, conflits de sentiments, amertume, jalousie, nous avons laissé libre cours à trop de rancunes. Vartan, voudras-tu me pardonner mes mots trop durs?

— Si je ne l'avais déjà fait, je ne serais pas ici, répliqua-t-il avec un grand sourire.

Tomas ému, les observait ne s'attendant pas à un tel échange d'amabilités entre ses parents.

— Puisque tu es là, Tomas, j'ai une autre bonne nouvelle. Ton père n'est pas au courant non plus. C'était mon petit secret à moi. Mais je ne me sens pas le courage de le garder plus longtemps. J'ai conservé un peu d'argent de l'héritage pour en faire bénéficier notre journal. Il ne s'agit pas de nous enrichir, mais de faire de l'*Armenian Free Press* un quotidien digne de ce nom qui servira d'autant mieux la cause de nos compatriotes. Nous pourrions changer de locaux pour des plus modernes et plus spacieux et renouveler toutes nos machines qui sont complètement obsolètes. Qu'en pensez-vous?

Vartan eut un petit sursaut d'orgueil, vite réprimé, en se disant que la fortune du gouverneur Riza allait profiter aux lecteurs arméniens de son journal et que, finalement, c'était justice.

— Excellente idée de moderniser votre bon vieux canard, approuva Tomas.

Il se leva et alla embrasser sa mère qui essuya furtivement une larme qui perlait. Tomas se retourna vers son père et l'étreignit.

Vartan se raclait la gorge pour cacher son émotion.

— Je vous laisse tous les deux, j'ai encore beaucoup à faire, leur lança Tomas en passant la porte. Je demanderai à Perg de ne pas vous déranger, vous devez avoir bien des choses à vous dire.

Très émue, Maro s'approcha de Vartan et le regarda avec toute la tendresse dont elle était capable.

— Allez, vieux fou, prends-moi dans tes bras. Il y a telle-ment longtemps que j'attends ce moment.

Les larmes au bord des yeux, il se leva et la serra contre lui. Ils restèrent ainsi enlacés, goûtant la douceur de leur réconciliation.

— Cela fait si longtemps que j'avais oublié de te le dire. Je t'aime.

— Moi aussi je t'aime, ma douce. Tu m'as tant fait souffrir que je ne le savais plus.

* * *

Le crépuscule éclairait le littoral asiatique de teintes chaudes. Nayiri et Nour se promenaient dans une petite allée qui menait vers un jardin de roses, séparé d'un massif de tulipes par un bassin ovale de marbre blanc.

Malgré la fraîcheur printanière, Kérim avait dressé la table près de la piscine. Une fontaine en forme de dauphin crachant de l'eau occupait le centre du bassin. C'était l'endroit le plus agréable de la propriété et les hôtes venaient s'y reposer au milieu de ses parterres de fleurs. Kérim apparut avec un énorme plateau chargé de rougets frits, de crevettes grillées et de homards cuits à la vapeur.

Nour picorait dans son assiette, l'esprit préoccupé par le futur départ de Nayiri. Après leur dispute, ils étaient retombés dans les bras l'un de l'autre, elle prête à toutes les batailles pour le garder, lui trop viscéralement attaché pour renoncer à cet amour impossible. Il leur restait encore une semaine de liberté avant qu'elle s'en retourne à New York. Elle se rapprocha de Nour et posa sa main sur la sienne.

— Tu vas me manquer cruellement.

Il aurait voulu l'embrasser, mais il resta sur sa réserve, devinant le regard de Leyla qui les surveillait de la fenêtre du salon.

Chaque fois que Nayiri était contrariée, ses yeux prenaient des reflets or qui les rendaient encore plus séduisants.

— Je sais que tu as rencontré Ésine avant moi. Cela me brise le cœur de te laisser avec elle. Je ne supporte pas de te partager. Suis-moi à New York.

Il se pencha vers elle.

— Soyons réalistes, Nayiri.

Il lui caressa la joue, conscient de la stupeur de Leyla qui, effectivement, les observait derrière les rideaux de sa fenêtre. Plus il regardait sa sœur, plus il mesurait les tourments que lui infligerait son absence. Mais il savait aussi qu'il devait voir la réalité en face au lieu de s'abandonner à ses rêves.

— Je t'aime de toute mon âme, ajouta Nayiri en ôtant la main de Nour.

— Rassure-toi, je viendrai à New York. J'envisage d'y fonder la branche américaine de la Société Kardam avec l'aide de Jake. Laisse-moi m'organiser, je serai bientôt avec toi.

Nayiri se retint d'exploser de joie et eut un sourire radieux à l'annonce de sa venue prochaine.

Les grillades de poisson avaient complètement refroidi. Aucun d'eux n'était d'humeur à manger. Il se versa un verre de vin blanc. «Je lui parlerai de la venue d'Ésine plus tard», se dit-il, assez peu fier du sursis qu'il s'octroyait par lâcheté.

Ils aperçurent soudain l'élégante silhouette de Leyla qui se dirigeait vers eux. Lorsqu'il la vit arriver de loin, Kérim s'inclina profondément. Nour se leva pour lui présenter un fauteuil. Avant de s'asseoir, Leyla embrassa Nayiri, pour lui signifier qu'elle faisait partie de la famille.

— Que complotiez-vous tous les deux?

Sa question était de pure forme, car elle n'attendait aucune réponse.

— Je vous en prie, continuez votre repas. Vous voudrez bien m'excuser de ne pas m'être jointe à vous ce soir.

Leyla avait un regard étrangement mélancolique. Contrairement à son habitude, elle avait négligé son maquillage, qui n'avait pas recouvert la légère cicatrice sous son menton.

— Vous êtes seuls? Ésine ne s'est pas jointe à vous?

Sa question n'était pas de la simple curiosité, mais traduisait une sorte de mécontentement.

— Elle est occupée à l'hôpital, répondit Nour.

Nayiri saisit l'occasion pour ajouter perfidement :

— Je regrette vraiment de ne pas avoir encore fait sa connaissance.

— Vous verrez, mon enfant, c'est une personne délicieuse. D'ailleurs, j'ai entendu dire qu'elle avait obtenu un poste important à New York. Vous aurez tout le loisir de vous apprécier là-bas.

Pendant un moment Nayiri crut défaillir. «Il l'emmène avec lui et n'a pas eu le courage de me l'avouer», pensa-t-elle en le fusillant du regard. Elle cacha sous sa serviette ses mains qui tremblaient.

Nour eut du mal à avaler sa salive, mais fut soulagé que sa mère lui évite une nouvelle scène de jalousie. «Pour une fois, sa manie du commérage m'a rendu service», pensa-t-il. Dans ces moments de tension, il appréciait la modération et l'équilibre d'Ésine. «Une compagne idéale», se dit-il. Craignant une réaction imprévisible de sa demi-sœur, il eut la présence d'esprit d'enchaîner en leur exposant l'un de ses anciens projets.

— *Annedjiim*, j'ai une suggestion à vous faire.

Les deux femmes le regardèrent d'un air étonné.

— Nayiri doit nous quitter dans une semaine et…

Un voile de regret passa devant les yeux de Leyla.

— Non, pas si tôt, ma fille. Il faut absolument que vous restiez avec nous plus longtemps, j'ai prévu de vous emmener à Antep pour vous montrer la région et vous présenter au reste de la famille.

— Merci beaucoup, Leyla *Hanim*. C'est très gentil de votre part, mais je dois absolument rentrer. J'ai déjà eu la chance de venir ici. J'ai vu des sites qu'aucun touriste ne pourra jamais voir.

– Comme nous ne pouvons retarder le départ de Nayiri, continua Nour, j'aimerais organiser une vraie *mehtap*, le concert nautique sous la pleine lune.

– Excellente idée! Je n'y ai pas assisté depuis des années. Vraiment, c'est une idée géniale.

Leyla était aux anges. Toutes ses affres causées par la réapparition de Maro dans sa vie se volatilisèrent comme par enchantement.

Nayiri se sentait un peu perdue.

– Je suis sûre que ça doit être délicieux et agréable, mais je n'ai aucune idée du sujet dont vous parlez.

Mère et fils se lancèrent des regards conspirateurs.

– Tu verras, le moment venu, répondit-il avec un clin d'œil. Je raccompagne ma mère jusqu'à ses appartements, nous avons encore à comploter.

Leyla rosit de plaisir et prit fièrement le bras de son fils. Elle était bien loin de se douter qu'une fois seuls il lui annoncerait son mariage avec Ésine, lui offrant ainsi l'un des plus grands bonheurs de sa vie.

* * *

Ce jour-là, la lune était pleine, diffusant une lumière blafarde sur la *yali* dont les palmiers zébraient les quais de marbre vert. La réception battait son plein dans les jardins. Des serveurs, chargés de plateaux, fendaient une foule de plus de deux cents invités. Les boissons étaient présentées par des hôtesses en costume régional.

Après plusieurs services de cocktails, les invités furent conviés à se rendre à bord du yacht qui venait de s'amarrer le long du quai. Des musiciens rassemblés près du bassin aux nénuphars distrayaient la file des visiteurs qui se pressaient au bas de l'échelle de coupée. En haut, le commissaire de bord, assisté de quelques officiers sanglés dans une impeccable tenue blanche, accueillait les passagers en offrant une rose rouge à chaque femme. Des constellations d'ampoules multicolores, les lanternes des coursives, les projecteurs du pont, les hublots allumés lançaient mille feux à la ronde. Une fois à bord, les hôtes étaient dirigés sur le pont principal où un orchestre diffusait en sourdine des airs du répertoire turc traditionnel.

Spencer blanc, nœud papillon rouge assorti à sa ceinture, Nour, souhaitait la bienvenue aux invités qu'il présentait à sa famille. Vint le tour d'Ésine qui salua avec un grand sourire la demi-sœur américaine de son amant. Cette dernière dut se forcer pour prononcer quelques mots protocolaires à sa rivale. «Si tu pouvais disparaître, toi», pensa-t-elle, en lui décochant un regard venimeux. Un instant, il envisagea le pire et se félicita d'avoir veillé à ce que la disposition des tables ne mette plus les deux jeunes femmes en présence.

Une fois le défilé achevé, il poussa un tel soupir de soulagement qu'il provoqua un froncement de sourcils réprobateur de Leyla, elle qui se régalait de toutes ces mondanités.

Sur le pont principal, l'orchestre jouait des airs à la mode, tandis que le champagne coulait à flots. Leyla contemplait ses amis avec bonheur. La musique, la foule, la pleine lune, les lueurs intermittentes sur la rive asiatique lui rappelaient les *mehtaps* auxquelles, jeune mariée, elle avait participé. Chaque fois ces fêtes avaient été pour elle un véritable conte de fées dont elle était inévitablement l'héroïne.

Aucun couple ne voulant relever le défi d'exécuter un swing, l'orchestre attaqua un slow inspiré d'une chanson de Doris Day.

Nour était satisfait de cette soirée. Le premier *mehtap* qu'il organisait était une véritable réussite. Appuyée sur le bastingage, Ésine se sentait entre ciel et terre, bercée par le lent mouvement du bateau et transportée par les bulles de champagne. Nour la rejoignit. Ils étaient seuls.

— Tu parais heureux mais épuisé. Soucieux, plutôt, je me trompe? dit-elle.

Nour hésita. Soucieux, il l'était depuis le début de la soirée, craignant un esclandre de Nayiri. Pour lui, la tension avait été forte lorsque la cérémonie des présentations avait mis les deux jeunes femmes face à face. Il espérait être le seul à remarquer l'agressivité de Nayiri quand elle apercevait Ésine, fort heureusement accaparée par ses collègues médecins. Ne supportant plus la jalousie et la dépendance de sa sœur, il avait été conforté dans sa décision quelques jours auparavant en jouant avec son neveu Ilhan : «Ésine fera une mère parfaite.» L'image d'enfants lui sautant sur les genoux le fit sourire. Ésine y répondit avec beaucoup de charme.

— Fatigué, mais j'ai encore à faire. Je te laisse.

Il rejoignit la table d'honneur où trônait sa famille. Altan lui fit signe que Nayiri avait un peu trop bu et qu'il s'efforçait de la calmer. Nour l'invita à danser un tango et elle se colla à lui de façon provoquante. Il fut soulagé quand l'orchestre attaqua un swing de Glenn Miller et qu'il put reprendre des distances plus convables.

Fort à propos, les danseurs furent priés de regagner leur place pour assister au spectacle. Nour repéra une chaise vide à côté du consul des États-Unis et s'y installa. Sous les projecteurs, deux jeunes danseuses du ventre de grande réputation firent leur entrée. Elles ne venaient danser à Istanbul que sur invitation expresse et à la seule condition de se produire devant une assistance choisie.

Le *saz heyeti* débuta par une *tchiftételli*, une danse animée moyen-orientale, au cours de laquelle les deux jeunes filles dansèrent à tour de rôle. Leurs hanches avantageuses ondulaient avec grâce, leurs doigts faisaient vibrer des castagnettes en cuivre et leurs bras sensuels se mouvaient avec des gestes gracieux comme pour inciter les gens à s'approcher et à participer à ce conte de fées descendu du sommet de Kaf, la montagne imaginaire qui encerclait le monde.

Leyla s'assit à côté de Nayiri qui semblait bouder en bout de table, très peu intéressée par les danseuses.

— Mon enfant, je vous trouve bien morose par une si belle soirée. J'aimerais tant vous faire partager mon bonheur. Je vais vous révéler un grand secret, ainsi vous serez la première dans la confidence.

— Merci de votre confiance, Leyla *Hanim*, répondit-elle sans grand enthousiasme.

— Notre Nour va *se marier*! Oh, que je suis heureuse!

Incapable de dire un seul mot, Nayiri sentit le sang lui quitter le visage. Un grand vide se fit dans son estomac, la tête lui tournait. Heureusement pour elle, seul un projecteur éclairait la scène sur laquelle apparaissait un joueur d'*oud*. Leyla se leva comme toute l'assemblée pour acclamer Oudi Hrant, un joueur de renommée internationale. Lorsque l'aveugle s'assit et pinça les cordes de son instrument, il donna l'impression de lancer ses notes et ses lamentations à la mer qui l'entourait et bien au-delà.

Nayiri fut prise de vertige. Cette musique vrillait son cœur en détresse, elle ne put en supporter davantage et quitta la table.

Quand ce fut au tour de Hafiz Rahmi de faire entendre sa voix puissante et mélodieuse, les paroles et les bruits de verres et d'assiettes cessèrent comme par miracle. La chanteuse, Sureya, se joignit au chant. Seuls quelques murmures occasionnels, *aman*, *aman*, pitié, pitié, se mêlaient aux chants, tandis que la mélodie touchait au plus profond des âmes et des cœurs.

L'assemblée fit une ovation bien méritée aux musiciens. Même si les sonorités orientales résonnaient étrangement aux oreilles des Occidentaux, ils furent subjugués par la passion et l'émotion qui émanait de l'exotisme de cette musique. Leyla constata alors avec surprise que Nayiri n'était plus à ses côtés.

* * *

Comme le yacht approchait de l'île Sedef, les invités furent accueillis par un magnifique feu d'artifice. Des explosions rythmées et des feux de lumières embrasèrent le ciel et, au bouquet final, les passagers applaudirent longuement.

Maintenant qu'il s'était éloigné de Nayiri, Nour retrouvait le calme. Il lui restait encore à remercier ses invités et il se dirigea vers la scène. L'orchestre s'arrêta et un grand silence se fit. Toutes les têtes se tournèrent vers lui lorsqu'il prit le micro.

— Mes chers amis, je sais que personne n'a envie d'écouter un discours après une aussi longue nuit. Laissez-moi juste vous dire que votre présence, ce soir, a été le plus beau cadeau que j'ai reçu cette année.

Un tonnerre d'applaudissements roula dans le grand salon, ponctué de : «Hourra! Bravo, Nour! Merci à toi!»

— J'aimerais simplement dire merci à vous tous qui avez répondu de façon aussi enthousiaste à mon invitation de dernière minute. Ma mère m'a confié que le dernier *mehtap* organisé par la famille Kardam remonte à l'après-guerre. Je ne laisserai plus autant de temps s'écouler avant le prochain, je vous le promets.

Après un bref silence qui marqua la surprise des invités, l'annonce déclencha une autre ovation. Nour jeta un coup d'œil vers sa table et constata que Nayiri avait disparu.

Dès que l'assistance fut calmée, Altan attira Nour à l'écart.

— Ta sœur a trop bu. Quand elle est sortie en courant, ma femme a pensé qu'elle allait vomir dans la mer. Heureusement qu'elle l'a suivie, sinon elle passait par-dessus le bastingage.

Pensif, il ajouta :

348

— Tu devras faire très attention à elle. Elle me semble bien fragile.

Nour s'agita sans savoir où aller, et son frère le retint.

— Mèlek est avec elle dans une cabine. Le toubib du bord lui a donné des sédatifs. Elle doit dormir. Occupe-toi de ta fiancée et de tes invités.

Après avoir joué toute la nuit son rôle d'hôtesse à la perfection, Leyla vécut la *mehtap* comme un triomphe aux côtés de Nour. Il lui semblait avoir enfin sauvé son fils de tous les dangers. Non seulement il lui revenait, mais il lui faisait la joie de lui annoncer son mariage. Ses yeux brillaient, tandis qu'elle parlait avec une volubilité décuplée à tous ceux qui l'entouraient.

Les préludes de l'aube s'annonçaient déjà dans le ciel quand ils traversèrent le détroit. Lorsque le yacht pénétra dans le Bosphore, de retour vers la *yali*, le ciel pâlissait et les étoiles s'éteignaient une à une. Les dernières, qui brillaient encore, semblaient si proches qu'on croyait pouvoir les décrocher et les emporter en souvenir.

Pour Nayiri, les souvenirs de la veille étaient assez confus. Elle insista pour prendre l'avion comme prévu, en fin d'après-midi. Avant d'embarquer, elle embrassa sagement Nour sur les lèvres. Quand il lui recommanda de prendre soin d'elle, elle répondit : «À quoi bon? Je suis déjà morte depuis hier soir.»

* * *

Le chef gitan de Sulukulé, surnommé Békir-le-Gaucher, était un vrai dur à cuire dans la cinquantaine. Jusqu'à présent, aucun autre Gitan n'avait pu rivaliser en force et en violence avec lui et il s'était imposé dans la tribu sans que l'on sache réellement d'où il venait. Son âme damnée, Rahmi, racontait que Békir, quand il rentrait ivre au campement, avait la mauvaise habitude de battre ses femmes qui en restaient sur le carreau pendant plusieurs jours. Quoi qu'il en soit, personne n'avait jamais osé venir mettre le nez dans ses affaires. La réputation de Békir était bâtie sur sa compétence, qu'il monnayait grassement, dans l'élimination de tous les problèmes, ou plus exactement de ceux qui créaient des problèmes. Quand on payait bien, Békir se chargeait d'éliminer le gêneur, ce qui lui avait valu des surnoms tels que «l'accident fatal» ou bien «l'entrepreneur de finition».

Pour l'heure, Rahmi affûtait son couteau sur la meule circulaire qu'il actionnait avec le pied, tout en versant quelques gouttes d'eau sur la lame. Il ressemblait à un prophète biblique, avec des yeux enfoncés aux iris presque incolores et qui vous transperçaient, ses épais sourcils en broussaille, sa barbe hirsute et son crâne rasé. On l'appelait Rahmi-l'Ermite, car il vivait en solitaire et semblait mener une vie d'ascète.

Rahmi se disait que son chef n'était pas plus gitan que lui, mais que l'idée était bonne de se faire passer pour tel quand il fallait se fondre dans l'anonymat du clan et bénéficier de la mouvance de ces perpétuels nomades pour filer entre les mailles.

Békir, court sur pattes, les muscles noueux, avait rejoint son comparse et l'observait en train de fignoler le tranchant de la lame.

— Beau travail, apprécia-t-il en connaisseur, nous en aurons besoin ce soir, dit-il en désignant de la tête le long couteau effilé.

Rahmi le regarda d'un air interrogatif, sans toutefois prononcer un seul mot. En général, il ne faisait pas bon poser des questions au chef même quand on était son bras droit.

— Tu te souviens de ce type qui habite dans cette horrible hutte en tôle ondulée, toute rouillée, au pied de la colline en allant vers le port?

— Ouais! grogna Rahmi.

— Il a causé du tort à des amis, il a parlé à qui il ne fallait pas.

Rahmi était satisfait. Il se dit qu'il allait toucher de l'argent et que ça faisait bien son affaire. Il se contenta de grogner son accord.

— Il y aura aussi un autre type, ajouta Békir en baissant la voix. Un gros bonnet. Il n'aurait pas dû écouter ce que l'autre racontait. Tant pis pour lui. Je viendrai te chercher quand ce sera l'heure d'y aller.

* * *

Altan, assis dans la jeep qu'il avait arrêtée à quelques pas de la hutte en ferraille rouillée, fumait en attendant le retour de l'occupant des lieux. Altan ne se souvenait pas de son nom; l'homme le lui avait-il seulement dit? Pour lui seul, Altan l'avait baptisé «l'homme maigre de la grève». Même si ce dernier avait refusé d'être payé pour avoir fourni les renseignements qui mirent Altan sur la piste des trafiquants, l'homme devait avoir besoin d'argent. «Qui n'en a pas besoin, sur ces terres?» se disait Altan. Il n'ignorait rien de la rudesse du travail de ces journaliers courbés à longueur de journée sous un soleil de plomb pour entretenir les plantations de tabac, aussi avait-il décidé de lui remettre un petit pécule qui serait certainement le bienvenu, malgré les dénégations de l'homme.

Altan commençait à s'impatienter. «Qu'est-ce qu'il peut fabriquer, dehors à cette heure-ci, après la tombée de la nuit? Sans doute un petit boulot supplémentaire pour quelques *kouroushs*, se dit-il en jouant avec l'accélérateur de la jeep pour faire ronfler le moteur de manière à être entendu de loin.

L'homme maigre n'entendait pas le moteur. Il ne viendrait pas à la rencontre d'Altan pour toucher le salaire de sa délation. Il était allongé dans le fond de sa hutte, baignant dans son sang, la gorge tranchée. «Comme un goret», avait dit Rahmi en essuyant son couteau sur la jambe de son pantalon.

Un peu plus tard, les deux hommes, qui avaient entendu le moteur de la jeep qui s'approchait sur le chemin défoncé par les derniers orages, s'étaient tapis dans les fourrés.

Un nuage masqua le clair de lune.

Souple comme un chat, Békir se glissa en silence par l'arrière de la jeep. Il serra dans sa main le manche de son couteau de corne et, avec une grande sûreté dans le geste, il planta la longue lame sous l'omoplate d'Altan, en plein cœur.

Quand la lune réapparut, Békir et Rahmi étaient bien avancés sur le chemin du retour, ils riaient en se partageant les billets dérobés dans les poches de leur victime.

Dans la douceur de la nuit, Altan, le torse reposant sur son volant, semblait endormi.

27

Maro se chargea d'accueillir sa fille à l'aéroport. Elle se faisait une joie de la retrouver, mais elle s'inquiéta en apercevant son teint livide et ses yeux cernés. Nayiri s'effondra en pleurs dans les bras de sa mère.

— Merci d'être là, *mom*. Ramène-moi vite à mon appartement.

Pour Maro, le retour en taxi dura une éternité. À chacune de ses questions, sa fille répondait par des larmes en faisant «non» de la tête. Une fois entrée chez elle, Nayiri insista pour rester seule.

— Il n'en est pas question, répondit fermement Maro. Maintenant tu vas me dire ce qui se passe. Tu reviens encore plus mal en point qu'à ton départ. Que s'est-il donc passé d'aussi horrible là-bas?

— Il va se marier avec elle, hoqueta-t-elle.

— Nour avec Ésine? Et alors?

— Maman, je ne veux pas! Pas lui.

Maro se laissa tomber sur le sofa, les jambes coupées. Elle prit la tête de Nayiri sur ses genoux et lui caressa doucement les cheveux pour la calmer. Maintenant, elle commençait à réaliser. Cet engouement soudain pour Nour. La disparition brutale de Greg. Ces regards échangés entre eux. «J'ai été sotte, ces yeux qui brillaient, c'était des yeux d'amoureux, pas des yeux de frère et sœur.» La déprime, le chagrin d'amour. «J'ai été complètement aveugle.»

– Tu l'aimes?

– Plus que tu ne peux imaginer!

Maro se laissa aller et ferma les paupières. Riza lui souriait. «Mon Dieu, comme je l'ai aimé, lui aussi!» Les souvenirs affluèrent, la nostalgie étreignait son cœur, elle se mit à pleurer.

Les deux femmes restèrent blotties l'une contre l'autre, perdues dans leurs pensées, dans leurs amours impossibles.

Maro prit Nayiri par les épaules et plongea son regard dans le sien.

– Ma fille, nous avons toutes deux aimé les hommes qu'il ne fallait pas. Ils n'étaient pas pour nous. J'ai survécu à mon chagrin, tu oublieras le tien. Ce sera dur, je le sais, mais nous avons encore beaucoup de belles choses à faire ensemble.

* * *

La mort d'Altan avait plongé Nour dans des tourments sans fin. Jusqu'à la fin de ses jours, il reverrait ce bon vieux Kérim pénétrant dans son bureau sans attendre d'y être invité, les yeux exorbités, les larmes roulant sur son visage buriné, incapable de parler, si désemparé que Nour l'avait assis de force sur le sofa tout en le pressant de questions. «Oh!… Altan… la police… en bas…» avait bredouillé le serviteur en haletant, la main crispée sur le cœur.

Nour avait dévalé les escaliers et, sur le pas de la porte restée grande ouverte, il avait reconnu le commissaire Mehmet, le regard dur, les mâchoires serrées. Nour avait pris le commissaire par le bras et, sans pouvoir formuler les questions qui lui brûlaient les lèvres, avait interrogé le policier du regard. Il n'avait pas entendu les formules de politesse balbutiées par son visiteur, seuls résonnaient dans sa tête les mots terribles, si terribles qu'il aurait donné sa fortune pour ne jamais avoir à les entendre : «Votre frère Altan a été assassiné.»

La phrase du commissaire avait percuté Nour au creux de l'estomac, il était anéanti. En un éclair, la douleur fit place à la haine. Il cria « je veux le voir ». Il hurla « qui ? ». Le policier, qui en avait pourtant vu d'autres, fut alarmé par le regard dément qu'il lui lançait. Il ne sembla reprendre ses esprits et le contrôle sur lui-même que lorsque Kérim apparut, quelques instants plus tard, pour lui tendre un verre d'eau glacée.

Il était foudroyé. Les mots faisaient leur chemin jusqu'au fond de son être et prenaient toute leur signification. Altan était mort. Il sentit les larmes monter et se laissa tomber sur les marches de l'escalier. La tête dans les mains, il se mit à pleurer. Kérim s'enfuit à la cuisine pour ne plus voir son maître éperdu de douleur, le commissaire Mehmet restait planté là, au milieu du hall d'entrée, pétrifié devant la peine de cet homme qui sanglotait comme un enfant.

* * *

Désormais, Nour ne faisait que passer au siège de la Société à Istanbul pour expédier les affaires courantes. Il avait fait condamner son ancien bureau, au dernier étage de l'immeuble. Lorsqu'il était parti pour New York, Altan s'était installé avec bonhomie dans son fauteuil et n'avait rien modifié au mobilier ou à la décoration.

Il n'avait pas eu le courage d'occuper de nouveau cette pièce. Pour tous, le grand bureau directorial était devenu « le bureau d'Altan », il le ferma à clé et personne n'y pénétra plus jamais.

Nour ne décolérait pas. Il avait demandé au ministre responsable de veiller personnellement au bon déroulement de l'enquête de la police sur l'assassinat de son frère. Il avait pressé le commissaire Mehmet de faire son travail avec la plus grande rigueur et ne passait pas une journée sans s'informer du déroulement des recherches. Il se prenait parfois à imaginer qu'il tenait les assassins d'Altan et leur tordait le cou de ses propres mains.

La police se perdait en conjectures. Que faisait donc le haut dirigeant de la Société Kardam, à la tombée de la nuit, dans ce coin perdu du domaine? Allait-il rendre visite – mais pour quelles raisons? – à l'homme trouvé égorgé dans sa hutte de ferraille ou faisait-il une tournée d'inspection comme il en avait l'habitude? Certains inspecteurs penchaient pour la thèse du rôdeur attiré par le véhicule d'Altan et l'appât d'un portefeuille bien garni.

Le commissaire Mehmet n'y croyait pas. On ne tue pas deux hommes fortuitement le même soir. Un seul, oui. La région était réputée abriter des êtres frustes prompts à jouer du couteau, mais il n'y avait aucun lien logique entre un riche propriétaire et un pauvre bougre qui trimait dans les plantations, égorgé non loin. «Justement, disait Mehmet à Nour, c'est pas logique et c'est pour ça que c'est louche.»

— Les frères Haydar? avait risqué Nour.

— On les avait arrêtés le matin même. Non, pas eux, mais ça tourne autour d'eux. Des comparses furieux de voir leur sinistre commerce réduit à néant, c'est à voir…

Perdu dans ses pensées, le policier ne termina pas sa phrase. Il sursauta quand il entendit Nour lui annoncer :

— Cinquante mille dollars pour celui qui permettra l'arrestation de ces ordures, j'ajoute cinquante mille dollars pour… les œuvres de la police. Payables en espèces, dans mon bureau, par moi-même. Me suis-je bien fait comprendre?

Le commissaire, estomaqué par l'énormité de la prime, eut du mal à avaler sa salive, mais il avait bien reçu le message. Dès que Nour eut quitté son bureau, il décrocha son téléphone et passa le reste de la journée à ameuter ses troupes sur un ton qui ne souffrait pas la moindre réplique.

Nour était inconsolable de la disparition d'Altan. Il ne parvenait pas à faire le deuil de son frère. Il s'enfermait dans son bureau et rêvassait des heures entières, laissant défiler les images de ses jeunes années lorsqu'Altan le prenait sous son aile protectrice ou le rouait de bourrades amicales «pour faire de toi un homme», disait-il en riant. Les souvenirs des heures pénibles passées à lutter contre leurs aînés, l'image du sourire bienveillant d'Altan qui écoutait, ravi, le récit des frasques de son jeune frère.

Nour tombait endormi comme une masse. Les cauchemars l'éveillaient en sursaut au milieu de la nuit et les petits matins le trouvaient épuisé et meurtri.

Ésine partageait sa douleur. Elle lui proposa de différer la date de leur mariage en prétextant qu'il n'était pas décent d'organiser des réjouissances dans cette période troublée par le deuil. Elle avait hâte de devenir son épouse, mais pas dans ces circonstances. Reconnaissant de montrer autant de tact, il ne l'en aimait que mieux.

Les fiancés passèrent bien des heures à discuter de leur mariage. Ils étaient parfaitement d'accord pour échapper à la cérémonie grandiose dont rêvait Leyla. En restant à Istanbul, ils ne pourraient éviter de convier le ban et l'arrière-ban de la ville.

— Tu confirmes ton accord à l'hôpital Bellevue et nous filons à New York. Parce que c'est là-bas que nous allons nous marier et nous installer.

Avec plus ou moins de nuances et de diplomatie selon leur caractère et le degré de tolérance de leurs interlocuteurs, les futurs époux annoncèrent leur décision à leur famille respective.

Plus de deux ans s'étaient écoulés depuis son mariage avec Ésine. Nour gardait toujours en mémoire l'effervescence causée par la visite de Leyla à New York, où l'arrivée de cette dernière, accompagnée de ses douze malles-cabines de chez Lancel bourrées de vêtements, de chaussures et de colifichets, n'était pas passée inaperçue.

Elle avait d'abord refusé de se déplacer sous prétexte qu'un mariage digne des Kardam ne pouvait se dérouler qu'à Istanbul, avec tout le cérémonial habituel et en présence de la famille, des proches jusqu'aux parents les plus éloignés, auxquels devraient se joindre amis, officiels, diplomates et célébrités. Ses arguments restant lettre morte, elle proposa une autre solution : célébrer les noces à Monaco, en prévoyant le transport des invités par avion spécialement affrété pour la circonstance. Devant l'insistance des futurs mariés pour une cérémonie célébrée dans l'intimité, elle se résigna finalement à faire le voyage jusqu'à New York. Elle en profiterait pour faire escale à Paris et renouvellerait sa garde-robe.

La force de séduction qui émanait de Maro avait si longtemps contrarié Leyla qu'elle redoutait par-dessus tout les retrouvailles avec sa rivale. Non seulement elle l'avait, autrefois, évincée de son rang de favorite, mais aujourd'hui encore, elle lui contestait son rôle de mère. Pour affronter Maro, Leyla se devait d'être la plus séduisante, la plus élégante et la mieux apprêtée. Elle était originaire d'une famille humble de l'Anatolie et, depuis son mariage avec Riza Bey, elle avait fait des efforts pour s'éduquer «à l'occidentale». Cela signifiait un mode de vie raffiné, mais qui, avec elle, tournait à l'ostentatoire. Malgré son âge, elle n'avait pas encore compris que le maquillage et les toilettes étaient de bien pauvres armes face à une femme à la personnalité aussi forte que celle de Maro.

Ce samedi soir, à sept heures trente, Leyla se préparait à entreprendre le voyage le plus angoissant de sa vie : le trajet qui devait la mener de son hôtel à la maison de Forest Hills. Nour et Ésine l'accompagnaient dans cette épreuve. En sortant de la voiture, Leyla ne put réprimer l'anxiété qui l'oppressait. Elle s'achemina vers la porte d'entrée et hésita plusieurs secondes avant d'appuyer sur la sonnette. À cet instant, elle se demanda si elle n'aurait pas mieux fait d'inviter Maro sur un terrain neutre. Elle était toujours hésitante lorsque la porte s'ouvrit brusquement, et elle se retrouva nez à nez avec Maro.

— Ma chère Leyla, quel moment merveilleux!

Les bras ouverts de Maro l'encouragèrent à faire un pas en avant et à l'embrasser.

— C'est un rêve enfin réalisé, Maro, ma chère! Comme c'est agréable de te revoir après toutes ces années!

Nour et Ésine les regardaient d'un œil incrédule.

— Je partage tes sentiments, Leyla.

Sous l'effet de l'agitation, Maro en oublia Nour et Ésine qui attendaient patiemment la fin des effusions. Elle les embrassa à son tour et fit rentrer tout le monde dans la maison.

— Comme tu es élégante et splendide, s'empressa d'ajouter Maro. Tu n'as pas changé depuis la dernière fois que je t'ai vue. Je dois avouer que tu es encore plus éblouissante.

Sa remarque mit immédiatement Leyla de bonne humeur. Elle sentit ses angoisses s'envoler et elle recouvra toute son assurance. Et, pour montrer les progrès qu'elle avait faits, elle passa aisément du turc à l'anglais. Maro prit son bras et la conduisit jusqu'au salon très modestement meublé. Elles se laissèrent tomber dans le canapé en velours brun assez défraîchi, sans cesser de parler. Toutes deux commencèrent à se remémorer les moments du passé. Des images, des joies et des incidents surgirent les uns après les autres et, bientôt bouleversées, elles se mirent à pleurer.

Leyla commença à se sentir mal à l'aise lorsque les autres membres de la famille rejoignirent les deux femmes dans le salon. Pendant qu'elles parlaient et se tamponnaient les yeux mouillés par l'émotion, elle avait eu le temps d'examiner Maro plus attentivement. Elle était convaincue que sa rivale avait l'air plus jeune qu'elle et que sa robe en lainage gris clair avait manifestement plus d'allure que son propre tailleur en velours de Worth, hors de prix, et ridiculement inadapté à la circonstance.

— Je n'aurais jamais dû me tracasser autant, Maro, si j'avais su que tu serais aussi généreuse envers moi, déclara-t-elle.

Leyla se rendait compte de l'incohérence de ses pensées, tour à tour rassurée par son accueil et en situation d'infériorité.

— Je sais combien tu t'es toujours montrée généreuse envers moi. J'espère que tu accepteras de revenir en Turquie. Viens me voir à Istanbul, nous passerons un été ensemble.

— Ce serait une excellente idée, lui répondit Maro tout en se disant que, cette fois, elle n'aurait pas besoin de vendre sa bague pour payer son voyage.

Leyla fit une brève pause et poursuivit avec ce manque total d'à-propos dont elle avait le secret :

— J'espère que tu approuves la façon dont j'ai élevé ton fils.

Nour fut irrité par cette remarque aussi inattendue qu'inopportune, mais il s'abstint de réagir.

Prise au dépourvu, Maro la fixait d'un air surpris.

— Ne t'inquiète pas. Nour sera toujours ton fils. Tu as été une mère merveilleuse pour lui.

Maro prit affectueusement les mains de Leya dans les siennes. Ses paroles et son geste semblèrent apaiser les craintes de Leyla.

— C'est vraiment noble de ta part, murmura-t-elle de façon presque inaudible.

Les deux femmes abandonnèrent le sujet et se mirent à deviser avec bonne humeur. Nour poussa un soupir de soulagement et se dit qu'il n'oublierait pas de sitôt les retrouvailles de ses mères.

* * *

Après le mariage et un séjour de trois semaines à New York, Leyla retourna à Istanbul et l'agitation prit fin, chacun reprenant son activité habituelle. Maro et Vartan se retrouvaient plus fréquemment ensemble au journal. Ils paraissaient avoir oublié leurs anciennes querelles et comme se disait Perg en les voyant arriver le matin : «Ça leur a fait du bien de s'engueuler, ils sont plus unis qu'avant!»

Compte tenu de son âge et de sa grande tristesse à la suite de la mort de son frère Noubar, Vartan avait réduit son activité et abandonné ses conférences. Il terminait la rédaction du dernier volume de son œuvre *La destinée des Arméniens dans l'Empire ottoman*, dont les quatre premiers tomes avaient déjà été publiés. À l'occasion de grands événements de l'actualité, Vartan écrivait encore l'éditorial du *Free Press*, mais il ressentait beaucoup de lassitude chaque fois qu'il devait alimenter le journal de ses articles.

— Il faudra bien que quelqu'un prenne la relève, avait-il dit à Maro. Toi non plus, tu ne peux pas continuer de porter ce journal à bout de bras. Il est temps que tu te reposes et prennes plus de temps pour t'occuper de tes petits-enfants, sinon tu ne les verras pas grandir.

— Sans compter que Perg est presque aussi âgée que nous, ajouta Maro d'un ton désabusé.

Ce jour-là, Maro et Vartan manquaient d'entrain. Ils n'évoquaient jamais le sujet entre eux, mais ils entrevoyaient avec amertume la fin du *Free Press*, faute de successeur.

– Et puis ce n'est pas un métier, avait lancé Vartan, c'est un sacerdoce! Qui en voudra?

– On regretterait presque la réussite de nos enfants, dit-elle mi-figue, mi-raisin. Tomas chirurgien, Jake lancé dans les affaires avec Nour.

Le couple resta songeur, chacun était perdu dans ses pensées.

Maro confiait de plus en plus souvent la responsabilité du journal à Nayiri, ce dont elle s'acquittait fort bien. Elle se prenait au jeu et, peu à peu, le travail prenait la place vide à côté d'elle, Nour se faisant de plus en plus absent. Sa mère espérait la voir un jour reprendre le flambeau. Vartan avait bougonné que ce n'était pas la peine de faire des années d'études en psychologie pour en arriver là. Mais, dans le fond, il était ravi de voir provisoirement l'*Armenian Free Press* aux mains de sa fille.

* * *

Le commissaire Mehmet n'avait pas réussi à tirer le moindre aveu ni de Sabri ni d'Özkoul. Les frères Haydar niaient formellement leur implication dans le meurtre d'Altan Kardam. Le policier les avait fait transférer dans le pénitencier le plus féroce, en espérant les faire craquer avant leur procès. Les conditions de détention y étaient telles que bon nombre de prisonniers préféraient se faire tuer par les gardiens en tentant l'évasion plutôt que de voir se prolonger leur séjour dans cet enfer. À la demande des autorités de la police, le directeur de la prison avait fait placer un mouchard comme compagnon de cellule des frères Haydar.

Au bout de quelques semaines d'incarcération, Sabri, le plus âgé, commença à donner des signes de faiblesse. Il s'en prenait fréquemment à son frère Özkoul auquel il reprochait de les avoir fait précipiter dans l'horreur de ce pénitencier.

«Ils veulent nous faire parler et ils y arriveront», gémissait Sabri. «Si un jour, ils prennent ces deux Gitans, nous sommes foutus. Voilà où nous en sommes avec tes combines minables. On va crever ici.»

Le commissaire Mehmet parvint à obtenir une confession complète de Sabri Haydar qui désigna le chef gitan Békir-le-Gaucher et son complice Rahmi-l'Ermite comme exécuteurs du double meurtre.

Sitôt qu'il fut informé de l'arrestation des deux assassins, Nour fit le voyage jusqu'à Istanbul. Il voulait voir de ses propres yeux à quoi ressemblaient les meurtriers de son frère. Il voulait graver leur visage dans sa mémoire pour être certain de ne jamais les oublier et pouvoir les haïr jusqu'à son dernier souffle. Il aurait aimé les étrangler de ses propres mains.

Nour ne cacha pas son étonnement d'être accueilli à la descente de l'avion par le commissaire Mehmet qui l'entraîna à l'écart des autres passagers.

— Votre frère Touran s'est livré hier à la police. Il ne supportait plus la vie de fugitif. Il nous a fait des aveux complets. De plus, il avait des comptes à régler.

— Lui? Avec qui? demanda Nour abasourdi.

— Ramazan. Il lui a tout collé sur le dos. Il jure que c'est lui qui a donné l'ordre d'exécuter Altan, qu'il est le cerveau, que c'est lui qui l'a entraîné dans ce trafic. On ne pouvait plus l'arrêter.

Le commissaire le regarda d'un air gêné. Il hésita, puis conclut :

— Je vous plains, monsieur Kardam. C'est moche pour votre famille que vos frères aient organisé le meurtre d'un des leurs.

Nour n'en croyait pas ses oreilles. Il n'estimait pas Ramazan et Touran, mais jamais il ne se serait douté qu'ils puissent tomber aussi bas. La tête lui tournait. Maintenant qu'il savait, il était horrifié.

— Je peux le voir? demanda-t-il d'une voix sourde.

— Pas pour le moment, monsieur Kardam. Nous avons encore besoin de lui. Il est au secret. Il a demandé le pardon à toute votre famille.

Nour eut une pensée pour Altan.

— Je ne lui pardonnerai jamais, dit-il.

Mehmet hocha la tête et se ravisa.

— Venez à mon bureau. Vous pourrez lui parler seul à seul, mais pas longtemps. J'en prends la responsabilité.

Touran était prostré sur sa chaise. Quelqu'un lui avait détaché une main et les menottes pendaient à son autre poignet. Nour l'observa un instant à travers le grillage. Son costume froissé, sa chemise maculée et une barbe de deux jours le rendaient presque méconnaissable. Il avait les traits tirés et fixait le sol poussiéreux. Un instant, il eut pitié de l'ancien colonel, toujours tiré à quatre épingles, vivant dans le luxe, entouré de domestiques.

Nour pénétra dans la pièce qui sentait le tabac froid sans provoquer de réaction. Quand il lui posa la main sur l'épaule, Touran esquissa un geste de défense, puis le regarda d'un air hébété. Il mit plusieurs secondes pour reconnaître son frère. Son regard trahissait une peur intense.

— Non, ce n'est pas moi. Il m'a obligé, bredouilla-t-il.

— Je ne t'ai rien dit, Touran. Calme-toi.

Son frère était une loque. Nour en avait la nausée.

— Je te demande pardon. Je vous demande pardon à tous. Je ne voulais pas ça.

Pitoyable, il gargouillait et reniflait en s'essuyant les yeux d'un revers de la manche. Soudain, il se fit implorant et Nour détourna son regard.

— Sors-moi d'ici. Je te donnerai tout ce que j'ai.

Nour était révolté. Pas un mot pour Altan. Pas un mot pour sa mère morte de chagrin, pour sa famille, pour personne. Il ne s'intéressait qu'à lui-même. Il avait fait poignarder son propre frère et suppliait qu'on le sorte de prison.

Pris d'un immense dégoût, Nour sortit de la cellule sans un regard pour son frère. Le commissaire l'attendait dans son bureau, un grand verre de scotch à la main.

— Buvez. Ça nettoiera toute cette saloperie.

* * *

Nour se rendit à pied au siège de la Société Kardam International où l'attendaient Chahané et Kénan. Comme il ne pouvait assurer une surveillance suffisante à partir de New York, il avait décidé de confier la direction de la branche turque à son frère. Chahané, qui avait ses entrées dans le monde politique, lui servirait de conseillère. Elle n'aimait plus se sentir en première ligne et elle excellait dans le rôle d'éminence grise.

Abattu depuis sa conversation avec le policier, il avait renvoyé son chauffeur, préférant marcher, comme s'il ne devait plus arpenter les rues d'Istanbul avant longtemps. Il constatait avec tristesse la fin d'une époque. En Turquie, la dynastie Kardam reposait sur les épaules de Kénan. Cinq ans auparavant, personne n'aurait osé imaginer que ce garçon un peu terne prendrait un jour la relève. Mais personne n'aurait non plus imaginé Ramazan en cavale, Touran en prison, Altan poignardé, Érol toujours aussi immature, et lui faisant sa vie en Amérique.

28

L'hiver avait été interminable et pénible, surtout pour Nour qui avait passé son temps à faire la navette entre Istanbul et New York pour conclure des contrats commerciaux de grande envergure.

Sa relation avec Nayiri se poursuivait, entrecoupée d'absences, de brouilles, puis reprenait de plus belle comme aux premiers jours. Quelquefois, il constatait avec amertume que sa passion s'étiolait, mais sa maîtresse savait toujours ranimer son désir.

Le mariage de Jake avec Nicole avait été pour eux un autre motif de discorde. Nayiri refusait absolument d'assister à la cérémonie et de participer aux festivités si Ésine était présente.

— Tu seras avec «elle». Je ne veux pas voir ça. Je me ferai porter malade.

Exaspéré, Nour dut déployer des trésors de persuasion pour la faire changer d'idée. Sitôt le mariage prononcé, elle se réfugia au buffet et ingurgita un nombre respectable de bourbons. Finalement, Araksi avait dû la reconduire chez elle bien avant le repas de noces.

Nour était parfois saturé de cette exigence d'amour exclusif. Il faudrait bien qu'il arrive à y mettre un terme. Heureusement ses voyages d'affaires lui permettaient de prendre ses distances.

Sa dernière visite en Turquie aurait pu lui en offrir l'occasion. En effet, le gouvernement d'Ankara lui avait proposé un poste de consultant commercial auprès de l'ambassade de Turquie à Washington. Les autorités avaient pensé faire le meilleur choix en s'adressant à lui, compte tenu de sa réputation en matière commerciale, de sa formation de juriste et de l'étendue de ses relations professionnelles. Nour n'était pas intéressé et il eut du mal à décliner l'offre, sans froisser le gouvernement turc. Finalement, il fit valoir que son travail à New York, axé sur la promotion du commerce entre les États-Unis et la Turquie, était beaucoup plus important pour le pays qu'un poste à l'ambassade.

Quelques semaines plus tard et bien involontairement, Ésine avait précipité la rupture de Nour et de Nayiri. Ce jour-là, elle avait fait irruption dans sa bibliothèque où il lisait la presse financière.

Ésine était radieuse.

— J'ai un gros cadeau pour toi, dit-elle, en lui montrant un résultat d'analyses.

Il l'avait rarement vue aussi excitée.

— Je vais avoir un bébé.

Elle explosa de joie et lui sauta au cou. Nour était aux anges. Enfin un héritier dans la dynastie Kardam! Un grand sourire illuminait son visage. Il serra sa femme contre lui.

— Enfin! Nous attendions depuis si longtemps.

— Ça peut aussi être une fille, lui souffla-t-elle, devinant ses pensées.

— Nous en ferons d'autres, dit-il affectueusement.

— Autant que tu en voudras!

Inconsciemment, Nour avait pris sa décision. Même s'il ne se l'avouait pas encore, il devait quitter Nayiri.

* * *

Aux dires du *Wall Street Journal*, la Société Bali-Kardam International figurait parmi les cent entreprises les plus florissantes des États-Unis. Elle comptait des succursales réparties sur cinq continents et plusieurs entreprises de tabac, des plantations de coton, des participations importantes dans l'industrie pharmaceutique et des intérêts jusque dans l'industrie du cinéma et des télécommunications.

La plupart des membres des familles Kardam et Balian s'étaient joints à la société. Azniv et son mari Roberto, qui avait revendu son officine, dirigeaient la division développement et pharmacie avec une compétence que l'on ne soupçonnait pas de la part de cet émigrant italien débarqué à Ellis Island sans un sou en poche.

Nour se rendait compte qu'il lui fallait des héritiers pour prendre la relève à la tête de l'Empire Kardam. Depuis qu'Ésine lui avait annoncé qu'elle était enceinte, il se sentait investi d'une nouvelle mission : perpétuer la famille. De plus, s'il voulait des enfants capables de lui succéder, leur éducation lui incombait. Comme son père l'avait fait pour lui. Mais cette responsabilité, il ne l'assumerait pleinement que si… Les traits de son visage se durcirent. Il appela Nayiri au journal et lui annonça qu'il se rendrait chez elle le soir même.

* * *

Nayiri avait passé un kimono de soie beige et dénoué ses cheveux. Lorsqu'elle lui ouvrit la porte, le regard de Nour lui confirma qu'elle restait très désirable. Maintenant qu'il était installé dans le fauteuil, elle le trouvait distant, et elle détestait son complet gris anthracite à fines rayures qui lui donnait un air sinistre.

— Dis-moi ce qui te tracasse, lança Nayiri pour briser le silence.

— C'est important et je ne sais comment t'expliquer.

Elle réprima une grimace. Il ne l'avait pas habituée à ce genre de déclaration. Le malaise de Nour était évident.

— Ésine attend un enfant et j'ai pensé…

— Que j'étais de trop, dit-elle en lui coupant sèchement la parole.

Il ne savait plus que dire. Son discours au sujet de sa succession lui sembla absurde. Elle avait raison, elle devenait simplement importune.

— Je n'ai pas dit ça!

— Mais tu le penses si fort que je l'entends. Ta femme va assurer ta descendance. Tu veilleras à ce que tes enfants fréquentent les meilleures universités et te succèdent un jour. Je n'ai aucun rôle dans ce scénario.

Debout devant lui, Nayiri serra son verre de bourbon de toutes ses forces, se retenant pour ne pas pleurer.

— Nous pourrions rester amis, avança Nour.

— C'est ça et je serais la marraine du petit dernier! Tu te moques de moi? Je t'aime et tu me fais mal en me quittant. Cela devait arriver, un jour, mais j'espérais…

Sa souffrance l'étouffait, les mots restant bloqués dans sa gorge. Son teint blêmit, et elle se laissa tomber dans le sofa, anéantie.

Nour faisait tourner les glaçons dans son verre. Elle avait raison et il n'avait rien à répliquer. Désemparée, perdue, Nayiri fit une tentative pour le retenir, ne serait-ce qu'une heure de plus.

— Je sais que tu as envie de moi, lui dit-elle sans le regarder. J'ai parfumé mon sexe comme tu aimes. Tu pourrais le caresser de tes lèvres et écouter mon souffle s'accélérer. J'ai envie de voir ton corps, j'ai besoin de sentir ton désir. Viens me prendre, une dernière fois.

Les larmes coulaient sur ses joues, sa douleur ne pouvant plus être contenue. Nour eut mal, ferma les yeux et s'accrocha désespérément à ses résolutions. Il redoutait la passion qui s'allumerait en lui s'il posait ses lèvres sur elle. Il se leva et mit sa main dans les cheveux de Nayiri.

— Je ne peux pas, je ne veux plus, souffla-t-il, la gorge nouée.

Quand il ferma la porte de l'appartement, Nayiri poussa un hurlement de douleur. Nour ne put que l'entendre et s'enfuir.

* * *

En février, une tempête de neige bloqua la ville de New York, pour la seconde fois de l'hiver. À midi, les chasse-neige durent mettre fin à leurs travaux de nettoyage, les rafales de neige rendant les rues impraticables. À la grande joie des enfants, un million d'écoliers y gagnèrent une journée de congé supplémentaire. En fin d'après-midi, la région était recouverte de plus de soixante centimètres de neige.

Nour apprécia lui aussi de ne pas devoir se rendre au bureau, d'autant qu'Ésine était en congé.

La sonnerie du téléphone les fit sursauter. Nour lui fit signe de l'ignorer, mais Ésine avait déjà agrippé le récepteur.

— C'est peut-être un patient.

La conversation fut brève.

— Emmenez-la à l'hôpital, j'arrive tout de suite.

Elle raccrocha et se rhabilla en vitesse.

— S'il te plaît, appelle-moi un taxi. Un de mes jeunes patients est dans un état critique, il faut que j'y aille.

Nour proposa de la conduire, mais elle refusa, en disant qu'elle y serait aussi vite en taxi. Il n'avait jamais apprécié ces appels à leur domicile, estimant que les clients d'Ésine feraient mieux d'aller dans un service d'urgence au lieu de téléphoner chez eux. À plusieurs reprises, il lui avait demandé de ne plus communiquer son numéro privé. Mais Ésine avait tenu bon, car elle ne se serait jamais pardonné qu'un malheur arrive à un seul des enfants qu'elle traitait.

Le temps d'enfiler un chandail et un jeans, et le taxi l'attendait déjà.

— Ce ne sera pas long. Je t'appelle dès que j'arrive.

— Si tu ne me téléphones pas dans une demi-heure, j'appelle la police.

Déjà dehors, elle n'eut pas le temps d'entendre sa remarque.

Ce n'était pas la première fois qu'Ésine devait partir pour une urgence. Même s'il n'aimait pas ça, il ne pouvait pas dire grand-chose. Il était, lui aussi, souvent absent, en voyages d'affaires ou à d'interminables réunions jusqu'aux petites heures du matin. Il avait, un jour, tenté de lui faire comprendre qu'elle devrait ralentir son rythme et consacrer plus de temps à leur vie de couple. La réponse qu'il avait reçue lui avait fait vite comprendre qu'elle n'appréciait pas de le voir se mêler de sa carrière.

— Je suis ou médecin ou maîtresse de maison, il n'y a pas de milieu.

À peine une heure plus tard, la sonnette de la porte retentissait.

Il déverrouilla la porte et se trouva nez à nez avec deux policiers en uniforme.

— Vous êtes bien monsieur Kardam? demanda le plus jeune et le plus grand des deux.

— Oui, c'est moi. Qu'est-ce qui…

— Je suis l'officier Jack Harding, et voici Ramon Santos.

— Nous sommes du poste 11 dans le Queens. Nous aimerions vous parler, dit l'officier Santos.

Nour avala sa salive plusieurs fois.

— Quelque chose est arrivé? parvint-il, avec peine, à demander.

Il dévisageait les deux policiers, craignant d'entendre leur réponse.

— Est-ce qu'on peut entrer? demanda l'officier Harding.

Nour hocha la tête et recula pour les laisser entrer.

Santos ferma la porte derrière lui. Ils restèrent dans le vestibule.

— Dites-moi tout de suite ce qui se passe, je vous en prie.

— Je suis désolé, monsieur Kardam, mais votre femme vient d'avoir un accident.

La voix de Nour se mit à trembler.

— Rien de sérieux, j'espère?

— Votre femme a été blessée.

— Sérieusement?

— Elle est gravement blessée. On l'a transportée tout de suite à l'hôpital. Le taxi dans lequel elle se trouvait est entré en collision avec un camion.

Le cœur de Nour se mit à battre à tout rompre.

— Si vous voulez nous accompagner, nous allons vous conduire à l'hôpital, dit le policier Harding d'une voix calme, soucieux de ne pas inquiéter cet homme davantage.

Pris de vertige, celui-ci ferma les yeux, puis finit par articuler :

— Je vais m'habiller. Attendez-moi un instant.

Il monta dans sa chambre et sauta sur le téléphone pour prévenir Tomas.

— C'est moi, Tomas. Ésine vient d'avoir un grave accident en se rendant à l'hôpital pour une urgence. Est-ce que tu peux me rejoindre au Queens Centre?

Nour fut incapable de répondre aux questions de Tomas, sur la nature des blessures d'Ésine. Lorsqu'il redescendit dans le vestibule, le policier Santos s'adressa à lui d'une voix calme :

— Monsieur Kardam…

Nour s'arrêta brusquement, percevant de l'embarras dans la voix du policier. Son estomac se serra. Il savait que l'officier avait encore de mauvaises nouvelles à lui annoncer.

— Quand l'ambulance l'a emmenée à l'hôpital, votre femme avait perdu conscience.

Il aurait dû la conduire lui-même. Pourquoi l'avait-il laissée partir seule dans ce foutu taxi?

En sortant de chez lui, le trottoir lui parut instable sous ses pas. Il avait envie de hurler. Qu'avait-il fait pour mériter ce châtiment?

Assis sur le siège arrière de la voiture de police qui le conduisait à toute allure à l'hôpital, Nour se répétait sans cesse : «Faites qu'elle vive, faites qu'elle vive. C'est de ma faute, j'aurais dû la conduire.»

Dès qu'ils arrivèrent, Nour sauta de la voiture et grimpa les marches de l'escalier. Tomas l'attendait dans l'entrée, un médecin à ses côtés.

— Monsieur Kardam, je suis le chirurgien en chef, docteur Felix Peterson. Nous avons besoin de votre accord pour opérer votre femme.

Nour était devenu blanc comme un linge.

— Donne-le, dit Tomas d'un air inquiet. Elle est gravement blessée à la tête. Il faut l'opérer, c'est sa seule chance.

— Est-ce que je peux la voir?

— Oui, si vous y tenez, dit le chirurgien.

Comme Nour acquiesçait, il ajouta :

— Soyez fort, elle est dans un sale état.

Le docteur Peterson le conduisit dans la salle d'urgence. Ésine était étendue, inconsciente. Un tube sortait de sa bouche et un autre était planté dans son bras, sa tête enveloppée d'un bandage maculé de sang. Deux infirmiers fixaient sa jambe droite dans une attelle qui l'emprisonnait des orteils jusqu'à la hanche. Nour se sentit défaillir en voyant sa femme dans un état si pitoyable, alors qu'il venait de la serrer dans ses bras une heure auparavant.

Des infirmières poussèrent la civière d'Ésine dans la salle d'opération. Nour les accompagna jusqu'au bout du corridor et dut s'arrêter devant la porte. De l'autre côté, Tomas, revêtu de sa tenue de chirurgien verte, attendait la patiente, sa propre belle-sœur. Trois autres médecins l'accompagnaient, seuls leurs yeux apparaissaient derrière leurs masques.

Le policier Jack Harding vint le rejoindre et lui expliqua que l'accident avait été causé par le mauvais état des routes à la suite de la tempête de neige. Le taxi virait à gauche en direction de l'autoroute de Long Island. Le camion roulait en direction opposée. Le chauffeur du poids lourd avait perdu le contrôle de son véhicule qui avait heurté le taxi de plein fouet. Les deux conducteurs avaient été tués sur le coup. «Votre femme a eu plus de chance qu'eux», ajouta le policier.

Nour s'assit seul sur un banc. Il souhaitait par-dessus tout qu'elle vive, et son désir le fit suffoquer. Il se leva et alla fumer cigarette sur cigarette, faisant les cent pas dans la salle d'attente déserte. Puis il entendit une voix :

— Nour, appela doucement Tomas.

— Oui?

Nour dévisagea son frère en s'attendant au pire.

Tomas s'avança vers lui et posa sa main sur son épaule. Nour avait les larmes aux yeux. Après l'attente interminable de cinq heures que dura l'opération, il ne sentait pas la force de poser la question évidente. Il s'arrêta et attendit.

— Nous avons fait tout ce qu'il y avait à faire. Maintenant, il faut espérer que tout ira pour le mieux.

Nour remercia le ciel. Au moins, elle était encore en vie.

— Les prochaines quarante-huit heures seront décisives.

Tomas portait encore sa tenue de chirurgien. Ses traits étaient tirés et son regard tendu.

— Quelles sont ses chances?

— Je n'aime pas faire de prédictions, répondit Tomas, au lieu de lui avouer : «Pas très bonnes.»

Puis il lui posa les mains sur les épaules.

— Dans son état, nous n'avons rien pu faire pour l'enfant. Je suis désolé, dit-il en détournant les yeux pour ne pas voir la douleur sur le visage de Nour.

L'image d'Ésine lui revenait inlassablement à l'esprit; il la revoyait en train de se dépêcher, d'enfiler en vitesse ses vêtements et de se précipiter à l'hôpital pour sauver sa petite malade.

— Quand pourrais-je la voir?

— Dès qu'elle sera dans le département des soins intensifs. Nour jeta un regard reconnaissant à son frère.

— Merci beaucoup, Tomas.

Quelques instants plus tard, on l'autorisa à la voir. Elle reposait sur un drap de plastique, des tubes sortaient de son nez, de sa bouche et de ses deux bras. Sa tête était enveloppée de gaze blanche. Il s'approcha plus près et vit son visage tuméfié. Il détourna le regard, incapable de supporter plus longtemps cette vision. Il avait l'impression de tomber sans fin d'une falaise et de ne jamais devoir atteindre le fond. Il voulut crier, mais aucun son ne sortit de ses lèvres. Il lui parla tout en sachant qu'il ne devait pas s'attendre à une réponse.

Une infirmière lui rappela, d'une voix douce, qu'il devait partir.

Trois jours après l'accident, Ésine était toujours inconsciente. Le chirurgien avait expliqué à Nour qu'il fallait la stimuler en lui parlant constamment, quelqu'un dont elle pourrait reconnaître la voix.

Il ne laissa à personne le soin de s'adresser à Ésine. Il restait à son chevet sans cesse de lui parler de l'avenir, de lui caresser les mains, des enfants qui viendraient, du temps...

* * *

Vartan encaissa très mal la nouvelle. Au fil des ans, il avait appris à apprécier Nour et s'était rapproché de lui. Il aimait Ésine comme sa fille. Mais son extrême pudeur le retenait d'exprimer ouvertement ses sentiments. Il passa des heures à ses côtés, sans prononcer un mot, car il se savait maladroit dans ces moments-là.

Nour en était arrivé à aimer ce vieil homme qui l'épaulait en silence.

De temps à autre, Anna, Araksi et Azniv se relayaient pour soulager Nour, mais celui-ci ne voulait rien savoir et restait obstinément assis au chevet de sa femme, observant d'un œil morne les machines complexes qui la maintenaient en vie. À peine remarqua-t-il que Nayiri ne lui avait pas donné signe de vie. Il fut soulagé qu'elle garde le silence.

Les jours passaient, et les médecins commencèrent à ne plus y croire. Tomas venait chaque jour et répétait à son frère :

– Continue de lui parler, Nour. Je sais qu'elle va te répondre.

* * *

Tous les matins, il arrivait à l'hôpital de très bonne heure et repartait le soir, très tard. Il examinait sa femme si attentivement qu'il arrivait à discerner les changements imperceptibles de sa respiration et de ses mimiques inconscientes. Elle gardait les yeux fermés, les joues aussi pâles que la craie et les lèvres entrouvertes à cause du tube enfoncé dans sa gorge.

Un jour, il sentit qu'Ésine répondait à ses paroles par une faible pression des doigts. Débordant de joie, il se répétait inlassablement : « Elle m'a entendu, elle a serré ma main, elle a vraiment serré ma main. » Mais devant l'incrédulité du corps médical, la déception fit rapidement place à ce court instant de bonheur. «C'est juste mon imagination», pensa-t-il.

L'attente s'éternisa, les jours s'additionnèrent, on comptait en semaines.

Pendant qu'il la regardait, figée dans un sommeil qui semblait l'habiter pour toujours, Nour attendait un signe et repartait dans son interminable monologue. Plus le temps passait, plus il se sentait responsable de l'accident. Il se mit à croire à un châtiment. «J'ai aimé ma sœur, j'en ai fait ma maîtresse. J'ai trompé mon épouse. Je suis en train de payer», se disait-il, regrettant sa conduite.

Nour se sentait vieilli de dix ans. Les jours s'étiraient sans fin. Il espérait tant entendre Ésine prononcer quelques mots qu'il sursautait parfois, convaincu qu'elle s'était adressée à lui. Le silence dans lequel elle était plongée lui avait fait prendre peu à peu conscience de tout l'amour qu'il lui portait. Désespéré et épuisé, il prit sa décision et l'annonça à sa femme avec beaucoup d'émotion.

— Je jure sur la tête de ma mère que si tu t'en sors, je ne toucherai plus jamais Nayiri. Je te ferai de beaux enfants et nous vivrons heureux tous les deux, rien que nous deux.

* * *

Ce soir-là, Nour avait accepté l'invitation de Vartan et Maro. À la fin de sa journée de veille au chevet d'Ésine, il les avait rejoints au *Café Trocadéro*, un petit bistro parisien, style 1930. Tomas l'accompagnait. «Une soirée en famille te fera le plus grand bien», lui avait-il affirmé.

Nour, entouré d'êtres chers, appréciait ce repas, mais ne parvenait pas à se détendre complètement, ayant mauvaise conscience de se distraire.

Un serveur fit passer un message à Tomas en lui glissant à voix basse :

— Très urgent, monsieur, s'il vous plaît, lisez.

— Encore une urgence à l'hôpital, dit-il en soupirant. Je ne serai jamais tranquille.

Il lut le message et pâlit.

— C'est Ésine. Vite! Nour, il faut y aller.

Il bondit et courut aux côtés de Nour vers la sortie.

Vartan prit le papier et lut avec une profonde émotion dans la voix le message du docteur Peterson : «Madame Kardam est en train de sortir de son coma. Venez immédiatement.»

* * *

Nour entoura son épouse comme il ne l'avait jamais fait. Il surveilla sa convalescence avec un soin jaloux. Dès qu'elle fut en état de voyager, il l'accompagna en Suisse dans une clinique spécialisée.

Quand il fut certain qu'elle était rétablie, ils entreprirent de visiter l'Europe en faisant de longues étapes dans les palaces. Comme de jeunes amoureux, ils firent un voyage de noces qui ne prit fin qu'au bout de six mois.

Pour fêter leur retour, Maro organisa une grande fête. Nayiri eut un petit sourire crispé en apercevant Ésine, rayonnante de joie, au bras de Nour. Au cours de la soirée, Vartan s'approcha de ce dernier et le prit amicalement par le bras.

— Viens, il faut que je te raconte, dit-il, les yeux brillants de plaisir.

Un soir qu'il portait son éditorial au journal, il avait trouvé tout le personnel regroupé autour de Nayiri dans la salle de rédaction.

— Nous t'attendions, dit-elle, d'une voix solennelle. Nous avons le plaisir de te présenter notre nouveau-né : le premier numéro de l'*Armenian Free Press* rédigé en arménien et en anglais.

Vartan tomba des nues. Dès qu'il eut réalisé ce qui se passait, il se précipita pour serrer sa fille dans les bras. Pour lui, c'était un grand jour. Non seulement elle reprenait le flambeau, mais elle innovait en offrant une version anglaise du contenu arménien du journal. Il pouvait désormais diffuser ses idées à un large public, et cela, partout dans le monde.

— Je ne sais comment te remercier, tu fais de moi un père comblé. Je suis fier de toi. As-tu prévenu ta mère?

— Mais je suis là, dit Maro en sortant du bureau voisin.

— J'aurais dû m'en douter, la mère et la fille ont toujours comploté ensemble, dit-il avec un sourire radieux. Venez, mes douces, que je vous embrasse!

Nour était ému par l'entrain de Vartan. Il le retrouvait rajeuni et plein de nouveaux projets.

— Tu te rends compte? En anglais! répétait-il. Ce n'est pas demain que je vais prendre ma retraite d'éditorialiste.

* * *

Les études techniques et le plan de financement de la tour Bali-Kardam qui devait s'élever au centre de Manhattan étaient bien engagés. Subitement, Nour revint sur sa décision de la construire. En l'espace de quelques minutes, il perdit le goût d'entreprendre et s'enferma chez lui.

Le commissaire Mehmet l'avait appelé pour lui annoncer l'arrestation de Ramazan. Les mandats d'arrêt internationaux avaient fini par se révéler efficaces. Le jour où il se présenta à l'aéroport de Paris sous une fausse identité, un policier des frontières, plus vigilant que ses collègues, remarqua le passeport falsifié et retint le suspect pendant que l'on procédait aux vérifications d'usage. La police française établit la véritable identité du fuyard. Alertée, la justice turque demanda son extradition. «C'est maintenant une question de deux ou

380

trois mois, le temps de régler les problèmes de paperasserie»,
avait expliqué le commissaire.

Nour savait qu'un procès s'ouvrirait dès que Ramazan
rejoindrait Touran en prison. Un procès avec son cortège
de scandales étalés à la une de la presse! L'honneur de la
famille et le nom des Kardam de nouveau salis! Malgré son
désir de voir les coupables punis, il avait espéré que ses frères
disparaîtraient pour toujours. Au fil des années, la menace
de l'arrestation s'étant estompée, il avait fini par reléguer
cette histoire sordide au fond de sa mémoire.

«Maintenant tous nos ennemis vont se faire un malin
plaisir de remuer cette merde, se dit-il complètement désabusé. Tout ça va remonter jusqu'ici, on aura bonne mine
avec notre tour. On nous accusera de la bâtir avec l'argent
de la drogue. Terminé pour moi.» Malgré son insistance,
Jake n'avait pas pu le convaincre de revenir sur sa décision.

Ésine ne parvenait pas non plus à calmer son mari. Il s'enfermait la journée durant dans son bureau et exigeait qu'on
ne le dérange sous aucun prétexte. Il fuyait les mondanités
et les obligations protocolaires. «J'ai honte, honte de mes
frères à un point que tu ne peux imaginer, avait-il confié à
son épouse. Chaque fois que je sors, j'ai l'impression que
tout le monde me montre du doigt.»

Les conversations de Nour avec ses frères et sœurs restés
en Turquie n'avaient rien fait pour lui remonter le moral.
Kénan voulait changer le nom de la société pour préserver
son image commerciale et Chahané, écœurée de se sentir
lâchée par ses amis politiques, songeait à quitter définitivement Istanbul. La réaction de Leyla avait fait beaucoup de
peine à Nour. «La dernière fois qu'on a entendu parler d'eux,
ces deux salopards ont tué Safiyé. Elle est allée mourir de
honte et de chagrin, cloîtrée dans sa propriété de Gaziantep.»
Leyla fuyait les invitations en ville, car elle se savait observée

comme une bête curieuse. La mort dans l'âme de ne plus être l'arbitre des élégances d'Istanbul, elle s'exila, avec sa garde-robe, sur le rocher de Monaco.

Nour demanda à Nicole de se rendre à Istanbul et de suivre, de façon officieuse, le déroulement du procès. Lors des audiences, l'accusation put facilement établir les relations entre les frères Kardam et les frères Haydar grâce aux aveux de Touran. En plus, Ramazan fut reconnu coupable d'avoir commandité l'assassinat de son frère. Ils sauvèrent leur tête, mais furent condamnés à la prison à perpétuité.

Pendant la durée du procès, Nour resta prostré chez lui, refusant toute visite, comme s'il souffrait physiquement de l'infamie qui s'abattait de nouveau sur sa famille turque. Cette épreuve le rapprocha des Balian qui s'efforcèrent de soulager sa peine.

Puis, n'étant pas de nature à se laisser abattre par l'adversité, il se secoua et décida de reprendre le cours normal de sa vie. Pour se forcer à oublier ce sombre épisode, il informa Jake qu'il relançait le programme de construction de la tour Bali-Kardam.

29

Maintenant au début de la cinquantaine, Nour était très engagé dans des activités philanthropiques. Il était très sollicité par les nouvelles associations artistiques, scientifiques, éducatives ou politiques, qui tenaient à ce que son nom soit associé à leurs campagnes. Il gérait ses affaires et coupait des rubans.

Le chauffeur de la Cadillac s'impatientait, l'interminable trafic de la 5e Avenue avançait avec une lenteur désespérante. Nour était occupé à lire et à relire le testament qu'il rédigeait depuis plusieurs semaines. Au moment où ses yeux se posèrent sur le dernier article, le film de son passé défila devant ses yeux : son Bosphore bien aimé… Harvard… Antep… New York… Istanbul. Il sourit.

Il se revoyait seul, la nuit, dans la bibliothèque de son ancienne maison de Long Island, lorsque Ésine était en service de nuit à l'hôpital… son terrible accident… puis ses longues vacances à Paris pour la convalescence d'Ésine… les avenues bordées de marronniers, et les ponts de la Seine. Et puis, au fil des années, son immense joie au moment des naissances de ses deux garçons et de sa fille. Enfin, le testament de son père si différent du sien.

— Nous sommes arrivés, mais avec vingt minutes de retard, monsieur, dit le chauffeur, en l'extirpant de ses rêves.

— Ce n'est pas grave, Ronald. Mon trajet a été excellent. Merci.

Le chauffeur ne saisit pas vraiment pourquoi son patron était satisfait d'arriver en retard.

Ce soir-là, Nour ne voulut pas accompagner sa femme au récital de piano donné par Vladimir Ashkenazy à Carnegie Hall. Ésine s'était rendue au concert avec des amis qui devaient la ramener ensuite chez elle.

Il demanda qu'on lui serve un café dans sa bibliothèque pendant qu'il vérifiait le courrier. Quand la jeune domestique se présenta pour le servir, il sursauta et la considéra avec surprise. Il s'était attendu à voir apparaître son bon Kérim, plié dans l'une de ses éternelles courbettes... Pauvre Kérim! Les ans avaient eu raison de lui et de son dévouement indéfectible au clan Kardam. Nour se laissa envahir par une douce mélancolie en se remémorant ses jeunes années dans la *yali*. Lui aussi avait vieilli, ses tempes grisonnantes le lui rappelaient chaque matin...

La femme de chambre ajouta une bûche dans la cheminée et attisa les flammes assoupies. Une lumière dorée dansa dans la pièce et le bois crépita, crachant des gerbes d'étincelles aux quatre coins de l'âtre.

Le courrier du jour était sans importance. Il le mit de côté, ouvrit sa mallette et commença à parcourir sans conviction quelques documents, en préparation de sa réunion du lendemain matin.

Après avoir terminé sa lecture, il sortit le testament de son porte-documents pour le ranger dans son coffre-fort. Le texte, qui occupait plus de quarante pages, le rassurait. Voilà bien vingt fois qu'il le relisait, ajoutant un mot ici, raturant là. Ce soir enfin, il lui semblait que les clauses traduisaient fidèlement la générosité de ses intentions. Entre autres légataires appartenant à des organismes caritatifs, il avait doté d'un million de dollars les bonnes œuvres arméniennes. Il sourit. Il n'avait pas envie que ses héritiers se déchirent et se haïssent. Il ne voulait pas que se reproduise la scène lamentable qui l'avait tant meurtri lors de la lecture du testament paternel.

Assis à son bureau, Nour resta immobile un moment en laissant les minutes s'écouler, sautant de souvenir en souvenir. Certains lui revinrent brusquement en mémoire dans leur splendeur à demi oubliée. D'autres emplissaient son âme de longs échos de douleur et de détresse. Jusqu'à ce jour, sa vie avait été bien remplie, amours, et surtout un amour insensé! passionné mais interdit, brûlant mais pervers… et puis la solitude, quelques triomphes, aussi du désespoir… «Et ce n'est pas fini, il me reste encore un bon nombre d'années à vivre», pensa-t-il. Il se leva pour ouvrir le coffre-fort dissimulé derrière un authentique Seurat.

Il fit jouer le mécanisme de droite à gauche pour composer le code secret, et le dernier cliquetis de la serrure l'avertit qu'il ne lui restait plus qu'un dernier tour de clé à donner. La lourde porte blindée s'ouvrit. En posant son testament à l'intérieur du coffre, il toucha les cahiers reliés de maroquin rouge qui abritaient les mémoires de son père et il les prit dans ses mains. Une crainte étrange le saisit. Il se rappela la promesse qu'il avait faite à Altan lorsque ce dernier lui avait remis le mystérieux document. «Tout ce que je te demande c'est de mettre tout ce tas de papiers au feu, et vite. Je ne veux plus jamais en entendre parler. Promets-moi de les brûler», avait-il ordonné. Et Nour avait promis. Son cœur se mit à cogner, comme chaque fois qu'il évoquait Altan.

Furieux de ne pas avoir satisfait plus tôt à la demande de son frère, il empoigna les feuillets calligraphiés, les tenant fermement comme s'ils avaient pu se volatiliser entre ses doigts et lui échapper. Le souffle court, craignant que les battements de son cœur ne réveillent les démons du passé endormis entre les pages, il glissa jusqu'à la cheminée où ron-flait un feu d'enfer. Il y jeta une à une les pages du manus-crit pour s'assurer qu'elles disparaissaient jusqu'à la dernière, dentelles calcinées chevauchant un instant les flammes puis retombant en cendres.

Tandis que le brasier consumait les mémoires d'un passé infamant, le réduisant en poussière, Nour se releva, enfin libre et apaisé, et alla refermer le coffre avant l'arrivée de son épouse.